ANITA SHREVE

De redding

Vertaald uit het Engels
door Erica Feberwee

ORLANDO
uitgevers

© 2010 Anita Shreve
Oorspronkelijke titel *Rescue*
Nederlandse vertaling © 2011 Orlando uitgevers, Utrecht
Vertaald uit het Engels door Erica Feberwee
Oorspronkelijke uitgever Little, Brown & Company, New York
Omslagontwerp Studio Jan de Boer
Omslagfoto © Hollandse Hoogte/Arcangel Images Ltd
Foto auteur © Deborah Feingold
Typografie Pre Press Media Groep, Zeist
Druk- en bindwerk Ter Roye NV, België

ISBN 978 90 229 6051 6
NUR 302

www.orlandouitgevers.nl

Voor Jennifer Rudolph Walsh
Lieve Jennifer, heel erg bedankt

Peter Webster haast zich op zijn sokken de smalle trap af. 'Wentelteefjes,' zegt hij wanneer hij de hoek om komt. Rowan staat met een blos op haar wangen boven de koekenpan die meer krassen heeft dan Teflon. Webster vindt het gezicht van zijn dochter aanbiddelijk. Zelfs toen ze nog maar heel klein was had ze al die extra – hoeveel zal het zijn? – halve centimeter boven haar wenkbrauwen. Alsof iemand een combinatietang had gepakt en haar hoofd in de lengte iets had opgerekt. Daardoor staan haar blauwe ogen altijd wijd open en lijkt ze met een permanente zweem van verbazing door het leven te gaan. Webster vindt dat fantastisch. Rowan heeft donkerbruin, bijna zwart haar, met dezelfde kruin als hij, die ze camoufleert met een pony. Webster verstopt de zijne, die nog opvallender is, onder een honkbalpet. De kruin is een probleem; een probleem dat nooit overgaat.

Webster loopt op de automatische piloot naar de koelkast om sinaasappelsap te pakken.

'Dat heb ik al gedaan,' zegt Rowan.

Wanneer hij zich omdraait, ziet Webster dat de tafel gedekt is, met behalve borden, bestek en servetten ook boter in de oude botervloot, in plaats van zoals anders op een schoteltje; het sap heeft Rowan al in de glazen geschonken. Ze draagt de lichtblauwe trui van J. Crew die hij haar met Kerstmis heeft gegeven.

Er loopt iets op zijn eind, en dat willen ze markeren. Het is een gedachte waar Webster al maanden mee rondloopt. Ze moeten de verjaardag 's ochtends vieren. Webster heeft late dienst.

Rowan laat de wentelteefjes op de borden glijden. 'Je had je moeten aanmelden bij een koksopleiding,' zegt Webster terwijl hij gaat zitten en zijn stoel aanschuift. Verkeerde tekst! Het ontgaat hem niet dat ze vluchtig haar mond vertrekt. Heel even maar, dan heeft ze haar gezicht weer in de plooi. Rowan is door drie universiteiten afgewezen, waaronder Middlebury, haar eerste keus. In gedachten ziet Webster zijn dochter weer in de keuken voor de computer zitten, op 15 maart, wachtend tot het vijf uur is, want op die dag en dat moment zal een aantal opleidingen het vonnis 'aangenomen' of 'afgewezen' versturen. Webster was met de vaat bezig en probeerde zich onzichtbaar te maken terwijl hij een glas al voor de tweede keer afwaste. Hij was zich er, tot op de minuut nauwkeurig, van bewust toen het vijf uur werd. Maar de minuut verstreek. En er verstreken nog meer minuten. Al die tijd gaf Rowan geen kik. Er klonk geen kreet van vreugde, geen gejubel van blijdschap. Misschien waren de universiteiten wat later met hun beslissing, dacht Webster, maar terwijl hij het dacht wist hij al dat het zinloos was om te hopen op goddelijke interventie. Want zo werkte het niet. Zo werkte het nooit.

Op die vijftiende maart staarde hij naar haar rug. Ze zat onbeweeglijk, neerkijkend op haar handen, terwijl ze de zilveren ring aan haar middelvinger ronddraaide. Webster wilde iets zeggen, hij wilde zijn hand op haar schouder leggen, maar hij deed het niet. Want daarmee zou hij haar in verlegenheid brengen en het allemaal nog veel erger maken. Hij moest Rowan in haar waardigheid laten. Na twintig minuten roerloos voor de computer te hebben gezeten, stond ze op en liep ze de keuken uit. Naar haar kamer. En ze kwam niet meer beneden, ook niet voor het avondeten. Webster was in eerste instantie kwaad; hij was kwaad op de universiteiten. Maar daarna werd hij verdrietig, en tegen de ochtend had hij besloten dat hij voor de bemoedigende aanpak zou gaan. Hij sprak in lovende bewoordingen over de University of Vermont, waar ze al in de herfst kon beginnen en hoe dan ook terecht zou kunnen. Maar daar wilde ze niet heen. Ze had gehoopt op een kleinere universiteit. Wat Webster het ergst vond, was de vreugdekreet die nooit had geklonken, het gejubel van blijdschap dat hij was misgelopen.

Rowan had dat verdiend.

Webster had dat verdiend.

'Verrukkelijk,' zegt hij, kijkend naar zijn bord.

De dikke boterhammen, gedompeld in ei met melk, zijn perfect gebakken. Rowan giet een enorme hoeveelheid stroop op haar bord. Webster eet zijn wentelteefjes altijd zonder iets erop, met op het laatste soms een beetje jam. Hij kan zich niet herinneren dat hij eieren heeft gekocht, en hij weet vrij zeker dat de fles met stroop zo goed als leeg was, op een versuikerd laagje op de bodem na.

'Ik heb dienst van vier tot twaalf, want ik val in voor Koenig,' zegt hij. 'Zijn dochter gaat trouwen. Vanavond is de generale repetitie voor het diner.'

Rowan knikt. Misschien heeft hij het haar al verteld. 'Ik ben toch laat, want ik heb tot zes uur trainen,' zegt ze.

Hoe moet het met haar eten vanavond? Die vraag stelt Webster zich al vijftien jaar. Wanneer hij opkijkt, ziet hij een afgedekt bord met een extra portie wentelteefjes op het fornuis staan.

Opgelost.

'Tijd voor je cadeautje,' zegt Rowan, waarmee zij als eerste verwijst naar het feit dat de vader vandaag zijn veertigste verjaardag viert. De dochter – zeventien, een meter vijfenzeventig – staat op en loopt naar de eetkamer. Wanneer ze terugkomt, legt ze haar cadeautje naast zijn bord. Het is verpakt in goudkleurig papier met rode kerstbomen. Inmiddels is het bijna juni. 'Ik kon geen ander papier vinden,' zegt ze. Webster neemt een slok koffie en leunt naar achteren, met het cadeau op schoot. Hij ziet dat Rowan royaal is geweest met het plakband. Met behulp van het Zwitserse zakmes dat hij honderd jaar geleden van Sheila heeft gekregen, maakt hij het pakje open. Er komt een zilveren kubus uit. Hij zet het ding op tafel, pakt het weer op en draait het in het rond. Wanneer hij het op een van de zijden legt, geeft het de tijd en de datum aan, ziet hij. Door het te kantelen krijgt hij op een andere zijde het weer voor de komende vier dagen: een zonnetje, een zonnetje met een wolk, regen en weer een zonnetje.

'Hij is aangesloten op een weerkanaal,' legt Rowan uit terwijl ze haar stoel dichter naar die van haar vader schuift. 'Hoe dichter je hem bij een raam houdt, hoe beter hij het doet. Aan deze kant zit een wekker. Ik heb hem geprobeerd. Niet verkeerd. Het geluid, bedoel ik.'

Webster vermoedt dat de zilveren kubus Rowan drie daglonen heeft gekost. Voor haar baantje bij de Giant Mart moet ze twee middagen per week, en op de zaterdagen dat ze niet hoeft te spelen, vanuit Vermont de grens over naar New York. Webster legt zijn hand op haar rug en wrijft luchtig over haar slanke nek. 'Die buitentemperatuur is ook handig,' zegt hij. 'En wat doet deze kant?'

Rowan neemt de zilveren kubus van hem over. 'Je moet hem even heen en weer schudden. Kijk, zo. En als je hem dan weer neerzet, krijg je in dat zwarte vierkant je toekomstvoorspelling.'

Webster herinnert zich van heel vroeger de zwarte ballen met spreuken, die hij als kind zo wonderbaarlijk had gevonden en die in een of andere vloeistof dreven. Waarschijnlijk iets giftigs.

'Wiens toekomst?'

'De jouwe, neem ik aan. Het is jouw cadeautje.'

Rowan zet de kubus weer op zijn schoot. Samen wachten ze af wat er gebeurt. Abrupt draait Webster het ding op zijn andere kant, maar net te laat; Rowan heeft de voorspelling ook al gezien. *Bereid je voor op een verrassing.* Hij weigert erop in te gaan.

'Waarom doe je dat nou?' vraagt Rowan.

'In mijn werk betekent een verrassing bijna altijd narigheid.'

'Je bent veel te cynisch,' zegt ze.

'Ik ben niet cynisch. Ik ben gewoon voorzichtig.'

'Je zou jezelf een plezier doen door soms wat minder voorzichtig te zijn.' Ze kijkt op de klok. 'Ik moet ervandoor.'

Ze staat op en drukt een kus op zijn wang. Hij volgt haar sierlijke bewegingen, zoals hij dat al minstens duizend keer heeft gedaan. Ze tilt haar haren op, draait ze om haar hand en laat ze over haar rechterschouder vallen. Het is een beweging die hij haar nog niet eerder heeft zien maken en die hem een gevoel bezorgt alsof hij een trap in zijn maag heeft gekregen.

'Bedankt voor het ontbijt en voor het cadeau,' zegt hij.

'Graag gedaan.'

Webster wendt zich weer naar zijn wentelteefjes.

In plaats van gerammel aan de deurkruk en weerspannig geschuur van de kromgetrokken deur dringt er vanuit de gang slechts stilte tot hem door. Hij werpt een blik over zijn schouder.

Zijn dochter staat uit het raam van de voordeur te staren.

'Wat is er?' vraagt hij.

'Niks.'

'Rowan?'

'Niks!'

'Sorry. Ik wist niet dat je kwaad werd.'

Webster ziet de omtrekken van wat een pakje sigaretten zou kunnen zijn in de zak van haar dunne jack. Hij vermoedt dat zijn dochter drinkt. Rookt ze ook? Is ze aan het experimenteren? Is dat normaal voor een meisje van haar leeftijd? Webster kan zich de laatste keer niet heugen dat hij zich ontspannen heeft gevoeld in haar gezelschap. Eerder die ochtend had hij weer even een sprankje hoop gekoesterd. Rowan had aan zijn verjaardag gedacht, ze had ontbijt voor hem gemaakt, en ze had duidelijk moeite gedaan voor een cadeautje.

'Rowan.'

'Wat is er nou?' Rowan grijpt haar rugzak van de haak.

'Ik... ik wil gewoon dat je gelukkig bent.'

Rowan rolt zuchtend met haar ogen.

Webster probeert de feestelijke stemming van het verjaardagsontbijt wanhopig terug te halen. 'Ik ben erg blij met mijn cadeautje.'

Hij is zich bewust van het ongeduld van zijn dochter. Ze popelt om de deur achter zich te kunnen dichttrekken.

Webster keert zich weer naar de tafel. Hij hoort de deur opengaan, waarna ze die met het noodzakelijke geweld achter zich in het slot gooit.

Dan loopt hij naar het raam. Terwijl hij zijn dochter in haar auto ziet stappen, is hij zich bewust van een pijn in zijn borst die hem een leeg gevoel bezorgt.

Rowan is bezig afstand van hem te nemen.

Al maanden.

ACHTTIEN JAAR EERDER

De melding kwam om tien over een 's nachts. '10-50. Eenzijdig ongeluk. Vrouw. Niet-reagerend. Deels uit de auto geslingerd.' Hij deed er precies tweeënhalve minuut over van huis naar de ambulancepost. Daar parkeerde hij zijn auto, een tweedehands politiewagen, naast het gebouw, en op het moment dat hij in de Bullet sprong, gaf Burrows plankgas, zette de zwaailichten en de sirene aan en schoot de linkerbaan op. Webster had zijn uniform over zijn pyjama heen aangetrokken. Zijn stethoscoop hing om zijn nek; om zijn middel droeg hij zijn riem met handschoenen, eerstehulpschaar, zaklantaarn, tourniquet, zuurstofsleutel en noodhamer; zijn radio stak in de holster. In gedachten nam hij het protocol door bij een 10-50. Inventariseer potentiële risico's op de plaats van het ongeluk, inclusief brand- en explosiegevaar. Controleer of er sprake is van geknapte elektriciteitskabels of een lekkende benzinetank. Trek beschermende kleding aan en draag een veiligheidsbril wanneer het slachtoffer uit het voertuig moet worden bevrijd. Controleer de luchtwegen. Pas indien nodig de kaak-duwmethode toe. Controleer ademhaling en bloedcirculatie. Stabiliseer de wervelkolom. Meet hartslag en bloeddruk. Onderzoek het slachtoffer op hechtwonden.

Webster was eenentwintig en nog een groentje in het vak.

'Waar is het?' vroeg hij.

'Bij het tuincentrum, waar de 83 een bocht maakt.'

Er waren sinds de melding vier minuten verstreken. Op zijn hoogst.

'Het slachtoffer heeft zich met haar auto om een boom gekruld,' zei Burrows.

Hij was een vlezige kerel met uiterst kort geknipt, blond haar, voor zover hij nog niet kaal was. Aan het overhemd van zijn uniform ontbraken twee knopen, wat hij probeerde te verbergen onder een vest met een rits. Op zijn rechterwang had hij een akelig litteken van een melanoom dat een jaar eerder was verwijderd. Hij zat er voortdurend aan met zijn vingers.

Omdat hij nog in zijn proeftijd zat, fungeerde Webster als lastdier. Als hogere in rang droeg Burrows alleen de medicijnenkoffer en zijn eigen beschermende kleding. Webster diende zich te ontfermen over de zuurstof, de paraatkoffer, de halskraag en de schepbrancard.

'Verdomde koud,' zei Burrows.

'Zeg dat wel! Hoezo, vroege dooi?'

In de verte regelde een agent met een Mag-Lite het niet-aanwezige verkeer. Burrows maakte snel en bekwaam een draai van honderdtachtig graden en bracht de ambulance tot stilstand op een vlak stuk berm, op een meter of tien van de Cadillac die over de berm was doorgeschoten en op zijn dak was terechtgekomen.

'Hij heeft die boom alleen maar geschampt,' zei Nye, een wezelachtige verschijning met de langste tenen van het westelijk halfrond. 'Trouwens, wat moet zo'n grietje met een slagschip van een Cadillac?'

Geen grietje, ontdekten Burrows en Webster. Een vrouw van een jaar of vier-, vijfentwintig. Zonder veiligheidsgordel. De Cadillac was minstens tien jaar oud, de wielkasten zaten onder de roest.

'Ze is niet bij bewustzijn,' zei Nyes jongere collega, McGill, terwijl hij een stap opzij deed om ruimte te maken. Burrows en Webster knielden aan weerskanten van het slachtoffer dat inderdaad gedeeltelijk uit de auto hing. Webster werd getroffen door de aanblik van een weelderige bos donker haar dat glansde in het licht van de lampen, maar hij dwong zichzelf om zich te concentreren op het abc-protocol: *Airway. Breathing. Circulation.* Luchtwegen, Ademhaling. Bloedcirculatie. Hij stabiliseerde de wervelkolom en controleerde de vitale functies, terwijl Burrows de luchtwegen voor zijn rekening nam.

Webster las de bloeddrukmeter af. '112 bij 71. Hartslag 66.' Zelfs in de koude ochtendlucht rook hij duidelijk een dranklucht. 'Ze heeft gedronken,' rapporteerde hij. 'Haar lippen zijn blauw.'

'Ademfrequentie?'

'Acht.'

'Ze zit goed in de shit.'

'En ze stinkt.'

Webster wist echter dat ze nergens zomaar van uit mochten gaan.

Een ster in de voorruit had geleid tot hechtwonden op het voorhoofd. Als gevolg van het kapotte zijraampje was ze bedekt met flonkerende glassplinters. Webster streek heel voorzichtig het glas van haar ogen en haar mond.

'Weten we al hoe ze heet?' vroeg Burrows.

Webster keek toe terwijl de Wezel de tas van het slachtoffer onder de auto vandaan trok en er een portefeuille uit haalde.

'Sheila Arsenault.'

'Sheila!' zei Burrows luid en duidelijk. 'Sheila, kun me je horen?'

Geen reactie.

Burrows begon over het sternum te wrijven, hard genoeg om een dode tot leven te wekken.

Het slachtoffer hief haar hoofd, in de richting van de pijn. 'Shit!' zei ze.

'Brave meid,' zei Nye.

'Het slachtoffer reageert alleen op pijnprikkels,' rapporteerde Burrows voor het ritformulier, terwijl hij de halskraag aanlegde.

'Kunnen we haar met kleren en al op de schepbrancard krijgen?' vroeg Webster.

'Loop jij naar de andere kant van de auto.' Burrows maakte het gezicht van het slachtoffer vrij van de resterende glassplinters en legde een non-rebreathermasker aan. Daarna knipte hij met zijn eerstehulpschaar de mouw van haar spijkerjasje open, zodat hij een infuus kon zetten.

Toen Webster zich aan de andere kant van de auto door zijn knieën liet zakken, zag hij dat er een scherp stuk metaal in de buik van het slachtoffer drukte. Haar lichtblauwe overhemdbloes zat onder het bloed. Was het stuk metaal afkomstig van het dashboard? Of was het een deel van de vloer dat omhoog was gekomen? Door een spleet in het metaal kon hij zien dat Burrows nog altijd met het slachtoffer bezig was.

'Hechtwond in de buik,' riep Webster naar zijn collega.

'Oppervlakkig, zo te zien. Als Nye en McGill dat stuk metaal naar jou toe kunnen buigen, al is het maar een centimeter, dan moet je haar los kunnen krijgen. Ik leg een drukverband aan zodra de wond vrijkomt. Hou jij er ook een klaar, voor als je haar uit de auto hebt.'

'Heeft ze bloed verloren?'

'Ja, maar niet veel. Wacht even. Ik tel tot drie.'

Met zijn zaklantaarn tussen zijn tanden haalde Webster een drukverband tevoorschijn. Hij boog zich voorover, naar de metalen barrière, en drukte het verband zo goed mogelijk op zijn plaats. Als de manoeuvre mislukte, was de kans groot dat zijn hand werd opengesneden, besefte hij. Hij voelde een obstakel op de plek waar het metaal tegen de buik van het slachtoffer drukte. Het bleek een sleutelbos te zijn, met iets harigs eraan. Hij maakte de broekriem van het slachtoffer los, haalde het uiteinde door een lus en gooide de sleutels, het konijnenpootje en de riem over zijn schouder in het gras. Terwijl hij het drukverband op zijn plaats hield, zag hij dat de knoop van de spijkerbroek ook een obstakel vormde om het slachtoffer onder het stuk metaal vandaan te krijgen. 'Ik knip haar broek open,' zei hij.

Nye, de agent, floot.

Met geoefende bewegingen knipte Webster de pijpen open tot aan de taille. Toen schoof hij de broek voorzichtig naar haar knieën, hij trok het slachtoffer haar laarzen uit en ten slotte de spijkerbroek. Er kwam een witte slip tevoorschijn. Ze had slanke, bleke benen, zag hij. Nadat hij ook de kleren over zijn schouder had gegooid, legde hij een glimmende thermische deken over haar heen.

'Attentie,' zei hij toen. 'Een... twee... drie!'

De agenten slaagden erin het stuk metaal een halve centimeter om te buigen. Toen ze het slachtoffer aan haar schouders naar buiten trokken, verloor ze opnieuw wat bloed voordat Burrow het drukverband op zijn plaats wist te krijgen. Het bloedverlies was echter niet dramatisch, de wond vrij oppervlakkig, en de snee zag er schoon uit. Als de wond twee centimeter dieper was geweest, zou ze inwendige verwondingen hebben opgelopen. Om te voorkomen dat het slachtoffer daaraan bleef haken, boog Webster haar voeten zo veel mogelijk in een gestrekte positie.

De agenten trokken zich terug toen Webster zich, met het stapeltje kleren, bij Burrows voegde. Die had het slachtoffer inmiddels samen met McGill op de wervelplank gebonden en een deken over haar heen gelegd. Burrows begon opnieuw het borstbeen te bewerken. In plaats van een verwensing lokte dat deze keer slechts een zwak gekreun uit.

'Leg haar in de wagen!' zei Burrows, en Webster hoorde de ongerustheid in zijn stem.

Ze droegen haar op de wervelplank naar de ziekenwagen en schoven haar naar binnen. Burrows klom achterin bij het slachtoffer. 'Plankgas!' zei hij voordat Webster de deur dichtgooide.

Webster joeg de teller naar 110. Harder durfde hij niet op de 83. Soms kon hij tijdens een rit genieten van de zon die opkwam boven het hooiland, of van de weerspiegeling van de maan in een kreek langs de weg, maar die nacht was zijn aandacht naar achteren gericht en luisterde hij gespannen naar de pogingen van Burrows om het slachtoffer ergens op te laten reageren.

Bij Mercy Hospital aangekomen, ging Burrows met het slachtoffer mee naar binnen om verslag uit te brengen aan de SEH. Webster zag de brancard uit het zicht verdwijnen. Het glanzende, bruine haar van het slachtoffer hing over de metalen rand. Het liefst zou hij haar zijn gevolgd, maar het was zijn taak om de Bullet schoon te maken en de gebruikte onderdelen van de uitrusting weg te bergen. In de ambulance trof hij minstens tien bloederige proppen verbandgaas aan, dus blijkbaar had het slachtoffer toch meer bloed verloren dan hij in zijn eerdere rapportage had aangegeven. Webster was nog niet klaar toen Burrows alweer terugkwam met de brancard, maar ten slotte trok hij zijn handschoenen uit en kroop hij weer achter het stuur. Normaliter zou hij als groentje beide keren hebben gereden, maar om tijd te winnen had Burrows al achter het stuur gezeten toen Webster eerder die avond was gearriveerd.

'Een mooie meid was dat,' zei Burrows terwijl ze koers zetten naar de ambulancepost, die behalve Hartstone nog vijf gemeentes in zijn verzorgingsgebied had.

'Ze komt hier niet vandaan.'

'Het alcoholpromillage was 2,8.'

'Jezus.'

'Schandalig.'

'Shit,' zei Webster.

'Wat is er?'

'Ze had een sleutelbos aan haar riem. En die heb ik in het gras gegooid.'

'Dan ga je die maar in je eigen tijd zoeken.'

'Er zat een konijnenpootje aan.'

Burrows begon te lachen. 'Nou, dat heeft dan geholpen.'

Toen Webster de uitrusting had schoongespoeld, de voorraden in de Bullet had aangevuld en de binnenkant van de ziekenwagen had schoongespoten, stapte hij in zijn auto en reed terug naar de plaats van het ongeluk. Deze keer had hij wel oog voor de verlatenheid van de weg, voor de sikkelvormige maan, voor de boerderij net voorbij de plek waar de Caddy tot stilstand was gekomen. Een sleepwagen was bezig de auto de weg op te trekken. Nye doofde net een fakkel die hij achter de sleepauto op de weg had gezet. 'Wat kom jij doen?'

Niet: hoe is het met het slachtoffer? Daar hoefde je bij de Wezel niet op te rekenen.

'Ik heb haar sleutels in het gras gegooid,' zei Webster.

'Als je haar autosleutels bedoelt, dan kun je je de moeite van het zoeken besparen.'

'Nee, het waren andere sleutels.'

'Ze zouden haar moeten opsluiten. Ze had wel iemand dood kunnen rijden. Om te beginnen zichzelf.'

'Dan zou een gevangenisstraf ook geen nut meer hebben.'

Webster begon het platgetrapte gras te inspecteren rond de plek waar de auto terecht was gekomen. Terwijl Nye en zijn collega van bureau Hartstone in hun blauw-witte auto stapten, meende Webster dat hij de Wezel vaag hoorde grinniken.

Webster had zijn zaklantaarn meegenomen. Daarmee gewapend begon hij op zijn knieën de bevroren grond af te zoeken. Misschien had het konijnenpootje inderdaad zijn werk gedaan, dacht hij. Tenslotte had ze niemand doodgereden. Ook zichzelf niet. Ze had haar nek niet gebroken. Er was geen slagader gescheurd. En ook het trauma van een amputatie was haar bespaard gebleven.

In gedachten zag hij telkens weer dat glanzende bruine haar voor zich. Webster wilde het konijnenpootje vinden. Hij stelde zich voor dat hij het aan haar teruggaf. Sheila, heette ze. Voor zijn geestesoog was haar gezicht nog altijd bedekt met kleine flonkertjes.

Ergens klonk de roep van een uil, en in de verte hoorde Webster het gejank van een negenasser terwijl de chauffeur naar een lagere versnelling schakelde. Hij deed de zaklantaarn uit, bleef op zijn knieën zitten en wendde zijn gezicht af. Toen de wind van de langs razende wielen weer was gaan liggen, knipte hij opnieuw de lantaarn aan.

Het kostte hem vijfentwintig minuten om de sleutels te vinden. Samen met het konijnenpootje en de opgerolde riem stopte hij ze in zijn jaszakken, toen stapte hij in zijn auto, huiverend en bibberend tot de kachel warmte begon af te geven. Shit, wat was het koud!

Twee uur later verscheen hij, gedoucht en aangekleed, aan de ontbijttafel. Zijn vader zat er al. Om zo veel mogelijk te kunnen sparen voor een stuk grond waarop hij zijn zinnen had gezet, woonde hij nog bij zijn ouders. Hij vertrouwde erop dat de eigenaar van de grond die wel aan hem zou willen verkopen wanneer de tijd daarvoor rijp was. Een paar maanden eerder had hij het leven van diens vrouw gered toen ze een acute hartstilstand kreeg. In zulke termen dacht hij anders nooit. Burrows en hij waren een team, en het was doorgaans Burrows die de defibrillator bediende en het infuus aanlegde. Maar Webster had als enige direct geweten waar de boerderij lag, omdat hij er al minstens tien, misschien wel twintig keer langs was gereden, op weg naar de heuvel vanwaar je uitkeek op de Green Mountains. Dus hij had Burrows via de mobilofoon geïnstrueerd hoe hij moest rijden en was er zelf rechtstreeks naartoe gegaan in zijn tweedehands surveillancewagen. Bij aankomst op de boerderij reageerde de patiënt bijna nergens op, en ze transpireerde hevig. Toen ze het bewustzijn verloor, maakte hij de luchtwegen vrij en begon met reanimeren. Tegen de tijd dat Burrows arriveerde, was hij al meer dan twee minuten bezig. Binnen enkele ogenblikken hadden ze de patiënt geïntubeerd en in de Bullet aan de hartmonitor en aan een infuus gelegd. In een dergelijke situatie kon een minuut het verschil tussen leven en dood betekenen.

Websters vader, Ernest, had een doe-het-zelfzaak in de stad en stond elke morgen om zes uur op. Hij was een man van vaste gewoonten; zijn ontbijt bestond uit Raisin Bran met bananen, zijn lunch uit vier koeken, en ook zijn avondritueel sloeg hij zelden over: bij thuiskomst gunden hij en Norah, Websters moeder, zichzelf een moment van rust en dronk hij twee Rolling Rocks; daarna werd er gegeten, en na het eten was er een halfuurtje tijd voor de krant. Na de krant nam Websters vader aanbiedingen en catalogi van leveranciers door, dan werd er televisie gekeken – nooit meer dan één programma – en om negen uur ging het echtpaar naar bed. Webster kon zich niet herinneren dat hij zijn vader ooit met een boek had gezien, maar als het over gereedschap ging en wat je ermee kon doen, hoefde je hem niets te vertellen. Op de placemats bij Dunlap's Diner stond een advertentie voor Webster's Hardware, bestaande uit een foto van Websters grootvader en een banier met de tekst: 'Wij dienen u graag van advies'.

Websters moeder was onderwijzeres op de lagere school in Hartstone, waar ze de vijfde klas onder haar hoede had. Nu ze de tweeënzestig naderde, begon ze erover te denken met pensioen te gaan. Webster was pas laat in hun huwelijk geboren, want hoewel zijn ouders graag kinderen wilden, was zijn moeder pas op haar negenendertigste zwanger geworden. Ooit blond, maar inmiddels grijs, met een kruin op haar voorhoofd die ze aan haar zoon had doorgegeven, en grote, groen-bruine ogen. Elke avond kwam er een stapel nakijkwerk uit haar aktetas. Ze was de vredestichter in het gezin, maar wanneer de situatie erom vroeg, kon ze ook streng zijn. Webster vroeg zich weleens af hoe ze met de lastige leerlingen in haar klas omging.

'Zal ik eieren voor je bakken?' vroeg ze, druk bezig aan het aanrecht.

'Nee, ik neem alleen wat geroosterd brood,' antwoordde Webster. 'Ik moet nog even terug naar de Hulppost.'

Dat was niet waar. Hij wilde naar het ziekenhuis.

'Daar kom je toch net vandaan?' vroeg zijn moeder. 'Ik heb je horen thuiskomen.'

'Een kwestie van nazorg,' zei Webster. 'Ik blijf niet lang weg.'

'Dat mag ik hopen,' zei ze. 'Je hebt je slaap hard nodig.'

Webster werkte parttime, maar hij hoopte op een volledige baan waarin hij zijn diensten vanuit de ambulancepost draaide. Voorlopig werd hij nog van huis opgeroepen. Zijn ouders waren ondertussen vertrouwd met het alarmsignaal. Ze waren het gewend dat hun zoon zonder een woord te zeggen van tafel opsprong en met drie treden tegelijk de trap op stormde, en ze keken er niet meer van op als ze in het holst van de nacht een autoportier hoorden dichtslaan.

In de aanloop naar zijn eindexamenjaar, toen zijn vader in de doe-het-zelfzaak zijn eigen minirecessie te verduren kreeg, was Webster op zoek gegaan naar scholen die zo dichtbij waren dat hij op en neer kon reizen. Erop rekenend dat er na college genoeg geld zou zijn om door te stromen naar de universiteit van Vermont in Burlington. Maar toen hij eenmaal zijn diploma handel en commercie op zak had – waar je net zoveel mee kon als met een oude kerstkaart, was hem gebleken – rekenden zijn ouders erop dat hij de winkel zou overnemen.

Het vooruitzicht vervulde hem met afgrijzen. Anders dan veel van zijn vrienden was hij niet het avontuurlijke type, maar hij wilde toch iets opwindenders met zijn leven doen dan zes dagen in de week achter een kassa staan. Hij herinnerde zich de avond waarop hij dat aan zijn ouders had verteld. Ze zaten gedrieën om de keukentafel, zijn vader knikte met een stoïcijns gezicht, zijn moeder was met stomheid geslagen. Dan had hij zeker iets anders, iets beters in gedachten, veronderstelden ze. Dat was niet zo, maar hij had wel een advertentie gezien die zijn nieuwsgierigheid had gewekt.

'Ik wil ambulanceverpleegkundige worden.'

'Ambulanceverpleegkundige?' herhaalde zijn vader ongelovig. 'Dat meen je niet!'

'Hoe lang wil je dat al?' De stem van zijn moeder klonk hoger dan anders.

'O, ik denk een jaar of zo,' loog Webster.

'Het betaalt niet echt goed,' zei zijn altijd praktische vader.

'Dat valt uiteindelijk, na het eerste begin, wel mee.'

'Je zult verschrikkelijke dingen te zien krijgen, Peter.' De ogen van zijn moeder leken in de verte te kijken.

'Waar ga je je opleiding doen?' vroeg zijn vader.

'Dat ben ik nog aan het uitzoeken,' antwoordde Webster, en daarmee leek zijn toekomst beklonken.

Hij volgde de opleiding Verpleegkundige Spoedeisende Hulp in het Rutland Hospital, deed een aantal stages en legde de vereiste examens af. Met zijn kennis groeide ook zijn belangstelling voor de spoedeisende geneeskunde, en hij kwam tot de conclusie dat hij blijkbaar stomtoevallig de juiste keus had gemaakt. Op zijn eenentwintigste haalde hij zijn diploma.

Bij wijze van afstudeercadeau gaven zijn ouders hem een geldbedrag dat hij gebruikte voor de aanschaf van een tweedehands surveillancewagen, niet meer herkenbaar als politieauto maar nog net zo snel als op de dag waarop hij van de band was gerold. Voor een ambulanceverpleegkundige was snelheid tenslotte van het grootste belang, ook al moest hij daar 's winters, wanneer hij gedwongen was winterbanden onder zijn auto te zetten, wel wat op inleveren.

Webster keek naar het houtwerk rond het raam boven de gootsteen en bedacht dat er waarschijnlijk in het hele huis geen rechte hoek te vinden was. Hij betwijfelde of de boerderij ooit welvarend was geweest. Toen zijn ouders het huis kochten – Webster was toen zeven – lag er linoleum op de keukenvloer, de muren waren betengeld en bekleed met geitenhaar, en de eethoek zag wit van de pleisterkalk. Via een trap bereikte je de verdieping waar zich de zitkamer bevond, met een dichtgemetselde open haard, een ommuurde veranda die als naaikamer dienstdeed, en een redelijk grote slaapkamer. Op de zolder waren twee kleine kamertjes waar Websters neefjes en nichtjes en ooms en tantes sliepen wanneer ze langskwamen.

Tot zijn twaalfde sliep Webster op een hoogslaper die zijn vader in het naaikamertje had getimmerd. Toen hij dertien werd, en te lang voor het bed, sloeg zijn vader de muur weg tussen de twee kamers op zolder en maakte er één grote van, met een schuin plafond en een raam aan weerskanten. Het raam aan de achterkant keek uit op de groentetuin van Websters moeder, op een grote hortensiastruik en op een hoge mimosa die elk jaar in augustus een overvloed aan pluizige, zalmkleurige bolletjes produceerde. Onder die boom stonden twee houten Adirondackstoelen. Daar zaten Websters ouders in de zomer vaak, en probeerden dan de uitgestrekte lap grond te negeren die ze hadden verkocht om de financiële positie van de doe-het-zelfzaak te verbeteren.

Webster zei zijn ouders gedag en stapte in de auto; de zon kwam net op, damp sloeg van de achterkant van de auto's voor hem.

Het was ondenkbaar dat ze haar al naar huis hadden gestuurd, redeneerde hij, daarvoor was het alcoholpromillage in haar bloed veel te hoog geweest: drieënhalf keer de wettelijk toegestane limiet. Webster wilde haar gezicht zien, hij wilde haar stem horen. Het was één keer eerder voorgekomen dat hij een slachtoffer achteraf had opgezocht. Toen ging het om een kind van tien dat bijna was verdronken in een marmergroeve. Hij had het joch gezond en wel willen zien. Hij had behoefte gehad aan het gevoel dat hij iets goeds had gedaan. Hij had van de ouders willen horen hoe dankbaar ze hem waren. Zijn eerste drie maanden op de ambulance waren gevolgd door een periode waarin hij twee weken lang bij zulke afschuwelijke incidenten was geroepen, dat hij de neiging had gehad ermee te stoppen, al voordat hij goed en wel was begonnen. Twee kinderen die omkwamen bij een brand in een trailer. Een slachtoffer met een hartaanval dat ze misschien hadden kunnen redden als de melding eerder was binnengekomen. Een ongeval met drie auto's op de spekgladde 83, waarbij een heel gezin uit het Frans sprekende deel van Canada het leven had gelaten, de moeder ter plekke, de vader in de ambulance, het dochtertje, een baby van amper enkele maanden, in het ziekenhuis.

Webster zette zijn auto op het parkeerterrein en liep de SEH binnen. Het personeel wist wie hij was, maar kende hem niet. Hij hield een verpleegkundige aan die hem bekend voorkwam.

'Ik heb vannacht een verkeersslachtoffer binnengebracht,' zei hij. 'Een vrouwelijke bestuurder. Onder invloed van alcohol. Met een buikwond.'

'Ze krijgt vloeistof toegediend, en ze ligt aan de Foleykatheter. Het infuus gaat er over een halfuur uit.'

Webster keek op zijn horloge. 'Over een halfuur al? Dan bestaat er kans op een delier.'

'Orders van dokter Towle. Naar mij wordt niet geluisterd. Trouwens, er zijn op het lichaam sporen van oude kneuzingen aangetroffen.'

'Ik heb op de plek van het ongeluk iets gevonden dat van het slachtoffer is,' zei Webster.

'Geef maar aan mij, dan zorg ik dat ze het krijgt,' bood de verpleegster aan.

Onder andere omstandigheden zou Webster het daarbij hebben gelaten. 'Als dat mag, wil ik het graag zelf aan haar geven. Gewoon om te zien hoe ze het maakt.'

De verpleegster nam hem onderzoekend op. 'Je gaat je gang maar,' zei ze. 'Kamer 8.'

Webster trok het gordijn opzij. Haar gezicht zag bleek, de donkere schaduwen onder haar ogen waren nog donkerder geworden. Ze had een mond als een Française, vond hij, wat paste bij haar naam. Haar haar was nog net zo glanzend als hij het zich herinnerde. Hij liep dichter naar het bed. De alcohol onderdrukte de reacties van het lichaam. Wanneer het infuus werd afgekoppeld, zou ze last krijgen van hoofdpijn en trillingen.

Onder de dunne deken kon hij het langgerekte verband op haar buik onderscheiden. Hij registreerde de omtrekken van haar slanke lichaam, haar tepels onder de stof. De boord van haar patiëntenhemd was los, zodat Webster kon zien dat ze een kanjer van een blauwe plek had, waar Burrows haar borstbeen had bewerkt. Maar als je zoiets niet krachtig aanpakte, had het geen effect. Hij dacht aan haar lange benen, aan de witte slip.

Toen zei hij haar naam.

Een van haar oogleden trilde.

Vluchtig legde hij een hand op haar arm. 'Sheila?' zei hij nogmaals, deze keer iets luider.

Ze deed haar ogen open, en hij zag dat ze probeerde te focussen. Maar ze zei niets. 'Ik ben Peter Webster,' zei hij. 'Van de ambulancepost in Hartstone. Ik ben vannacht bij je geroepen.' Hij zweeg. Zo had hij het niet willen zeggen. 'Het was op het nippertje. Je was bijna dood geweest.'

'Helemaal niet,' zei ze, op slag in de verdediging. De blik in haar ogen werd scherper. Blijkbaar bedroog de schijn en was ze er niet zo slecht aan toe als ze eruitzag.

Hij overwoog zich op zijn hielen om te draaien en weg te lopen. Later zou hij zich nog vaak afvragen waarom hij dat niet had gedaan.

Webster wachtte welbewust een week voordat hij er werk van maakte om achter Sheila's verblijfplaats te komen. Hij veronderstelde dat ze haar portefeuille van de politie had teruggekregen, maar er bestond een goede kans dat haar adres op het bureau bekend was. En misschien ook wel in het ziekenhuis. Alleen waren ze daar altijd buitengewoon terughoudend met het verstrekken van dat soort informatie. Dus hij had geen andere keus dan het politiebureau bellen, vurig hopend dat hij McGill aan de lijn kreeg.

Hij was echter niet verrast toen hij de stem van Nye herkende. De Wezel was nu eenmaal overal, met het linkeroog half dichtgeknepen, de lippen permanent honend gekruld; dat hield niet noodzakelijk verband met zijn stemming maar kwam door zijn vooruitstekende rechterhoektand. Webster vroeg zich af of Nyes gezicht zich had ontwikkeld als een voortvloeisel uit zijn karakter, of dat het andersom was gegaan; dat zijn karakter zich, door de honende grijns die Nye elke ochtend bij het scheren in de spiegel zag, had aangepast aan zijn gezicht.

Het was mogelijk dat Nye niet wist dat Webster al in het ziekenhuis was geweest. Dus Webster besloot het erop te wagen.

'Gaat het om dat konijnenpootje?' vroeg Nye.

'Ja.'

'Wat wil je daar dan mee?'

'Misschien heeft ze die sleutels nodig.'

'De auto was total loss, haar rijbewijs voor zes maanden ingetrokken. Trouwens, het stond geregistreerd in Massachusetts.'

'Heb je ook een plaatselijk adres?' vroeg Webster, en hij wachtte gespannen af.

'Je weet dat ik dat soort informatie niet kan geven.'

'Jezus, Nye. Zonder mij was ze misschien wel dood geweest!'

'Daar zijn we hier volstrekt niet van onder de indruk.'

De klootzak! Hij wilde dat Webster erom smeekte.

'Je zit nog in je proeftijd, dus blijkbaar ben je niet vertrouwd met de te volgen procedure,' voegde de politieman eraan toe.

Webster gokte erop dat hij met bluf meer zou bereiken dan wanneer hij op zijn knieën ging. 'Ach man, lul niet!'

Nye liet hem zo lang wachten dat Webster al begon te denken dat de Wezel had opgehangen. Toen hoorde hij het getik van een potlood op een bureau.

Nye gaf hem het adres. 'En denk erom dat je geen rare dingen doet, melkmuil!'

Webster wist waar hij moest zijn. De lichtblauw geschilderde Cape Cod stond net binnen de noordelijke stadsgrens, de veranda bevond zich op amper vijf meter van de 83 en was dichtgemaakt met horizontale glazen lamellen. Webster reed een soort oprit op, met links en rechts een verwaarloosde tuin. Voordat hij het portier van de oude surveillancewagen opendeed, repeteerde hij wat hij zou zeggen: hij kwam controleren, bij wijze van nazorg, om te zien hoe het met haar was. Nee, daar zou ze dwars doorheen kijken, ze zou hem misschien zelfs uitlachen. Hij dacht aan haar defensieve houding in het ziekenhuis. Maar zijn nieuwsgierigheid won het van zijn gezonde verstand, en hij had zich al een week ingehouden. Toen hij aanklopte, was het Sheila die opendeed.

'Wie ben je?' vroeg ze, met beide handen aan de deur, klaar om die onmiddellijk weer dicht te gooien.

Ze droeg een geruite bloes, met de mouwen tot de ellebogen opgerold, en een spijkerbroek. Haar haar was langer dan hij had gedacht en het krulde aan de uiteinden, maar het was nog net zo glanzend als in zijn herinnering. Het kostte hem moeite zijn blik los te maken van haar mond. Wist ze echt niet meer dat hij in het ziekenhuis bij haar was geweest?

'Ik ben Peter Webster. Ik was erbij, op de plek van het ongeluk.'

'Ben je van de politie?'

'Nee, ik ben ambulanceverpleegkundige.'

'Oké.'

'Ik wilde gewoon zeker weten dat alles in orde is. Een kwestie van nazorg.'

Ze trapte er niet in. Op kousenvoeten schatte Webster haar op een meter vijfenzeventig, misschien zelfs langer.

'Waarom zou ik je geloven? En trouwens, waarom zou het jou ook maar ene moer kunnen schelen hoe het met me gaat?'

Ze was niet zo stoer als ze zich voordeed. Hij zag een zweem van wantrouwen in haar ogen. Webster haalde zijn identiteitsbewijs tevoorschijn. Ze bekeek het en deed toen een stap opzij. 'Kom binnen,' zei ze. 'Ik krijg het hier ijskoud.'

De eetbar lag bezaaid met rommel: een doos Cheerios, colablikjes, lege sigarettenpakjes, een enorme hoeveelheid Oreo-wikkels, en een verpakking van een Stouffer's-diepvriesmaaltijd. Uit de vuilnisbak puilden papieren zakdoeken en ander afval. De rechthoekige tafel was bekleed met een smoezelig stuk groen-met-wit zeil, langs de randen vastgezet met kopspijkers. Op het zeil lag een klodder paarse jam te midden van koffiekringen, kruimels van geroosterd brood en een veeg van iets wat eruitzag als boter. Op het aanrecht lagen opgerolde snoeren die duidden op illegale bedrading.

'Dat is niet allemaal van mij. Die chaos, bedoel ik. De Oreo's zijn van hun!' Ze wees naar het plafond.

'Hoe lang zit je hier al?' Webster liet zijn blik rondgaan.

'Een paar dagen.'

Het was snikheet in de kamer, dus hij ritste zijn jack los. 'Huur je dit?'

'Nog niet. Pas wanneer ik werk heb.'

'Hoe ben je hier terechtgekomen?'

'Via een van de verpleegsters.'

Webster knikte.

'Zo, je hebt me gezien,' zei ze. 'Alles is prima met me. Dus je kunt weer gaan.'

Webster verroerde zich niet.

'De twee oudjes wonen boven,' zei ze. 'Ze komen zelden beneden, alleen om te koken. En hem zie ik helemaal nooit.' Ze sloeg haar armen over elkaar. 'Hij is ziek, ik weet niet precies wat hem mankeert. 's Nachts kan ik hem horen hoesten. Volgens mij wordt er van me verwacht dat ik hun afwas doe, maar dat heeft niemand tegen me gezegd. Zij is een tante van de verpleegster. Trouwens, waarom vertel ik je dat allemaal? Wat gaat jou dat aan?'

Hij gaf geen antwoord, en zij liet zich door de vraag niet weerhouden.

'De verpleegster is hier één keer geweest, en toen heeft ze het ouwe mens meegenomen om boodschappen te doen. Het is een muizig schepsel, dat oudje, ze doet haar mond nauwelijks open. Volgens mij is ze bang voor me, ook al zou ik niet weten waarom.' Ze glimlachte alsof ze precies wist waarom. 'Ik heb de "voorkamer",' voegde ze eraan toe, met haar vingers aanhalingstekens vormend, 'en ik mag de keuken en de badkamer gebruiken. Dus ik kijk televisie in de woonkamer. En ik steel hun drank.'

Ze stak haar kin naar voren, alsof ze Webster uitdaagde haar een uitbrander te geven.

'Je drinkt te veel,' zei hij. 'Die nacht dat je je auto in de prak reed, had je ook te veel gedronken.'

'Wat gaat jou dat aan?'

'Er hadden meer slachtoffers kunnen vallen, dus reken maar dat het me aangaat.'

'En wat krijgen we nu?' vroeg ze. 'De medische keuring?'

Ze liep de keuken uit naar de veranda met de glazen lamellen. Doordat het buiten ijskoud was en binnen snikheet, was het glas beslagen, op een kleine ellips na in het midden van elk paneel.

'Ze stoken het hele huis bloedheet, en ik kan het hier niet anders regelen.' Ramen zonder gordijnen ervoor. Een bed tegen de houten betimmering van wat oorspronkelijk de buitenmuur was geweest. Het bed was keurig opgemaakt. Aan een verrijdbaar rek hingen wat kleren. Achter het rek was een koffer weggestopt. In de hoek stond een ronde houten tafel met twee stoelen.

Sheila ging op het bed zitten.

Webster trok een stoel naar achteren. 'Ik wilde controleren of er misschien sprake is van blijvend letsel of andere problemen als gevolg van het ongeluk.'

'Ben je maatschappelijk werker?' vroeg ze.

'Nee.'

'Oké. Ik zit zonder rijbewijs. In dit ellendige krot. De verpleegster heeft me honderd dollar gegeven. Ik moet zien dat ik werk vind. Maar voor de rest gaat alles best.'

Ze reikte naar een leren jack op het voeteneind van het bed en haalde een pakje sigaretten uit een van de zakken. 'Ik zit hier omdat er iemand bij die oudjes moet zijn, voor als er iets gebeurt.' Ze nam een trek van haar sigaret. 'Waar woon jij eigenlijk?' vroeg ze.

'In Hartstone.' Hij zei niet dat hij nog bij zijn ouders zat.

Ze gebaarde met haar sigaret naar haar jack. 'De politie heeft me mijn portefeuille teruggegeven, maar wat denk je? Rijbewijs weg, geld weg.'

'Hoeveel zat erin?'

'Honderdtwintig dollar.'

Wezel, die klootzak.

'Heb je het teruggevraagd?'

Ze staarde naar het beslagen glas. 'Volgens hen heeft het er nooit in gezeten. Ach, ik had niet anders verwacht.'

'Wat deed je eigenlijk in Vermont, in de nacht van het ongeluk? Volgens de politie stond je rijbewijs geregistreerd in Massachusetts.'

'Werk je het lijstje in het handboek af? Is dit vraag achtendertig?'

'Nee.'

'Ik woon in Chelsea. Of daar woonde ik. Vlak bij Boston. En ik had een vriend die zoveel dronk dat hij in bed piste. Dus heb ik hem eruit gezet, en gezegd dat hij kon doodvallen. Maar hij kwam terug. Bleef aan me plakken als een stuk snot dat je niet van je vinger af kunt krijgen.' Ze wierp een snelle blik op Webster, om te zien hoe hij reageerde op dat stuk snot. 'Uiteindelijk kon ik er niet meer tegen. Dus heb ik een tas gepakt, ik ben in de auto gestapt en ik ben gaan rijden. En niet meer gestopt tot ik de boel in de prak reed.'

'Je had ook de politie kunnen bellen, om te zorgen dat hij werd opgepakt,' zei Webster.

'Hij werkt bij de politie,' zei ze zonder enige emotie.

'En een straatverbod?'

'Daar geloof je toch zeker zelf niet in?'

Websters blik viel op een halflege fles Bacardi onder het bed. In het glas dat ernaast stond, zat nog een bodempje drank.

'Soms loop ik naar de doe-het-zelfzaak, hier vlakbij, voor een paar bagels en koffie en sigaretten.'

De doe-het-zelfzaak. De winkel van zijn vader.

Anders dan de meeste lange vrouwen die hij kende, liep ze

niet krom, met hoge schouders. Ze droeg haar haar los achter haar oren. Haar strakke, skinny jeans kwam duidelijk niet van L.L. Bean. Wanneer de blauwe plekken eenmaal waren verdwenen, zou ze een knap gezicht hebben, vermoedde hij.

'Ik rij met je naar de Giant Mart, net over de staatsgrens, dan kun je wat eten kopen,' zei hij. 'En daarna breng ik je terug.'

'Volgens mij is dat illegaal. Ik word niet geacht de staat te verlaten.'

'Ik ben bij je, dus je hoeft je geen zorgen te maken.'

'En toch doe ik het niet.'

'Je moet wat te eten in huis hebben,' bracht hij ertegen in. 'En je moet een krant kopen, voor de advertenties. Wat voor werk deed je in Chelsea?'

'Ik was serveerster.'

'Hoe oud ben je?'

'Vierentwintig.'

'Echt waar?'

Ze knikte.

'Je hebt een leuk accent,' zei hij.

'Je bedoelt, zoals in *ahss-n-all?*' vroeg ze, haar naam uitsprekend met een overdreven zwaar aangezet accent uit Boston.

Hij stond op. 'Het wordt honger lijden als je niet met me meegaat.'

'Ik red me wel.'

'Doe je jack aan.'

Eenmaal in de auto staarde Sheila uit het raampje, alsof ze een getrouwd stel waren dat elkaar niets meer te zeggen had. Ze reikte in haar zak, haalde het pakje sigaretten tevoorschijn, maar na een blik op Webster stopte ze het weer weg.

'Van mij mag je roken,' zei hij.

'Nee, ik wil niet dat je kostbare auto naar mijn sigaretten

gaat stinken. Trouwens, hoe kom je eraan? Het is een politie-auto, toch?'

'Dat was het. Hij is gedemobiliseerd.'

'Wat betekent dat?'

'Gestript. Elke vier jaar koopt de politie nieuwe surveillance-wagens, dan wordt de markering en de uitrusting van de oude wagens verwijderd, en ze worden verkocht. Ik moest een snelle auto hebben. Voor mijn werk. Er zit een geweldige motor in.'

'Nou, laat maar eens zien dan,' zei ze. 'Trap hem op zijn staart.'

Hij handhaafde zijn snelheid.

Ze draaide haar haar in een knot en liet het weer los, zodat het over haar schouder viel. Na bijna twee kilometer waren ze bij de supermarkt aan de andere kant van de grens.

'Zijn we nu in New York?' vroeg ze.

Webster knikte.

'Ik vond het in Vermont leuker.'

'Waarom?'

'Daar voelde het veiliger.'

Het was onzinnig om veiligheid toe te schrijven aan een onzichtbare lijn, maar Webster had ook altijd gevonden dat er verschil was tussen Vermont en New York. Zodra je over de grens met New York kwam, werden de wegen slechter, de huizen waren minder aantrekkelijk en zagen er minder goed onderhouden uit, en dorpen maakten plaats voor een netwerk van rechte straten, met aan weerskanten winkels. Er waren wel wat oude stadjes, direct over de grens, maar die waren oud op een onaantrekkelijke manier, met huizen opgetrokken uit rode baksteen. In New York had Webster het gevoel dat hij een stap dichter was bij een leven dat hij niet wilde leiden.

Maar er was wel een supermarkt, en er waren twee tankstations en een apotheek. Hij reed het terrein van de Giant Mart op.

'En nu? Wat is de bedoeling?' vroeg ze. 'Jij kiest de spullen uit en betaalt ze? Ik krijg een soort toelage van je?'

'Laten we nou maar naar binnen gaan. Ik moet zelf ook boodschappen doen.'

Ze zetten koers naar de deur, maar ze weigerde naast hem te gaan lopen, alsof ze niets met de ongemakkelijke situatie te maken wilde hebben.

Webster pakte een wagentje. 'Neem nou maar gewoon wat je wilt en gooi het erin. Dan zoeken we het later wel uit.'

Hij kocht meer dan hij nodig had, om te zorgen dat de meeste spullen voor hem waren wanneer ze bij de kassa kwamen. Zijn ouders zouden verrast opkijken. Hij deed zelden boodschappen.

Terwijl hij in de gaten probeerde te houden in welk pad zij liep, legde hij sinaasappels, sla, wit brood, lasagnebladen en koffie in het wagentje. Bij de koelafdeling pakte hij ook nog twee pond hamburgervlees en zwaardvis, verpakt in plastic. De Giant Mart verkocht geen drank, dus hij hoefde zich geen zorgen te maken dat ze dat zou kopen. Hij deed een pak wasmiddel in zijn karretje en servetten, zonder ook maar enig idee te hebben of ze dat thuis nodig hadden. Verder een witte biscuittaart en een halve liter vanille-ijs. Uiteindelijk vond hij haar op de afdeling conserven, bij de soep. Ze had al een pak crackers, een pot pindakaas en een zak Engelse muffins in haar armen, die ze bij hem in het winkelwagentje legde.

'Heb je geen melk nodig, of sap?' vroeg hij. 'En misschien een biefstuk of wat hamburgers? Tomaten?'

'Je bent mijn vader niet.'

'Sterker nog, jij bent ouder dan ik.' Hij liet het wagentje staan om een kip te gaan halen. 'Weet je hoe je die moet klaarmaken?'

'Wat denk je zelf?'

'Ik heb geen idee.'

'Ja hoor, zo'n kip, dat lukt me wel.'

Hij legde de kip in het wagentje, liep het volgende pad in en kwam terug met aardappels, een plastic zak met snijbonen en een pak sinaasappelsap.

'Oké, genoeg,' zei ze.

'Wil je niks zoets? Koekjes of zoiets?'

'Die oudjes hebben genoeg Oreo's in de kast om ons allemaal suikerziekte te bezorgen. Bovendien hou ik niet van zoetigheid.'

Sheila ging niet mee naar de kassa. In plaats daarvan stond ze op hem te wachten bij de automatisch opengaande deuren toen hij met het wagentje naar buiten kwam.

'Bedankt,' zei ze, maar ze bedierf het onmiddellijk weer. 'Moet ik nu met je naar bed?'

Webster hield het wagentje stil. 'Je hebt een behoorlijk verknipte kijk op je medemens.'

'Jij niet dan? Word jij blij van mensen?' vroeg ze.

'Ik zie ze doorgaans in noodsituaties. Daarbuiten zijn de meeste mensen die ik tegenkom, heel gelukkig.'

'Dan bof je.'

Ze reden zwijgend terug naar de lichtblauwe Cape Cod. Webster draaide het tuinpad op, stapte uit en gaf Sheila haar zak met boodschappen.

'Wil je nog binnenkomen?' vroeg ze. Bijna verlegen, maar niet helemaal.

'Nee,' antwoordde hij.

Maar dat wilde hij wel.

Hij gaf haar een briefje van tien dollar. 'Ik heb geen sigaretten voor je gekocht. Dat kun je ook lopend doen, dacht ik.'

Ze griste het briefje uit zijn hand en liep naar de voordeur. Hij genoot van de manier waarop ze liep: op haar gemak, zonder haast, alsof ze het niet ijskoud had in haar leren jack. Ze deed de voordeur open en ging naar binnen zonder zelfs maar een blik achterom te werpen.

Ze was mooi en sexy, en Webster vroeg zich af of hij erin zou slagen de rafelranden glad te strijken. Hoewel, misschien was het juist dat ruige waar hij op viel.

Ondanks het smeltende ijs in de achterbak wilde Webster nog niet naar huis. Dus hij reed de steile zandweg op naar de bergkam waar hij ooit een stuk grond hoopte te kopen om er een huis op te zetten. De wolken die langs de hemel joegen, schilderden stroken stralend licht op de hellingen in de diepte. In de verte kleurden de Green Mountains paars. Op een dag zou hij hier een huis bouwen met een groot raam dat uitkeek op die bergen. Wanneer hij niet aan het werk was, zou hij voor dat raam gaan zitten en naar buiten kijken. Het uitzicht zou geen seconde hetzelfde zijn; het licht deed de aarde en de bergen voortdurend veranderen. In dat huis zou hij zich vrij voelen, dacht Webster.

En voor het eerst sinds hij regelmatig naar deze plek kwam rijden, stelde Webster zich voor dat hij met een vrouw in dat huis woonde. Niet noodzakelijk Sheila. Een vrouw.

Gedurende een week reed hij elke avond langs haar huis, gas terugnemend om te kijken of hij haar kon zien door de glazen lamellen van de veranda. Eén keer zag hij iets bewegen en hij overwoog te stoppen, maar hij wist dat hij er nog niet klaar voor was. Bovendien was hij vaak nog in uniform, en hij was bang dat ze daarvan zou schrikken.

Op zaterdag stopte hij bij het huis. Hij verwachtte dat er overal licht aan zou gaan, want hij vermoedde dat er zelden bezoek kwam, voor haar noch voor het oude echtpaar. Het huis bleef echter donker, er brandde alleen boven gedempt licht, en beneden zag hij de onrustige blauwe gloed van een televisie. Hij liep naar de achterdeur en klopte aan.

Het licht boven de deur ging aan, en daar was ze. In een marineblauwe trui en een spijkerbroek, met vuurrode sokken en natte haren. De blauwe plekken in haar gezicht waren zo goed als verdwenen.

'Ik kom je helpen met de afwas,' zei hij.

Ze deed het licht in de keuken aan en gebaarde. 'Je weet de weg.'

Webster liep naar de keuken. Die zag er misschien niet smetteloos uit, maar ze had wel opgeruimd. Er lag geen rommel meer op het aanrecht, de vuilnisbak zat niet langer overvol.

'Zo te zien ben ik te laat,' zei hij, opgelucht dat hij zich niet door een berg vuile borden heen hoefde te werken.

'Ik kon het niet langer aanzien,' zei ze.

Ze viste een pakje sigaretten uit de zak van haar leren jack dat over de rugleuning van een keukenstoel hing. Webster zag dat haar bruine leren laarzen rechtop naast het fornuis stonden.

'Ben je getrouwd?' vroeg ze.

'Nee,' antwoordde hij.

Ze nam gretig een trek van haar sigaret, alsof ze in geen dagen had gerookt. Misschien probeerde ze te minderen. Ze liep achteruit naar de eetbar, leunde ertegenaan en sloeg haar armen over elkaar.

'Ben je zo wanhopig op zoek naar gezelschap?' vroeg ze.

'Misschien.' Hij registreerde goedkeurend hoe haar marineblauwe trui over haar heupen viel. 'Heb je al een baan?'

'Nee, maar ik heb morgen wel een sollicitatiegesprek.'

Webster stond nog altijd bij de deur. Ze had hem niet aangeboden te gaan zitten. 'Bij wie?'

'Bij een restaurant. Duncan's of zoiets.'

'Dunlap's,' verbeterde hij haar. 'Ik weet zeker dat ze je zo willen hebben.'

'Denk je?'

'Absoluut.'

'Zou jij me er morgen heen willen brengen?' vroeg ze.

'Naar Dunlap's?'

'Ja.'

Webster zag zichzelf al in zijn buitengewoon herkenbare surveillancewagen bij het wegrestaurant voorrijden en op haar wachten. Nog voordat ze weer naar buiten kwam, zou de hele stad het erover hebben.

'Hoe laat moet je er zijn?' vroeg hij.

'Maakt niet uit, ergens in de middag.'

'Ik ben om kwart voor drie klaar,' loog hij. Drie uur was bij Dunlap's het rustigste moment van de dag. Dan was de lunch voorbij, en de bierdrinkers en borrelaars die na hun werk op weg naar huis even aanlegden, kwamen pas om vier uur.

'Cool.'

'Trouwens, Dunlap is een klootzak, het is maar dat je het weet,' waarschuwde Webster. 'Je werkt er nog geen week of hij probeert al met zijn poten aan je te zitten. Daar kun je op rekenen.'

Ze glimlachte. 'Ik kijk ernaar uit.'

'Bied je me nog aan om te gaan zitten?'

'Nee.' Ze gooide haar sigaret in de gootsteen en pakte haar jack. 'Ik ben blut. En ik moet iets eten. Iets warms.'

Tegen de tijd dat Sheila naar de auto was gelopen, en weer terug om de voordeur op slot te doen, waren de uiteinden van haar natte haren bevroren. Ze speelde ermee en brak de punten. 'Godsamme, wat is het koud. Ik hoop dat je auto er niet mee ophoudt.'

'Je zou een warmer jack moeten hebben.'

'Voel jij je geroepen om het voor me te kopen?'

Dat voelde hij zich inderdaad. En dat was precies het probleem. Hij keerde de auto en reed de 83 op.

'Waar gaan we heen?' vroeg ze.

'Naar een tent waar ze de beste chili serveren.'

Webster reed naar het noorden, de stad uit, en zelfs tot voorbij de volgende plaats. Ze zeiden niet veel. Sheila keek uit het raampje naar de verlichte ramen van de huizen. 'Ze hebben hier hun kerstboom nog staan,' zei ze peinzend.

'En die laten ze ook staan, compleet met lichtjes, tot de naalden eraf vallen. De kransen blijven hangen tot Pasen.'

'Waarom doen ze dat?'

'Omdat we in Vermont zulke lange winters hebben.'

'Zijn we onderhand ver genoeg?' vroeg ze na een tijdje, met een zweem van sarcasme in haar stem.

'Je vindt in de wijde omtrek geen beter adres.' Dat was niet waar, en ze wist het. 'We kunnen omkeren als je dat wilt,' bood hij aan.

'Wat?' vroeg ze, alsof ze hem niet had gehoord.

Het parkeerterrein was vol. Webster zette Sheila af bij de deur. Hij keek haar na toen ze uitstapte en haar schouders rechtte.

Terwijl hij een plekje zocht, groeide zijn frustratie met de seconde. Hij vond het niet prettig haar alleen te laten gaan. Tegen de tijd dat hij binnenkwam, was er vast en zeker al een vent die werk van haar maakte. Hij parkeerde langs de rand van een aangrenzend maisveld. Illegaal, maar wat zou het? Hij verwachtte niet dat de woedende boer zijn banden kwam lek steken. Op een drafje haastte hij zich naar het restaurant.

Eenmaal binnen liep hij zoekend van de ene ruimte naar de andere.

'Ze zit in een van de boxen,' zei de barkeeper. Webster knikte gejaagd en zette koers naar het zitje van rood kunstleer. De tafels waren glimmend gelakt en voelden een beetje vettig, alsof ze niet helemaal schoon waren. In het hele restaurant hing de geur van knoflook en sigaretten. Sheila had haar jack uitgedaan. Ze zat met haar benen naar opzij, voor haar op tafel stond een biertje.

Ze voelt zich hier volledig op haar gemak, dacht hij.

Enige tijd later stonden er zes biertjes op tafel – voor ieder drie – en twee halflege kommen chili. Sheila was een kieskeurige eter, en Webster had geen trek meer. Er lag een blos op haar wangen, de punten van haar haren krulden door de warmte. Haar gezicht leek er zachter door.

'Niet dat ik van plan ben hier te blijven – god bewaar me! – maar dit lijkt me een goeie plek om een tijdje onder te duiken.'

Het klonk alsof ze dat wel vaker deed. Alsof ze op de vlucht was.

'Je staat geregistreerd bij de politie, dat weet je,' zei Webster. 'Dus als je vriend bij de politie werkt, zal het hem geen enkele moeite kosten om je te vinden.'

Ze haalde haar schouders op, maar hij voelde het trillen van de punt van haar laars tegen de tafelpoot. Ze wendde haar blik af.

'Wat heeft hij met je gedaan?' vroeg Webster.

'Wat denk je?'

De verpleegkundige op de Spoedeisende Hulp had het over sporen van oude kneuzingen gehad. Webster werd overspoeld door een vlaag van intense woede jegens een politieman die hij nooit had ontmoet.

'Laten we het eens over jou hebben,' zei ze. 'Woon je hier al je hele leven? In Hartstone, bedoel ik?'

'Min of meer.'

'Heb je ooit in een stad gewoond?'

'Ja, in Rutland. Hoewel, niet echt gewoond. Daar heb ik mijn opleiding gedaan.'

'Is Rutland een stad?'

'Zo zou je het kunnen noemen.'

'Ik snap niet dat je ertegen kunt.' Ze wendde zich van hem af en strekte haar benen. De maaltijd was voorbij. Ze blies de rook van haar sigaret bij hem vandaan. Niet dat het veel uitmaakte. Het stond zo blauw in het restaurant dat Webster de biljarttafels tegen de achterwand amper kon zien.

'Waar kan ik tegen?'

'Nou eh... Hoe zal ik het zeggen... Er is hier hoegenaamd niks.'

'En toch leiden mensen overal op aarde een rijk en gevuld bestaan,' zei hij met een zweem van een glimlach.

'O, gaan we de filosoof uithangen?'

Hij vond het prettig om naar haar profiel te kijken, vooral wanneer ze rookte. Ze had lange, slanke vingers, een geraffineerde manier van inhaleren, en bij het uitblazen tuitte ze lieftallig haar lippen. Hij had een hekel aan roken, maar hij was zich ervan bewust dat het juist die aanblik was waardoor meisjes ermee begonnen.

'Trouwens, hoe weet je dat?' vroeg ze.

'Ik lees.'

Hij was verrast toen ze er niet op doorging.

'Heb je familie?' vroeg hij.

'Een zus, in Manhattan.'

'Daar had je ook naartoe kunnen gaan.'

'Om te beginnen zou dat de eerste plek zijn waar hij me zou komen zoeken. Bovendien woont ze met haar vriend in een appartement met maar één slaapkamer, en dan is ze ook nog zwanger.'

'Kun je het goed met haar vinden?'

'Met mijn zus? Wat kan jou dat nou schelen?' Er lag een rusteloze blik in haar ogen, en ze wendde haar hoofd af om rook uit te blazen. Een mond getuit als om fluit te spelen.

'Ik was gewoon benieuwd of er iemand is op wie je gesteld bent.'

'Ja, ik kan het goed met haar vinden,' zei ze. 'We zijn heel verschillend, en ze vindt het maar niks wat ik doe, maar ik ben erg dol op haar.'

'Is ze ouder of jonger dan jij?'

'Ouder.'

Webster knikte en nam nog een slok bier. Hij keek regelmatig om zich heen om te zien of hij bekenden zag. Het feit dat hij hier zat – in een gezellig onderonsje met een slachtoffer dat hij recentelijk had bijgestaan – was op zijn gunstigst twijfelachtig, in het ergste geval onethisch.

'En hoe zit dat met jou, meneer de ambulanceverpleegkundige? Heb je zussen of broers?'

'Nee.'

'Enig kind dus,' zei ze met een nadenkend gezicht. 'En waar woon je?'

'Ik eh... ik woon nog bij mijn ouders. Ik spaar voor een stuk grond dat ik wil kopen.'

'Dus je zit nog bij je ouders. Wow.'

'Zullen we gaan?' vroeg hij, om zich heen kijkend op zoek naar een ober, om de rekening te vragen. Hij vond het welletjes.

'Nee,' zei ze. 'Ik heb zin om te biljarten.'

'Ben je er goed in?'

'Goed? Ik ben geweldig!'

'Straks vertel je me nog dat je om geld speelt.'

'Als je me vijfenzeventig dollar geeft, maak ik er het dubbele van.'

Hij geloofde haar niet. Als hij haar in een tent als deze vijfenzeventig dollar gaf, ging ze met lege handen naar huis.

'Wou je het tegen die lui opnemen?' Hij wees. 'Die zijn echt goed. Je bent je geld binnen vijf minuten kwijt.'

'Moet jij eens opletten,' zei ze.

En hij gaf haar de gevraagde vijfenzeventig dollar.

Ze krijtte de punt van haar keu alsof ze hem kleurde. Toen liep ze een beetje verlegen naar een magere blonde kerel met een matje en vroeg of ze mee mocht doen. De concentratie van Matje was op slag verstoord, zag Webster, maar hij was niet degene die de dienst uitmaakte. Matje keerde zich naar een grote kerel in een zwart vest met een rits en daaronder een blauw-met-grijs flanellen overhemd. Hij had zijn hoofd geschoren, waardoor hij eruitzag alsof hij net uit dienst kwam.

'Luker, is het oké als ze meedoet?'

Luker wierp een lange blik op Sheila en knikte. Het ontging

Webster niet dat zowel Luker als Matje goedkeurend naar haar strakke spijkerbroek keek. Een knappe vrouw mocht altijd een potje meespelen. Sheila deed alsof ze meer last had van de drank dan in werkelijkheid het geval was. Het maakte Webster nerveus, want hij zag dat Matje en Luker allebei hoopten aan het eind van de avond met haar mee naar huis te gaan. Er stonden nog twee mannen van begin twintig bij de pooltafel, maar Luker was duidelijk de baas. 'We verlagen de inzet naar vijfentwintig,' zei hij. 'Vijf knoeken de man. Beste van vijf.'

Sheila hield de keu vast als een beginneling. Het leek alsof ze probeerde de bewegingen van Matje na te doen, alsof ze de kunst van hem wilde afkijken. Webster was verbaasd dat ze haar niet meteen uit het spel gooiden.

'Zijn er nog huisregels die ik moet kennen?' vroeg ze met een stem die Webster nog niet eerder had gehoord.

'Ja, liefie, we spelen 9-ball.'

Matje brulde van het lachen alsof Luker een geweldige grap had verteld. Sheila was een en al concentratie toen de ballen werden opgezet. 'Mag ik als eerste?' vroeg ze.

'De tafel is helemaal voor jou, schat,' zei Matje.

Sheila bukte, nam haar tijd, maakte haar stoot, en de witte bal schoot over de rand. Ze sloeg een hand voor haar mond.

'Dat is dus een misser.' Matje koos nauwkeurig de plek waar hij de witte bal teruglegde.

Tegen de tijd dat Sheila weer aan stoot was, lag het spel nog helemaal open. Een van de andere spelers was er niet in geslaagd de acht te potten, maar de ballen waren gemakkelijk gepositioneerd. Sheila potte de acht, maar de negen kaatste terug van de rand van de pocket. Als ze de boel belazerde, dan deed ze dat geraffineerd, dacht Webster.

'Goeie stoot, liefie,' zei Luker. 'Beginnerspech.'

Sheila verloor het eerste potje en smeekte om door te mogen gaan. 'Ik had een paar goeie kansen,' zei ze, terwijl ze in één vloeiende beweging haar linkerschouder optrok en de rechter liet zakken. Ze legde een briefje van vijf op tafel. 'Geef me de kans het terug te winnen,' zei ze smekend.

Ze dolde met Matje, maar het ging haar om Luker. Als Webster haar niet beter had gekend – en het kwam bij hem op dat hij haar eigenlijk helemaal niet kende – zou hij hebben gezworen dat ze hem probeerde te versieren.

'Beste van vijf,' zei Luker. 'Tien dollar.'

'Die loser staat de boel te flessen,' klaagde Matje. 'Hij heeft geen cent te makken.'

'Klopt dat?' vroeg Luker.

De man in kwestie haalde zijn schouders op, zette zijn keu in het rek aan de muur en vertrok.

'De pot staat op veertig. We zullen de acht voor het liefie opzetten,' kondigde Luker aan.

Bij Sheila's eerste stoot bleef de acht net voor de pocket liggen en moest ze de tafel aan de volgende speler laten. Bij de tweede stoot potte ze de negen via de acht, waarop ook de acht in de pocket verdween. Ze klapte in haar handen en maakte een sprongetje van blijdschap. Met haar derde stoot speelde ze alles weg tot en met de zeven, maar het lukte haar niet de acht te potten.

Pas op, dacht Webster, die een meter of drie achter haar stond.

'Je zit de boel toch niet te flessen, pop?' vroeg Luker quasi onverschillig. Sheila keerde zich naar Matje. 'Waar heeft ie het over?'

Matje haalde zijn schouders op. 'Hij denkt dat je de kluit belazert.'

Sheila schaterde het uit. 'Nou moet ik oppassen,' zei ze.

Maar Luker had er genoeg van. 'Oprotten, pop. De inzet wordt te hoog voor je.' Hij keerde zich naar de andere drie spelers. 'De pot staat op driehonderd. Vijfenzeventig de man. Beste van dertien.'

Ze legde de tien dollar op tafel die ze schuldig was, krijtte de punt van haar keu en veegde het teveel af aan haar spijkerbroek, een beweging die het matje noch Luker ontging. Nog altijd in dezelfde voorovergebogen houding – ze was echt briljant – wurmde ze de rest van het geld uit haar zak en legde ze Websters resterende zestig dollar neer, wat hem een diepe zucht ontlokte.

'Het is vijfenzeventig, pop,' zei Matje, inmiddels nerveus. 'Weet je wat, ga maar een biertje halen voor jezelf.'

De man die achter Sheila stond en die het mooiste zicht had op haar achterwerk, boog zich naar voren en legde vijftien dollar op de zestig die zij al had neergelegd.

Luker richtte zich in zijn volle lengte op en rekte op zijn dooie gemak zijn rug. 'Deze keer krijg je de acht niet cadeau,' zei hij, terwijl hij Sheila doordringend opnam. Toen het haar beurt was, boog ze zich naar voren, maakte een abominabele stoot waarmee ze de negen erin zwinde. De man die achter haar stond, floot.

'Dat was pure mazzel, pop,' zei Luker. Matje was stil geworden.

Sheila stak een sigaret op. Webster vroeg zich af of het tijd werd om te vertrekken. De manier waarop Luker naar haar keek, stond hem helemaal niet aan. Bij Sheila's tweede stoot speelde ze alles weg tot en met de acht, maar ze slaagde er niet in de negen te potten. De man achter haar kreunde. Hij begreep er niets van.

Bij haar derde stoot boog ze zich met een beweging als van een danser over de tafel. De as van haar sigaret was inmiddels bijna drie centimeter lang en het brandpunt van alle aandacht. Een meisje met kroezend blond haar dat om Luker heen had gehangen, klopte hem op de rug van zijn zwarte vest en liet haar armen om zijn middel glijden, als om hem op te eisen. Haar handen raakten elkaar aan de voorkant net niet.

De as had een hypnotiserend effect. Ook Webster was ervan overtuigd dat ze niet zou kunnen stoten zonder dat de as op de tafel viel, wat voor Luker aanleiding zou zijn om haar uit het spel te gooien. Sheila potte de eerste zes ballen, potte de zeven via de acht, en wist ook de acht en de negen in de pocket te krijgen. Niemand zei iets. Het leek alsof het hele achterste gedeelte van het restaurant zwijgend afwachtte.

Toen ze zich van de tafel oprichtte, ving ze de as elegant op in haar hand. Terwijl ze zich bukte om hem in een asbak te deponeren, keek ze Webster aan en vormde ze met haar lippen het woord 'auto'.

Webster pakte zijn jas van de kapstok en terwijl hij naar de deur liep, hoorde hij haar lachen. Het klonk sexy, maar het was een geluid dat hem helemaal niet beviel. Hij maakte zich zorgen om haar. Geen enkele kerel wilde belazerd worden terwijl zijn vriendin om zijn nek hing.

Webster zette zich schrap tegen de kou. En dat zou hij blijven doen tot in mei, twee weken nadat het warmere weer eindelijk zijn intrede had gedaan. Met zijn bivakmuts over zijn oren en zijn kraag omhoog rende hij tussen de rijen auto's naar zijn oude surveillancewagen, in gedachten al warm en beschut achter het stuur.

Toen hij met draaiende motor voor de deur stond, deed hij zijn muts af en probeerde hij zijn haar glad te strijken. Hij zette de blazer op hoog om het ijs op de voorruit te ontdooien. Een blik op de benzinemeter vertelde hem dat hij misschien nog voor dertig kilometer in de tank had. Dus zette hij de motor uit. Na tien minuten wachten begon hij zich zorgen te maken. Hij overwoog weer naar binnen te gaan, maar als ze net goed op dreef was, zou hij alles bederven. Na twintig minuten kreeg hij visioenen van een verkrachting, ergens in een achterafsteegje, ook al was er in geen velden of wegen een achterafsteeg te bekennen.

Ze lachte toen ze naar buiten kwam. Maar de lach verdween zodra de deur achter haar was dichtgevallen.

Ze stapte in de auto.

'Rijden!' zei ze.

Ze waren al bijna bij de stadsgrens van Hartstone voordat ze het zwijgen verbrak. 'Alles weggespeeld. Tot twee keer toe. De vent die naast me stond, beheerde de pot. Hij wist niet hoe snel hij me het geld moest geven.'

'Die grote kerel zag eruit alsof hij je wel kon vermoorden.'

'Vermoorden? Neuken, zul je bedoelen.' Ze telde de vijfenzeventig dollar uit die hij haar had geleend.

'Ik stond net op het punt om je te komen halen,' zei Webster.

'Je favoriete fantasie: reddingsoperaties.'

'Helemaal niet. Dat is wel het laatste waar ik over fantaseer.'

'Daar geloof ik niets van. Je hebt niet voor niks dit vak gekozen.'

'Onzin,' zei hij.

'Ga je 's avonds weleens de grens over, naar New York?'

'Nee,' zei hij, in het besef dat ze het nog eens wilde proberen, bij een andere pooltafel.

'Ik geloof je alweer niet.'

'Zet het maar uit je hoofd. Ik peins er niet over.'

Hij had natuurlijk niets over haar te zeggen. Maar zij had geen auto.

Pas toen ze vlak bij haar huis waren, vroeg ze hem naar het stuk land te rijden. Webster voelde zich overrompeld. 'Het is stikdonker,' zei hij.

'De maan schijnt.'

Hij tuurde door de voorruit omhoog. De maan was bijna vol. Hij trapte op de rem en keerde op de 42.

'Je vond het leuk,' zei ze.

'Wat vond ik leuk?'

'Om me bezig te zien.'

'Hoe lang speel je al?'

'Sinds ik op een stoel kan staan.'

'Je bent erg goed.'

'Ik ben nog beter dan je denkt,' zei ze.

Webster vroeg zich af of hij haar zou kunnen verslaan.

'Mag ik een keer met je mee?' vroeg ze. 'In de ambulance?'

'Nee.'

'Waarom niet?'

'Dat mag niet van de wet.'

'Het zou vast niet voor het eerst zijn dat je je niet aan de wet hield.'

'Het gaat niet gebeuren.'

Terwijl hij de heuvel op reed naar wat in gedachten al zijn grond was, zakte de naald op de benzinemeter van de verre van zuinige surveillancewagen gevaarlijk dicht naar de nul. Webster hoopte dat hij weer omhoog zou schieten wanneer ze de top bereikten. Zo niet, dan kon hij desnoods in de vrij en met een klein duwtje de heuvel af rijden naar Sheila's huis.

In de huizen waren bijna alle lichten gedoofd. Het was niet nodig licht te laten branden in de keuken of in de woonkamer om potentiële inbrekers de indruk te geven dat er iemand thuis was. Want iedereen was thuis, iedereen sliep, en Webster wist dat alle deuren gewoon open waren. Zelf sloot hij de surveillancewagen altijd af, omdat het bijzondere type auto en de uitrusting die hij doorgaans bij zich had, een sterke aantrekkingskracht uitoefenden op de jeugd, maar zijn ouders deden nooit iets op slot, hun auto's noch hun huis. De meeste telefoontjes die bij de politie binnenkwamen, betroffen auto-ongelukken of meldingen van huiselijk geweld als gevolg van alcohol, en af en toe een poging tot inbraak in een winkel of een opslagruimte. McGill en Nye hadden tijdens hun dienst alle tijd om te pokeren.

Bij het beste uitkijkpunt op de kam van de heuvel gekomen, zette Webster de auto stil.

'Is dit het?' vroeg ze.

'Ja, dit is het.'

Ze draaide het beslagen raampje open. De kou beet in hun nek. De maan en de vorst deden de contouren van het landschap en van de donkere bergen in de verte oplichten. Webster kwam hier zelden in het donker, hij gaf de voorkeur aan de kleuren en de helderheid van de dag; maar hij besefte dat het uitzicht vanuit een huis met een groot raam de moeite waard zou zijn om voor wakker te blijven.

'Dus daar ga je een huis bouwen?' vroeg ze.

'Misschien. Ooit.'

'Het is wel erg afgelegen.'

'Dat trekt me juist zo aan.'

Ze stapte uit en liep het bevroren gras op, met haar leren jack strak om zich heen getrokken. Webster opende de kofferbak om zijn uniformjack te pakken, dat opgevouwen naast zijn persoonlijke eerstehulpuitrusting lag. Hij schudde het uit en liep naar haar toe. Zijn oren begonnen te tintelen, want hij had zijn muts in de auto gelaten. Toen hij het lange jack om haar schouders hing, schoof ze haar armen door de mouwen. Ze vielen tot over haar handen. Sheila trok het jack dicht om zich heen, als een badjas.

'Waarom ligt er geen sneeuw?'

'We hebben wat sneeuw gehad in december. En we kunnen elk moment weer een behoorlijk dik pak verwachten.'

'Heb je het koud?' vroeg ze.

'Nee, niet echt.'

'Je vindt het gewoon prettig om hier te zijn.'

'Ja.'

'Ik heb nog nooit zoiets gezien,' klonk haar stem, diep vanuit het jack.

Hij voelde zich gelukkig zoals hij daar stond, op het bevroren gras, met zijn kraag omhoog tegen de kou, terwijl elk gevoel uit zijn tenen verdween. Het leek wel alsof het land zijn belofte nu al waarmaakte.

'Hoe lang duurt het nog voordat je genoeg geld hebt gespaard?' vroeg ze.

'Ik ga binnenkort met de eigenaar praten. Het duurt nog wel een paar jaar voordat ik een aanbetaling kan doen, maar ik wil graag zeker weten dat hij het voor die tijd niet aan een ander verkoopt. Het kan tenslotte best zijn dat hij het al aan een neefje heeft beloofd.'

Het enige wat Webster van Sheila kon zien, waren haar ogen boven de geel-zwarte kraag.

'Weet je, Webster, dit is voor het eerst dat ik echt een gevoel bij je krijg.'

'Wat bedoel je?'

'Volgens mij ben je precies waar je wilt zijn. Klopt dat?'

'Misschien.'

Tot zijn eigen verrassing nam hij het initiatief. Hij ritste de hoge kraag van het jack open en kuste haar. Er speelde een zweem van een glimlach om haar lippen die van geen wijken wilde weten, maar dat gold ook voor hem. Hij ging door met haar te kussen.

En hij merkte het onmiddellijk toen ze reageerde. Terwijl hij haar op de grond legde, begon ze zijn riem al los te maken. In gedachten zag hij haar slanke benen en haar witte slip, hoewel hij in werkelijkheid niets anders kon zien dan haar gezicht. Hij wenste vurig dat de ijzige kou hem geen parten zou spelen wanneer ze zijn broek eenmaal los had.

Maar dankzij haar bleef hij warm en hard.

'Ben je aan de pil?' vroeg hij fluisterend.

Hij voelde aan zijn wang dat ze knikte.

Het was een soort krachtmeting, met name vanwege de kou. Hij besefte dat de harde, bevroren grond pijnlijk voor haar moest zijn, dwars door het jack heen dat tot net onder haar billen kwam. Haar borsten voelde hij niet. Trouwens, hij voelde nauwelijks een stukje naakte huid. Hij wilde dat de daad op het stuk grond dat hij ooit hoopte te bezitten, iets betekende, maar de krachtmeting was het enige waarvan hij zich bewust was.

Toen het voorbij was, trok hij eerst haar spijkerbroek omhoog en pas daarna de zijne. Nog even, en ze zouden overeind komen en naar de auto rennen. Sheila helde achterover en keek hem aan.

'Ik zweer je, meneer Webster, dat was de koudste wip van mijn leven.'

'Attentie, Hartstone. We hebben een melding op Hawk Ridge. Vrouw. Vijftien jaar. Verwondingen als gevolg van huiselijk geweld.'

Webster pakte de mobilofoon. 'Is dat alles of heb je nog meer?'

'De beller heeft opgehangen. Pogingen om terug te bellen hebben niets opgeleverd.'

'Wanneer wordt de politie verwacht?'

'Die zijn naar een andere melding.'

Burrows en Webster arriveerden bij een verbouwde schuur in het chique gedeelte van Hartstone. Daar werd de deur opengedaan door een slanke vrouw van in de veertig. Binnen, op de bank, zat een stuurs kijkende puber van een jaar of vijftien in een spijkerbroek en een zwart T-shirt.

'Kom hier en bied je verontschuldigingen aan,' tierde haar moeder. 'En vertel wat je hebt gedaan.'

Het meisje zweeg hardnekkig, waardoor haar moeder alleen maar nog woedender werd. Te oordelen naar haar kleding – ze droeg een mantelpakje – was ze op weg naar haar werk. Ze liep stampvoetend naar de bank, greep haar dochter bij de arm en probeerde haar overeind te trekken.

'Laat u maar.' Burrows werkte zich tussen de twee vrouwen in en haalde hen uit elkaar. 'Gaat u bij mijn collega staan, alstublieft,' zei hij tegen de moeder.

Toen ze weg was, keek Burrows op het meisje neer.

'Wat nou?' vroeg ze ten slotte.

'Ben je gewond?' vroeg hij.

Haar blonde haar was uiterst kort geknipt, ze had een piercing in haar wang, en ze droeg zware, paarse oogmake-up. In een minachtend gebaar sloeg ze haar blik ten hemel, maar ze schudde haar hoofd.

Haar moeder, die inmiddels naast Webster stond, kon zich niet beheersen. 'Als zij het u niet wil vertellen, dan doe ik het. Ze heeft 911 gebeld en gezegd dat mijn verloofde, haar toekomstige stiefvader, haar had geslagen en verkracht. Mijn god! Vindt u dat ze eruitziet alsof ze in elkaar is geslagen? Zodra ze de ambulance het pad op zag komen, biechtte ze op wat ze had gedaan. Ik ben werkelijk in alle staten!'

'Zijn die beschuldigingen ook maar enigszins gerechtvaardigd?' vroeg Webster aan de moeder.

'Nee, natuurlijk niet! Ze is gek! Vince, mijn verloofde, is hier gisteravond vertrokken. We zaten nog aan tafel, nota bene! Maar mijn dochter gedroeg zich zo onbeleefd, en ze was zo kwetsend, dat hij geen andere keus had.'

Burrows ging er niet op in, maar keerde zich weer naar het meisje. 'Heeft de man in kwestie je op enige manier schade berokkend?'

'Op enige manier? Reken maar. Hij heeft mijn leven kapotgemaakt, dokter.'

'Ik ben geen dokter.'

'Dan niet.'

'Heeft hij aan je gezeten of je ergens mee geslagen?'

'Zoiets, ja.'

'Ik zal een eerste onderzoek moeten doen om vast te stellen of er sprake is van verwondingen, jongedame.'

'Ik dacht dat u geen dokter was.'

'Ik ben ambulancebroeder.'

'Bof jij even.'

Burrows liet zich op zijn hurken zakken en wilde haar arm pakken om haar pols te controleren.

'Blijf met je poten van me af!' snauwde ze, haar gezicht vertrokken tot een van de minder fraaie varianten uit haar puberrepertoire.

Webster voegde zich bij Burrows, en ze trokken zich even terug. Webster liet zijn blik door de grote ruimte gaan, langs de bovenverdieping met de open gaanderij, naar de keuken met de enorme koelkast. 'Wat denk je?' vroeg hij.

'Zonder haar toestemming kan ik haar niet onderzoeken.'

'Het lijkt me duidelijk. Ze heeft 911 gebeld om haar moeder te pesten,' zei Webster.

Burrows draaide zich om naar de moeder. 'Wat is uw naam?'

'Natalie Krueger.'

'En die van uw dochter?'

'Charity.'

Webster weerstond de neiging om een wenkbrauw op te trekken. Welke weldenkende moeder noemde haar dochter tegenwoordig nog Charity?

'Haar vriend noemt me heel anders,' zei het meisje op de bank. '"Stuk Uitschot," zei hij gisteravond.'

'Waar is Vince op dit moment, mevrouw Krueger?'

'In Massachusetts. Daar woont hij,' zei ze, duidelijk met zichzelf ingenomen. 'In Williamstown.'

'Wanneer is hij hier weggegaan?'

'Dat heb ik u al gezegd. Gisteravond. Het spijt me dat u hierin betrokken bent. Als ik het eerder had geweten, was dat niet gebeurd.'

Burrows probeerde zijn positie en die van Webster te verduidelijken. 'We kunnen niets doen, tenzij uw dochter daar toestemming voor geeft.'

'En dat gaat niet gebeuren,' zei het Stuk Uitschot vanaf de bank.

'De politie kan elk moment hier zijn,' zei Burrows. 'En reken maar dat die heel wat meer vragen stellen dan wij.'

'Shit!'

'Wat had je dan gedacht!' riep haar moeder.

Burrows boog zich naar Webster. 'We kunnen de politie ook afbellen. Kinderen doen nou eenmaal de stomste dingen om hun ouders tot wanhoop te drijven.'

'Ze heeft wel iemand van mishandeling en verkrachting beschuldigd.'

'Wat zegt je gevoel?' vroeg Burrows.

'Dat ze de boel belazert. Om haar moeder dwars te zitten.'

'Dat denk ik ook.'

'Ik moet terugrapporteren,' zei Burrows. Hij nam zijn portofoon van zijn riem en belde de meldkamer. 'Zo te zien is alles in orde.'

'Zijn er wapens gebruikt?'

'Nee. Weet je al meer over de verwachte tijd van aankomst van de politie?'

'Die zijn aan het afronden. Ik schat dat ze nog vijftien tot achttien minuten nodig hebben.'

'Wachten we hier op de politie?' vroeg Webster aan Burrows toen die de verbinding had verbroken.

'Ja, dat lijkt me wel.' Burrows haalde zijn schouders op. 'We wachten in de auto.'

Als ze niet al twintig minuten in overwerktijd hadden gezeten, zouden ze de situatie misschien beter hebben ingeschat, dacht Webster later.

Hij liep naar de stuurse puber op de bank. Ze lag met haar rug in de kussens, haar benen gespreid, zogenaamd volmaakt ontspannen, of misschien probeerde ze zich zo verleidelijk mogelijk te presenteren. 'Misbruik van het alarmnummer is een ernstige overtreding,' zei hij. 'Doe dat niet nog eens.'

Toen hij wegliep, hoorde hij dat ze hem aanstellerig napraatte. 'Doe dat niet nog eens.' Het liefst had hij zich omgedraaid om haar een stevige preek te geven. Maar hij wist zich te beheersen.

Ze stapten in de ambulance. Webster reed naar het eind van de lange oprijlaan, en daar wachtten ze een kwartier tot ze de politie zagen aankomen. Nye deed zijn raampje open. 'Wat is er aan de hand?'

'Niks,' zei Webster, die achter het stuur zat. 'Een meisje dat probeert haar moeder een loer te draaien.'

'Net waar we op zitten te wachten.'

McGill kreunde.

'Het is aan jullie,' zei Webster. 'Misschien moet iemand haar eens flink de waarheid zeggen, ik weet het niet. Maar haar moeder heeft heel wat met haar te stellen, vrees ik.'

Nye sloeg zijn blik ten hemel.

Daarop vertrokken Webster en Burrows naar de ambulancepost. Ze hadden amper twee kilometer gereden toen ze opnieuw een oproep kregen. 'We hebben een melding van ernstige verwondingen op jullie vorige bezoekadres.'

'Het is allemaal niet waar,' meldde Burrows via de mobilofoon. 'Gewoon een puber die probeert haar moeder tot wanhoop te drijven. Een misbruiktelefoontje.'

'Daar geloof ik niets van,' sprak de coördinator in de meldkamer hem kalm tegen. 'De politie belde. En op de achtergrond klonk geschreeuw.'

Webster keerde de auto en trapte het gaspedaal diep in. Bij het huis aangekomen rende hij naar de voordeur. Als bleek dat het toch oplichterij was, zou Burrows het kind hoogstpersoonlijk laten arresteren, ging het door hem heen. Hij duwde de voordeur open. Binnen was er van het meisje geen spoor te bekennen, maar de moeder gilde moord en brand. De rechterkant van haar gezicht en haar hals was verbrand en zat onder de blaren. Waar haar haren waren weggebrand, was haar hoofdhuid zichtbaar.

'Shit,' zei Webster zacht.

Nye probeerde de vrouw met zachte drang naar de bank te loodsen.

'We nemen haar van je over,' zei Burrows. 'Hebben jullie het meisje al gevonden? Waarschijnlijk is ze boven.'

'McGill is bij haar. Hij heeft bovendien een lege fles toiletreiniger gevonden.' Nye wees naar de grond, naar de fles die was weggerold.

Burrows controleerde de luchtweg. De bijtende dampen konden brandwonden veroorzaken in de keel van het slachtoffer. Hij intubeerde en legde een infuus aan met medicatie tegen de pijn. Ondertussen probeerde hij het slachtoffer te kalmeren.

'Zoutzuur,' zei hij tegen Webster. 'We moeten de boel schoonspoelen. Ik heb een grote kan koud water nodig. Godallemachtig, ze heeft het in haar oog gekregen. En haar wang zit ook onder.'

Burrows knipte haar kleren open en verwijderde al haar sieraden. Er zou zich nog zoutzuur op de kleding kunnen bevinden. Daarop legde hij een deken over het slachtoffer heen, en hij gaf haar Fentanyl tegen de pijn.

Toen Webster terugkwam met de kan water, begon Burrows met spoelen, ervoor zorgend dat er geen druppel zuur op onbeschadigd weefsel terechtkwam.

'Jullie zijn toch net ook al hier geweest?' vroeg Nye.

'Ja, maar toen was er niks aan de hand,' zei Webster.

Nye keek hem aan.

'Althans, zo leek het,' verbeterde Webster zichzelf. 'En er was geen sprake van verwondingen.'

'Waarom zijn jullie weggegaan?'

Nu was het Burrows die antwoord gaf. 'Omdat we dachten dat ze de boel belazerde. De dochter, die beweerde dat de vriend van haar moeder haar had verkracht en mishandeld. Ik had de indruk dat ze loog.'

'Heb je haar onderzocht?'

'Ik mocht haar met geen vinger aanraken.'

'Als jullie de moeder naar Mercy brengen, nemen wij de dochter voor onze rekening. Volgens mij hebben jullie de plank hier goed misgeslagen, jij en de melkmuil.'

Het was nog erger dan Burrows of Webster had kunnen denken. Uit onderzoek in het ziekenhuis bleek dat de dochter seksueel was misbruikt. Dat betekende dat er ten minste twee misdrijven waren gepleegd: een meisje van vijftien was verkracht, en datzelfde meisje had zoutzuur in het gezicht van haar moeder gegooid. Daardoor had de moeder ernstige brandwonden opgelopen en was onder andere haar hoornvlies beschadigd.

'Daar word ik voor op het matje geroepen,' zei Burrows toen ze weer op de terugweg waren naar de ambulancepost.

'We hebben het samen verknald,' zei Webster.

'Dat is heel nobel van je, maar zo werkt het niet. Ik ben teamleider. Dus de verantwoordelijkheid ligt bij mij.'

'Ik kan getuigen hoe het is gegaan.'

'Jij doet helemaal niks. Is dat duidelijk? Je hebt mijn orders opgevolgd. Meer niet. Het is klote, maar mij zullen ze niet ontslaan. Jou wel. Wat heet, je bent je baan al kwijt voordat je de Bullet weer op orde hebt. Dus als ze je wat vragen, dan zeg je dat je mijn orders hebt opgevolgd. Is dat duidelijk?'

Webster knikte.

'Ik hoor niks!'

'Ja, dat is duidelijk,' zei Webster.

'We hadden nooit weg moeten gaan, verdomme,' mompelde Burrows hoofdschuddend.

Webster had al diverse keren meegemaakt dat een patiënt onder zijn handen was gestorven, en dat was verschrikkelijk. Maar het was ronduit afschuwelijk wanneer een patiënt schade opliep doordat jij als ambulancebroeder niet op je post was gebleven.

Ze reden langs het gemeentehuis, een uit baksteen opgetrokken boerderij verbouwd tot zetel van de overheid. De bibliotheek telde twee verdiepingen en had een stenen gevel, maar ook dat gebouw zag er niet authentiek uit, alsof het ooit een opslag van graan en veevoer was geweest. Webster was nooit een studiebol geweest, maar in zijn vrije tijd las hij graag en veel.

Ze kwamen langs Dunlap's Diner, waar het op dit uur – het was bijna halftwaalf – zo goed als vol zat; bijna alle plekken op het parkeerterrein werden ingenomen door pick-uptrucks met gereedschappen en blauwe zeilen in de laadbak. Zou Sheila aan het werk zijn, vroeg Webster zich af. Mother's Country Kitchen was ermee gestopt, maar de Quilt Shop bestond nog steeds. Webster kende elke winkel, elk bedrijf in de stad. Soms reed hij de grens over naar New York, naar een plaats waar hij nooit eerder was geweest. Hij vond het leuk om rond te kijken in een stad waar hij niemand kende.

Ze kwamen langs de Maple Leaf Gift Shop, langs Armand's Pizzeria en langs Roberts Funeral Home. In een laan achter de begrafenisondernemer stond het gebouw van de American Legion, waar hij amper vier jaar eerder zijn middelbareschooltijd had afgesloten met het afscheidsbal. Webster nam de volgende afslag links, naar de brandweerkazerne. Daar parkeerde hij de ambulance op zijn vaste plek. Met de neus naar de weg, klaar om onmiddellijk weer te kunnen uitrukken. Burrows zette koers naar het gebouw.

Webster liep naar de voorkant van de Bullet en staarde voor zich uit in het ochtendlicht. De sneeuw van die nacht lag nog op de bomen en glinsterde in het zonlicht als ontelbare kristallen. Hij kreeg ineens zin om te gaan skiën. Zou Sheila skiën, vroeg hij zich af, en hij vermoedde van niet. Hij had Chelsea op de kaart opgezocht en gezien dat er in de wijde omtrek geen stoeltjeslift te bekennen was.

Hij ging net buiten de deur van de garage staan. Zodra zijn dienst erop zat, zou hij naar haar toe rijden.

Hij zou haar zo graag weghalen uit die verandakamer, weg bij die griezelige huisbazen met hun dozen vol Oreo's. Hij kon zich niet voorstellen hoe ze eruitzagen en hoopte hen nooit te ontmoeten. Maar waar zou hij Sheila naartoe moeten brengen? Hij kon haar niet meenemen naar zijn ouderlijk huis. Dat was ondenkbaar. Ze had geen geld, behalve wat ze met biljarten had verdiend en misschien een weekloon. Het liefst zou hij met haar in een vliegtuig stappen, naar een plek waar het lekker warm was. Maar als hij zijn spaargeld ongemoeid wilde laten, zou hij maanden moeten werken om genoeg geld bij elkaar te krijgen voor twee tickets. Stel dat het kon, waar zouden ze dan heen gaan? Florida? Mexico? Samen op het strand, hij in een zwembroek, zij in bikini, met twee pina colada's tussen hen in.

'Webster!'

Webster draaide zich om naar de deur van het personeelsverblijf.

'Wat sta je daar te doen?' vroeg Burrows. 'Wou je een sneeuwpop maken?'

Webster schudde zijn hoofd.

'Niet om het een of ander, maar je bent nog niet klaar.'

Webster trok het gordijn open. Hij wist waar ze waren, maar hij had de stad alleen bij avond gezien, toen ze naar de B&B waren gereden, allebei een beetje dronken, Sheila meer dan een beetje. De straten hadden er om elf uur verlaten bij gelegen, maar inmiddels heerste er een zekere bedrijvigheid: voetgangers, die voorovergebogen tegen een snijdende wind in worstelden, pick-uptrucks, die af en aan reden, terwijl de opkomende zon al een gloed op de bevroren sneeuw toverde. De B&B was een idee geweest van Sheila. Ze hadden er een gewoonte van gemaakt om er op zaterdag op uit te trekken en in een goedkope gelegenheid wat te drinken en te eten, waarbij ze met elk uitstapje verder wegzwierven van Hartstone. Deze keer had Sheila aangedrongen op een heel weekend samen. Webster had soms het gevoel dat hij aan een elastiek zat, geneigd om bij het eerste signaal uit zijn portofoon terug te schieten naar de Hulppost. Maar hij had geen dienst, dus hij moest leren die oproepen te negeren.

Hij stond in zijn boxershort voor het raam. Het was smoorheet in de kamer, en ze konden de temperatuur niet zelf regelen. Bij hun aankomst, de vorige avond, was de hitte maar al te welkom geweest. Na bijna drie maanden in Vermont had Sheila nog altijd geen dik jack gekocht, noch een muts of winterlaarzen. 'Nog even, en het is lente,' luidde steevast haar reactie wanneer Webster erover begon, alsof ze daarna nooit meer een winter hoefde mee te maken. Tenminste, niet in Vermont.

Twee weken na die nacht met de bijna volle maan had Webster promotie gemaakt, en inmiddels had hij een volledige baan en draaide hij zijn diensten in de ambulancepost. Ze hadden hem de nachtdienst gegeven, van middernacht tot acht uur. Sheila werkte overdag bij de Smeerlap, zoals zij haar baas was gaan noemen, een woordgrap waarvan het Webster verbaasde dat die nog niet eerder was bedacht. Wanneer zijn dienst erop zat, bleef hij nog een halfuurtje hangen om de boel over te dragen aan de volgende ploeg, en daarna ging hij naar het wegrestaurant om te ontbijten. Hij vond dat het glimmende grijze uniform met de witte schort haar omlaaghaalde. Maar hoewel zij meestal zei dat hij er verrot uitzag, bezwoer hij haar dat ze prachtig was. Soms slaagde ze erin met haar hand langs de zijne te strijken. En een keer boog ze zich zelfs naar hem toe en sloeg ze haar armen om hem heen, zogenaamd alsof ze met hem meelas in de krant die hij op de eetbar had uitgevouwen. Webster kon de verleiding niet weerstaan om bij haar te gaan ontbijten, maar hij vond het elke keer weer afschuwelijk om weg te gaan. Sheila was een drug, dacht hij. Na één shot was hij al volledig verslaafd.

Soms informeerde Sheila naar zijn nacht. Dan vertelde hij haar uitvoerig over elke afzonderlijke melding, om de impact van de beelden en de geuren van zich af te praten. Ze maakte nooit grapjes over zijn werk en nam het volledig serieus. Misschien was de herinnering aan haar eigen ongeluk nog te vers. Hij vroeg zich af hoe ze haar avonden doorbracht.

Het gebeurde tijdens zijn vierde dienst in de derde week, toen hij met Burrows terugkwam op de Hulppost. Ze hadden een zware nacht achter de rug; de beelden die door zijn hoofd spookten, waren gruwelijk. Webster deed de achterkant van de Bullet open, begon uit te laden en sjouwde zoveel als hij kon dragen naar het werkblad in het personeelsverblijf. Hij was zo geconcentreerd bezig om de gebruikte spullen in de wasbakken te leggen zonder iets uit zijn handen te laten vallen, dat hij haar aanvankelijk niet eens zag. Pas toen het tot hem doordrong hoe merkwaardig stil het was, keek hij op. Ze stond bij de koffiemachine, samen met Callahan, een nieuwe rekruut die deel uitmaakte van de volgende ploeg.

Even voelde Webster zich als verlamd. Wat deed ze hier in godsnaam? Onder haar leren jack droeg ze een zwarte coltrui en een spijkerbroek die hij niet kende. Ze had haar haar opgestoken. Er ging een schok van zijn onderbuik naar zijn borst en terug. Burrows legde een hand op zijn schouder. 'Rustig maar, Webster. Het is een illusie om te denken dat ook maar iemand hier in Hartstone zijn mond kan houden.'

Webster liep naar Sheila toe, waarop Callahan zich onopvallend terugtrok. Achter zich hoorde Webster dat de stilte werd verbroken door geforceerde vrolijkheid.

'Wat doe je hier?' vroeg hij.

'Ik kom je halen voor een borrel.'

'Het is acht uur 's ochtends! Er is in heel Vermont nog geen bar open.'

Ze hield haar hoofd scheef en leunde tegen het werkblad. 'En in Albany?' vroeg ze plagend. 'Dat is een grote stad, toch?'

'Ik ga niet naar Albany.'

Ze prikte een vinger in haar wang en deed alsof ze nadacht. 'De bar bij mij thuis is open,' zei ze, alsof dat idee ter plekke bij haar opkwam.

'Op dit uur van de dag?'

'Ja.'

'Hoef je niet te werken?'

'Ik moet naar de tandarts,' zei ze grijnzend. 'Tenminste, dat denkt de Smeerlap.'

'Ik moet de gebruikte spullen schoonmaken en wegbergen. En de boel overdragen aan de volgende ploeg. Dus ik kan hier pas over twintig minuten weg.'

Webster werkte onverstoorbaar, zich bewust van de blikken van zijn collega's. Als een van hen besloot te melden dat hij iets had met een voormalige patiënt, dan moest dat maar. Hij zou eigenlijk boos moeten zijn op Sheila omdat ze zo onnadenkend was geweest om zijn baan in gevaar te brengen.

Toen hij klaar was, stapte hij in zijn auto. Sheila zat al op de bijrijdersplaats.

Eenmaal binnen, in het huis met de lamellenveranda, liet hij zijn blik vluchtig door de keuken gaan, toen pakte hij haar bij de soepele leren mouw van haar jack, hij draaide haar naar zich toe en kuste haar. Ze maakte zich lachend van hem los en loodste hem naar de veranda. Het kon hem niet schelen dat ze zo dicht aan de weg zaten. Van hem mocht de hele wereld het zien.

Ze liet zich op de slaapbank vallen en begon zich uit te kleden, nonchalant, alsof ze alleen was. Een andere vrouw zou er misschien een verleidingsmanoeuvre van hebben gemaakt. Voor het eerst zag Webster haar borsten, haar schaamhaar, het litteken op haar buik.

'Jezus, je bent prachtig!' Hij gebaarde met zijn hoofd naar het litteken. 'Gaat dat geen pijn doen?'

'Ik denk niet dat ik er iets van zal merken,' zei ze. 'Maar als je daar nog lang blijft staan, met je jas aan, val ik van verveling in slaap.'

De Sheila die nuchter, bijna zakelijk haar kleren had uitgetrokken, veranderde in een vrouw die minstens zo ongeduldig en gretig was als Webster. Het zou weleens weken kunnen duren voordat ze hadden geleerd het rustig aan te doen.

Webster keek naar de slapende Sheila in de smoorhete kamer van de B&B, met de lakens opgetrokken tot boven haar borsten, één slanke, ontspannen arm ontbloot. Haar glanzende bruine haar, dat uitwaaierde op het kussen, was altijd een talisman voor hem geweest. Hij zag alleen haar; het gebloemde behang en de antieke reproducties verdwenen naar de achtergrond en gingen op in het niets. Ze had zich de laatste weken ontpopt als een toerist.

'Je lijdt aan zwerflust,' had hij tijdens een van hun uitstapjes gezegd.

'En dat betekent? Dat ik van zwerven en seks hou, bij voorkeur tegelijk?'

Webster schoof weer onder de lakens, nog niet bereid afscheid te nemen van haar lichaam. Hij kende haar hele lijf, wist hoe het voelde – het dons op haar armen, de harde spieren aan de binnenkant van haar dijen, de verrukkelijke welving van haar heupen. Als ze wakker werd met een kater, wist ze dat, op een verschrikkelijke dorst na, goed te verbergen.

Hij streelde haar arm van de schouder tot de pols, in de hoop dat ze wakker werd. Hij genoot van de manier waarop ze haar ogen opsloeg, hij vond het heerlijk om de blijdschap te zien wanneer ze hem zag. Soms glimlachte ze. Hij had het glas water al bij de hand. Dan werkte ze zich overeind op een elleboog, dronk het leeg, en wanneer ze hadden gevrijd, haalde hij nog een glas water voor haar, met een paar paracetamols.

Die ochtend werd ze echter wakker alsof ze de wereld nog niet onder ogen wilde zien. Webster genoot van het uitstel, van de verwachting waarmee dat gepaard ging. Uiteindelijk ging ze abrupt rechtop zitten, en ze kneep haar neus dicht.

'Wat is dat voor afschuwelijke lucht?' vroeg ze.

Webster snoof. 'Koffie? Ik heb het koffiezetapparaatje gebruikt. Een afschuwelijk ding, maar ik wilde niet in mijn blootje naar buiten, op zoek naar een koffietent.' Hij liet zijn vingers over haar ruggengraat wandelen, van haar billen naar haar nek.

'Webster,' zei ze, en ze boog haar hoofd.

De manier waarop ze het zei, beviel hem helemaal niet. Hij wachtte af. 'Wat is er?' vroeg hij ten slotte.

'Shit.'

Ze wil niet meer, ze gaat zeggen dat ze ermee stopt. Hij deed zijn ogen dicht. Verzet had geen zin.

'Wil je het recht voor zijn raap?' vroeg ze.

'Natuurlijk. Ik zou niet anders willen.'

'Ik ben zwanger.'

Hij was met stomheid geslagen. De gedachte dat ze zwanger zou kunnen zijn, was zelfs niet bij hem opgekomen.

'Weet je het zeker?' vroeg hij.

Ze streek het haar uit haar gezicht en wendde zich naar hem toe. 'Heel zeker.'

'Hoe ver ben je?'

'Tien weken.'

'Ben je al bij een dokter geweest?'

'Ja.'

Een gesprek dat duizenden keren moest zijn gevoerd, door duizenden stellen, dacht hij. Maar voor hem voelde het uniek, alsof hij de eerste man was die ooit knock-out was geslagen door een enkel woord.

Onder de bijna volle maan had hij haar gevraagd of ze de pil slikte, en ze had geknikt. Later had ze hem verteld dat ze de voorkeur gaf aan een pessarium. Had ze destijds echt geknikt? Of had hij zich vergist?

Verrekte wetten van de biologie! Gaven geen moer om wat Moeder Natuur aan de buitenkant deed.

Hoe weet je zeker dat het van mij is, had hij bijna gevraagd, maar hij wist zich nog net op tijd te beheersen.

Dat mag je niet eens dénken!

'Ik weet niet hoe het kan,' zei ze. 'Ik was aan de pil, en toen kreeg ik last van bloedingen, dus ik ben overgestapt op een pessarium. Het zou allebei moeten werken.'

Hij bestudeerde de quilt. De waas van kleuren nam geleidelijk duidelijke contouren aan. Rode bloemen op een ivoorwitte ondergrond, blauwe vierkanten, knoopjes van draad in de hoeken van de lapjes. Even zag hij in gedachten een stralend gelukkige Sheila en stelde hij zich voor dat haar geluk aanstekelijk zou zijn. Maar het was ook mogelijk dat ze een abortus wilde, en hij stelde zich voor dat hij haar daarin zou steunen. Ten slotte kwam de gedachte bij hem op dat zij misschien net zo angstig, net zo in de war was als hij.

'Ik weet zeker dat ik een goede moeder zal zijn,' zei ze, en Webster voelde zich opnieuw verrast. Ze draaide zich naar hem toe en keek hem aan, alsof ze wist dat ze misschien te ver was gegaan, alsof hij misschien nog in shock zou zijn.

'Maar hoe weet je wat je moet doen?'

Ze kuste hem. 'Daar komen we samen wel uit, Webster.'

Blijkbaar was ze niet van plan hem te vragen hoe hij over de zwangerschap dacht.

Opnieuw stelde hij zich voor dat ze gelukkig was. Hij probeerde door het laken heen haar vlakke buik te zien. Daar ergens, onder het langgerekte litteken, had zijn kind zich genesteld.

Het enige wat hij hoefde te doen, was het accepteren, het laten gebeuren.

Als hij nog meer vragen stelde, zou ze beseffen dat hij twijfelde, en wanneer de baby er eenmaal was, zou ze dat nooit kunnen vergeten en altijd aan hém blijven twijfelen. Daar zou hij spijt van krijgen. Hij hield van Sheila, daar twijfelde hij geen moment aan. De momenten die hij niet bij haar kon zijn, deden pijn. Bovendien was hij net zo verantwoordelijk voor het kind dat in haar groeide, als zij. Hij was de man! Sterker nog, hij was verpleegkundige! Waarom had hij geen condoom gebruikt?

Hij streelde haar haren die over haar rug vielen. Het was

prachtig om te zien hoe de twee kanten naar elkaar toe krulden. Webster vermoedde dat andere vrouwen jarenlang heel veel geld betaalden om een effect te bereiken dat Sheila van nature bezat.

Een baby. Samen een gezin stichten. Misschien met een eigen huis. En hij zou haar bij alles ter zijde staan. Zoveel als hij kon. Hij dacht aan de lange nachten die hij van huis zou zijn, en heel vluchtig zag hij Sheila voor zich met een slapende baby op schoot, een glas Bacardi onder de bank. Hij verjoeg het beeld, en het verdween even snel als het was gekomen.

Hij dacht eraan hoeveel ze de vorige avond had gedronken, en kreeg een wee gevoel in zijn maag. Waarom had ze dat gedaan? Toen had ze het al geweten. Was het een laatste uitspatting geweest?

Hij mocht zijn boosheid geen ruimte geven, zei hij tegen zichzelf.

Het was een risico wat ze namen. Een risico van het gevaarlijkste, verrukkelijkste soort. Om je leven afhankelijk te maken van iets wat nog maar zo klein was als een ontkiemend boontje.

'Ik doe mee,' zei hij.

Hij kwam in een schoon overhemd en kaki broek beneden, opgefrist van een paar uur slaap nadat hij die vrijdagnacht uit bed was gebeld. Zijn vader zat met twee Rolling Rocks in de keuken.

'Wil je er nog een?' vroeg Webster. Het laatste jaar nodigden zijn ouders hem af en toe uit om een borrel met hen mee te drinken in hun uurtje samen. Soms deed hij dat. Soms niet.

'Welja,' zei zijn vader, duidelijk blij dat zijn zoon tijd had voor zijn ouweheer. Met zijn elleboog werkte hij de koelkast open.

'Ik pak het wel,' zei Webster.

Met zijn eigen biertje in de hand volgde hij zijn vader naar de woonkamer. Was hij door zijn vader al enthousiast ontvangen, zijn moeder reageerde ronduit euforisch. Webster kromp ineen. Als een van hen al voelde dat er een familieberaad aan zat te komen, dan lieten ze dat niet merken.

Op tafel stond een bord met een rond kaasje, gerold in gehakte walnoten, met eromheen zoute crackers. 'We zien je zo weinig,' zei zijn moeder, haar kapsel fatsoenerend. In een bijna uitgelaten gebaar sloeg ze op de kussens naast zich. 'Volgens mij ben je dag en nacht aan het werk.'

Websters moeder dronk bier uit een wijnglas. Hij ging naast haar zitten en streek met zijn vinger over de condens op zijn grasgroene flesje.

'Over een paar weken zitten we op dit uur op de veranda,'

zei zijn moeder. 'Ik moet de boel echt gaan schoonmaken. Alles is smerig van de winter.'

'Hoe is het op je werk?' vroeg zijn vader. 'Heb je nog iemand geholpen die ik ken?'

Zijn vader kende bijna iedereen in Hartstone.

'Asa Bennet is gisteren gevallen,' vertelde Webster, en hij liet het 'meneer' weg, iets wat hij twee maanden eerder nog niet zou hebben gedaan. Merkwaardig, hoe een enkel woord de verandering kon markeren in een vader-zoonrelatie. 'Hij heeft zijn heup gebroken.'

'Ach, wat moet die arme man nu beginnen?' vroeg zijn moeder. 'Hoe oud is hij inmiddels?'

'Vierentachtig.'

'En Alice is al... O, die is al minstens twee jaar dood.'

Drie, wist Webster uit het patiëntendossier. 'Ik weet niet wat er na zijn herstel gaat gebeuren,' zei Webster. 'Verder dan het ziekenhuis zie ik mijn patiënten niet. Soms hoor ik de rest van het verloop, maar meestal niet.'

'Wat een baan heb je toch!' riep zijn moeder uit. Niet voor het eerst. Webster wist nooit zeker of ze bedoelde: wat een verschrikkelijke baan heb je toch, of: wat doe je toch prachtig werk dat je die mensen kunt helpen. Door zijn ervaringen als ambulancebroeder wist hij inmiddels dat het allebei waar was.

Webster schraapte zijn keel. 'Ik heb iemand ontmoet,' vertelde hij.

Zijn moeder verslikte zich in haar bier. Webster klopte haar op de rug. 'Wat leuk voor je,' kraste ze toen ze weer kon praten.

'Wie is het?' Zijn vader ging in de gemakkelijke oorfauteuil zitten, die Webster als klein jongetje al 'papa's stoel' had genoemd.

'Ze heet Sheila. Sheila Arsenault. En ze komt uit Boston, maar ze is bezig zich hier te vestigen.'

'Ik kende vroeger een familie Arsenault,' zei zijn moeder peinzend. 'Maar die kwam uit Quebec.'

'Hoe lang ken je haar al?' vroeg zijn vader.

'Een maand of vier,' antwoordde Webster met enige overdrijving.

'Wat doet ze voor de kost?' vroeg zijn moeder.

'Op dit moment werkt ze als serveerster, maar ze is op zoek naar een betere baan.'

'Waar werkt ze?' vervolgde zijn moeder.

Webster zou willen dat hij een leuker restaurant kon noemen. 'Bij Dunlap's. Maar dat is tijdelijk. Gewoon om alvast iets te hebben.'

'Aha,' zei zijn moeder, eerder nieuwsgierig dan bezorgd. 'Vertel. Hoe ziet ze eruit?'

'Ze is lang en slank. En ze heeft schitterend bruin haar. En blauwe ogen. Ze is prachtig.'

'En waar hebben jullie elkaar leren kennen?' vroeg zijn vader.

'Bij Dunlap's,' loog Webster, omdat hij wist dat de waarheid zijn ouders op het verkeerde been zou zetten.

Maar zijn vader rook lont, besefte hij toen hij zag dat die hem aandachtig zat aan te kijken, alsof hij naar een aanwijzing zocht. Het was tenslotte voor het eerst dat zijn zoon hem vertelde dat hij iemand had ontmoet.

'Neem haar eens mee, om te komen eten,' bood zijn moeder aan, waarschijnlijk al bedenkend wat ze zou maken.

'Dankjewel. Dat doe ik. Maar er is nog iets.' Webster boog zich naar voren, met het bijna volle flesje Rolling Rock tussen zijn knieën. 'Sheila is zwanger.'

Zijn ouders verstarden, midden in hun beweging, met hun armen in de lucht. Onder andere omstandigheden zou het komisch zijn geweest.

Webster moest zichzelf dwingen door te gaan met ademhalen. De geluiden in huis waren dezelfde als wanneer hij alleen thuis was. Doodstil, op het getik van de klok en de verwarming en de zachte geluidjes van de koelkast na.

Zijn moeder liet haar glas zakken. Zijn vader dronk het zijne leeg en zette het flesje toen hardhandig neer.

'Het is van mij,' zei Webster, zelf over het onvermijdelijke beginnend.

Zijn vader liet zijn hoofd in een gebaar van ongeloof achterover vallen. 'Hoe weet je dat zo zeker?'

Daarmee stelde zijn vader de vraag die Webster zichzelf had verboden aan zijn vriendin te stellen.

'Ik weet het gewoon zeker,' antwoordde Webster.

'Maar Peter, je bent pas eenentwintig!' verzuchtte zijn moeder.

'Bijna tweeëntwintig,' zei Webster.

'Hoe ver is ze?' vroeg zijn vader vasthoudend. Zijn moeder zag eruit alsof ze elk moment in huilen kon uitbarsten.

'Drie maanden,' antwoordde Webster.

Het rekensommetje was snel gemaakt.

Zijn vader wendde zijn hoofd af. Webster dacht dat hij nu misschien zou opstaan uit zijn stoel, het huis uit zou lopen en pas uren later terug zou komen.

'Je bent pas eenentwintig,' herhaalde zijn moeder, alsof ze maar niet voorbij die gedachte kon komen.

Anders dan Webster had verwacht, bleef zijn vader gewoon zitten. 'Wil ze...' Hij leek niet in staat de zin af te maken. Dat deed Webster voor hem.

'... het houden? Ja.'

'Hou je van haar?' vroeg zijn moeder.

Eindelijk een gemakkelijke vraag. 'Ja,' antwoordde hij. 'Ik hou heel erg veel van haar.' Maar terwijl hij het zei, en hoewel hij daar absoluut zeker van was, vroeg hij zich toch af of hij wel wist wat liefde, onder deze omstandigheden, betekende.

Zijn vader liep de kamer uit en kwam terug met nog drie

Rolling Rocks. Voor medicinale doeleinden, niet om iets te vieren.

'Ben je van plan om met dat meisje te trouwen?' vroeg hij bars. Mannen onder elkaar.

'Ze heet Sheila,' zei Webster.

'Maar we kennen haar helemaal niet!' jammerde zijn moeder voordat zijn vader tegen Webster kon zeggen dat hij niet zo brutaal moest zijn.

'Hoe denk je in godsnaam...' Zijn vader drukte zijn lippen stijf op elkaar en schudde kort, driftig zijn hoofd.

'Ik denk dat we gaan trouwen,' zei Webster.

'Dat denk je?' vroeg zijn vader.

'We willen niet te hard van stapel lopen,' zei Webster.

'Daar kom je dan wel erg laat mee!' protesteerde zijn moeder. 'Om niet te zeggen, te laat.'

'Je bent nota bene verpleegkundige,' zei zijn vader, alsof dat het nog verbijsterender maakte dat hij geen condoom had gebruikt, vermoedde Webster.

Hij stak zijn kin naar voren. Natuurlijk had hij verwacht dat het een onaangenaam gesprek zou worden, maar dan nog viel het hem tegen.

'Er is al zoveel gebeurd, en al die tijd heb je haar niet eens aan ons voorgesteld?' zei zijn moeder. 'Dat hadden we niet van je verwacht.'

Webster zweeg. Hij wilde niet dat dit eerste gesprek in nog grotere verbittering eindigde dan blijkbaar onvermijdelijk was. Binnen vijf minuten – nee, minder, misschien maar drie – waren de gevoelens van zijn moeder van verrukking omgeslagen in boosheid, en inmiddels maakte haar boosheid plaats voor teleurstelling. Zijn vader was van meet af aan vervuld geweest van afschuw.

'We houden van je, dat weet je,' zei zijn moeder. 'We denken alleen aan jouw bestwil.'

Webster wenste dat hij het eerst alleen aan zijn vader had verteld.

'Ik ben een volwassen vent, mam. Ik weet hoe ik mensen in nood moet helpen. Ik werk keihard. Soms draai ik vrijwillig vierentwintiguursdiensten.'

'Maar je hebt nog niets van de wereld gezien!' Zijn vader maakte een weids gebaar, als om alle plekken aan te duiden die zijn zoon misschien nooit te zien zou krijgen.

'En jij wel?' vroeg Webster.

Zijn vader kneep zijn ogen tot spleetjes.

'Luister, ik ga doorleren om eerstverantwoordelijke op de ambulance te worden,' zei Webster. 'Met dat diploma op zak weet ik bijna zeker dat ik genoeg kan verdienen om een gezin te onderhouden.'

Zijn vader dronk de rest van zijn Rolling Rock in één teug op. Webster zette zich schrap voor de boer.

'Wat is het voor meisje?' vroeg zijn moeder.

Webster dacht even na. 'Ze is sterk. Wilskrachtig. Grappig. En ze is prachtig. Maar dat heb ik al gezegd.' Hij zweeg even. 'Ze vindt het leuk om naar andere delen van Vermont te rijden, om wat van de wereld te zien, dus we maken soms lange ritten.'

'Zwerflust,' zei zijn vader, en zijn stem verried dat hij daarmee alles bedoelde wat dat impliceerde. Webster herinnerde zich Sheila's repliek in de surveillancewagen.

'Ze heeft een Bostons accent. Ik weet zeker dat jullie haar aardig vinden.' Maar in werkelijkheid dacht hij van niet. Sterker nog, hij verwachtte dat ze haar helemaal niet aardig zouden vinden. 'We moeten natuurlijk op zoek naar een eigen huis. Een klein appartement. Ik denk erover iets in de stad te huren. Dicht bij de ambulancepost.'

'Kun je dat betalen?' vroeg zijn vader.

'Net.'

'Nou ja...' Zijn moeder ging rechtop zitten en streek over haar benen alsof ze een schort voor had. 'Wat denk je? Wanneer kom je bij ons eten met Sheila?'

Altijd de vredestichter, altijd de moeder die besefte dat ze allemaal met elkaar verder moesten. En daar was Webster haar dankbaar voor.

'In principe heb ik volgend weekend vrij,' zei hij. 'Wat dacht je van zaterdagavond?'

'Afgesproken,' zei zijn moeder, als een voorzitter die een stuk afhamerde.

'En, heb je het gezegd? Hoe ging het?'

Sheila had haar armen over elkaar geslagen.

Webster liep de keuken in en keek om zich heen. Zijn maag rammelde. Hij had het niet kunnen opbrengen om thuis te eten. 'Van een leien dakje,' zei hij.

Sheila deed de deur dicht. 'Mooi, dan hebben we dat ook weer achter de rug.'

'Ik heb trek,' zei Webster. 'Heb je iets te eten in huis?' Hij wierp een blik op haar buik. Hoe was het mogelijk dat je nog niks kon zien? Of zat haar riem al wat strakker? Ja, misschien wel.

'Ga daar maar zitten.' Ze gebaarde naar de veranda.

Hoewel hij van negen tot halfvijf had geslapen, voelde hij zich uitgeput. Doodmoe, ook geestelijk. Hij hoorde Sheila in de keuken rommelen. Het liefst had hij nog drie biertjes achterovergeslagen, maar die zou hij bij Sheila niet krijgen. Tenminste, dat hoopte hij.

Het gesprek met zijn ouders was redelijk verlopen, veronderstelde hij. Er had gewoon niet meer in gezeten. Zijn vader was niet woedend het huis uit gelopen. Zijn moeder had niet gehuild. Er zou een nieuw hoofdstuk aan de familiekroniek worden toegevoegd. Hij leunde met zijn hoofd tegen de muur en dommelde wat tot Sheila kwam aanlopen met een blad. Ze zette het eten neer.

'Denk je dat je de tafel nog haalt?' vroeg ze.

Hij glimlachte. 'Spaghetti met gehaktballetjes,' zei hij. 'Precies waar ik trek in heb.'

Eenmaal aan tafel keek hij op en zag hij Sheila die avond voor het eerst echt goed. Verbeeldde hij het zich, of was haar gezicht wat voller geworden? 'Hoe voel je je?' vroeg hij, iets wat hij natuurlijk meteen bij binnenkomst had moeten vragen.

'Best,' zei ze. 'Ik kan alleen nog niet tegen de geur van koffie, en dat is echt een probleem op mijn werk. Wanneer ik even naar buiten kan, om een frisse neus te halen, fleur ik weer helemaal op, alsof ik drugs heb gesnoven.'

'Geen last van ochtendmisselijkheid?' vroeg hij.

'Niet 's ochtends. Soms heb ik 's middags last van hoofdpijn, en dan voel ik me misselijk. Maar ik heb zo'n hekel aan overgeven dat ik het uit alle macht tegenhoud.'

'Je ziet er prachtig uit,' zei Webster.

'Jezus, je had echt trek.'

Hij begon langzamer te eten. 'Heb je ook brood in huis?'

'Tuurlijk.'

'En boter?'

'Was het echt zo erg?'

'Erger.'

Ze zaten op de rand van haar bed, en Webster vroeg zich af of ze seks zouden hebben. 'Of we aanstaande zaterdag komen eten,' zei hij.

'Wordt dat geen rampzalig bezoek?'

'Het zal toch moeten,' zei Webster. 'We kunnen het niet ontlopen.'

'Kunnen we niet gewoon in het geheim een kind krijgen en

ergens gaan wonen waar niemand ons kent?' Ze ging met haar vingers door zijn haar. Hij hoopte dat ze een grapje maakte.

'En dan nog iets,' zei Webster. 'We moeten op zoek naar woonruimte.'

'Ons eigen appartement?' Ze helde iets naar achteren zodat ze zijn gezicht kon zien.

'Natuurlijk.'

'Dus we hoeven niet bij je ouders in te wonen, en we hoeven ook niet hier te blijven?'

'Dat heb je toch niet serieus overwogen?'

Ze maakte zijn haar in de war en trok haar hand weg. 'Ik had geen idee van jouw financiële situatie. De mijne is niet wat je noemt geweldig.'

'Ik denk dat we het samen net redden. Een klein appartementje, ergens dicht bij de stad.'

'Dicht bij de stad? Zodat ik naar mijn werk kan lopen? Ergens in een buurt met winkels en mensen?' vroeg ze met grote ogen. Het stel van wie ze de veranda huurde, had haar de stokoude Buick in bruikleen gegeven. Zij gebruikten de auto toch nooit meer, zeiden ze. Sheila was van plan hem te kopen zodra ze genoeg geld had gespaard. Ze had een auto nodig om naar haar werk te gaan, en Webster vermoedde dat de oude mensen hun huurder daarbij maar al te graag ter wille waren. Sheila praatte lang niet zo negatief meer over hen als in het begin. 'Ik word er gek van om hier in de rimboe te zitten.'

Een rimboe kon je de noordkant van Hartstone nauwelijks noemen. Tenzij je heel Vermont als zodanig beschouwde.

Ze sloeg haar armen om zijn hals. 'Cool!'

Webster glimlachte. 'Ja, dat zal wel.' Het idee dat hun toekomst cool zou kunnen zijn, was nog niet bij hem opgekomen.

Hij maakte de gesp van haar riem los en streek over haar buik. 'Je begint het te zien,' zei hij.

'Niet waar.'

'Kijk maar in de spiegel, dan kun je het zelf zien.'

'Ik heb geen spiegel,' hielp ze hem herinneren, en hij dacht aan het kleine ronde spiegeltje boven de wastafel in de wc.

'Dan moeten we ergens heen waar ze een lange spiegel hebben, tot op de grond.'

Webster dacht even na. Wat was er nu nog open? Een bar? Hadden ze daar een spiegel tot op de grond in de damestoiletten? Nee, dat leek hem geen goed idee. En ineens wist hij het. 'De Giant Mart! Ik weet zeker dat ze daar een grote spiegel hebben in de damestoiletten, tot op de wastafels. Met je laarzen aan zou je jezelf helemaal moeten kunnen zien.'

'Het is allemaal zo raar,' zei ze, en ze kuste hem op zijn wang.

'Als we eenmaal een huis hebben gevonden – en volgens mij moeten we morgen beginnen met zoeken, ook al is het zondag – is dat het eerste wat we kopen: een passpiegel.'

Ze keek schuin naar hem op en schudde vluchtig haar hoofd.

'Dan kun je zien hoe prachtig je bent. En hoe prachtig je zult zijn als je eenmaal acht maanden zwanger bent.'

'Dan ben ik gigantisch.'

'Dan ben je schitterend.'

Ze fronste haar wenkbrauwen, en het kwam bij hem op dat hij haar nooit op ook maar enige vorm van ijdelheid had kunnen betrappen.

Ze had de mouw van zijn overhemd losgemaakt en was bezig die op te rollen. 'Wat kunnen we betalen, denk je?' vroeg ze.

Hij keek naar zijn arm. 'Ik heb hier en daar al geïnformeerd toen ik overwoog op mezelf te gaan wonen,' zei hij. 'Het is niet dat ik niet van mijn ouders hou, of dat ik het niet heerlijk vind dat er voor me wordt gekookt. Maar het werd tijd. Hoe dan ook, ik heb wel het een en ander gezien. Appartementen met één slaapkamer. Op meer hoeven we niet te rekenen.'

Sheila streelde de binnenkant van zijn arm. 'De baby moet toch ook een eigen kamertje hebben?'

'Misschien hebben we heel veel geluk en vinden we iets met twee slaapkamers.' In het enige appartement met twee slaapkamers dat Webster tijdens zijn kortstondige huizenjacht had gezien, had een lucht van dode dieren gehangen. De volgende dag zou hij even naar Carroll & Carroll lopen om te zien of er nog nieuw aanbod in de vitrine hing. En hij zou een zondagskrant kopen, voor de advertenties. Het probleem was dat het appartement in Hartstone moest liggen. De ambulancepost had een slaap- en een woonkamer, met een televisie voor de dienstdoende verpleegkundigen. Al het meubilair was afkomstig van dankbare patiënten. De inventaris van de keuken bestond uit drie lepels. Webster begreep niet waarom zijn collega's niet gewoon twaalf lepels kochten. Hij had overwogen om het zelf te doen, maar daarvoor moest hij er eerst wat langer werken.

De zoektocht naar een appartement zou nog weleens moeilijk kunnen worden.

'Kom,' zei hij. 'We gaan.'

Sheila nam haar hand van zijn arm en keek hem niet-begrijpend aan.

'Naar de Giant Mart,' zei hij.

Ze namen de eerste woning die ze zich konden veroorloven: een appartement boven een ijssalon, met één slaapkamer en een totale oppervlakte vergelijkbaar met die van de woonkamer van Websters ouders. Dat het appartement over een wasmachine en een droger beschikte, gaf de doorslag. Als ze bereid waren geweest nog wat verder te kijken, hadden ze misschien iets beters kunnen vinden, maar dit stond leeg, en Webster had haast. Nu de beslissing eenmaal was genomen, wilde hij die zo snel mogelijk in daden omzetten. Ze konden er direct in, aldus de eigenaar van de ijssalon.

De daaropvolgende zaterdagochtend brachten ze Sheila's spullen over. Webster wilde tot zondag wachten voordat ze erin trokken; tot na het etentje bij zijn ouders. Hij wilde niet te gretig lijken, ook al zou de verhuizing hoe dan ook doorgang vinden, ongeacht wat zijn ouders ervan vonden.

Nadat hij de borgsom en de eerste maand huur had betaald, wandelden Sheila en hij samen door hun nieuwe huis. In het kleine keukentje was slechts ruimte voor één persoon, en de ronde tafel die Webster van huis zou meebrengen, zou met moeite plaats bieden aan drie personen. De keukenapparatuur zag er nogal afgeleefd uit, maar alles werkte, en dat was het enige wat ertoe deed, vond Webster. Toen ze de woonkamer inspecteerden viel hun de waterschade op aan het plafond. En de kamerbrede, blauwe vloerbedekking was niet bepaald hun smaak. Op een dag zouden ze hun eigen huis hebben, zei Sheila, maar Webster vroeg zich af of het daar ooit van zou komen.

Ze liepen naar de slaapkamer, met een schuin plafond en één raam. De discussie waar ze het bed zouden zetten, duurde niet lang, want er was slechts één muur zonder een deur of een raam erin. Vervolgens reden ze naar de Giant Mart voor de aanschaf van een bezem en een pedaalemmer, spullen voor de keuken en de badkamer, en voldoende levensmiddelen om zich een paar dagen te kunnen redden. Wanneer het etentje bij zijn ouders achter de rug was, zou Webster in de winkel van zijn vader een passpiegel voor Sheila gaan kopen. De enige plek waar ze die konden hangen, was meteen ook de enige kast in het appartement, die zich in de slaapkamer bevond. Wegens het ontbreken van een kast voor de jassen had de eigenaar gezorgd voor een aantal haken in de muur bij de voordeur.

Sheila had de verpleegster gevraagd of ze de eerste twee nachten, tot Webster zijn bed had verhuisd, de matras van de veranda mochten lenen. En hoewel ze bepaald niet gelukkig was met de korte opzegtermijn, had de verpleegster daarmee ingestemd. Webster had de matras via de buitentrap naar boven gesleept. 'Laat me eerst even de vloer aanvegen,' zei Sheila.

Vervolgens installeerden ze de matras op de vloer van de slaapkamer. Toen die eenmaal lag, vroeg Webster waar het beddengoed was.

'Dat heb ik niet,' zei Sheila.

'Heb je dat niet meegebracht?'

'Het was niet van mij.'

'Maar...' Webster schudde zijn hoofd. 'En handdoeken?'

'Die heb ik ook niet.'

'Dan moeten we heel voorzichtig zijn,' zei Webster.

'Wat bedoel je?' vroeg Sheila.

'We moeten het huis toch inwijden?' zei hij met een grijns.

'Ik weet zeker dat je vader me herkent,' zei Sheila. Ze zat naast hem op de bijrijdersplaats in de surveillancewagen.

De doe-het-zelfzaak.

'Je hebt je daar toch niet misdragen?' vroeg Webster.

'Nee, ik heb er alleen heel veel sigaretten gekocht.'

'Nou ja, ik zou er straks aan tafel in elk geval maar geen opsteken.'

'Jezus, Webster, een beetje meer vertrouwen zou leuk zijn.'

Hij wilde niets liever dan haar alle vertrouwen geven. Ze had hem verrast toen ze even eerder in een wijdvallende, licht-grijze jurk uit de slaapkamer was gekomen. Geen echte zwangerschapsjurk maar wijd genoeg voor haar steeds dikkere buik. Haar opgestoken haar liet haar slanke, bleke hals vrij, waardoor de parels in haar oren goed zichtbaar waren. Ze droeg zelfs kousen en witte, platte schoentjes. Hij floot en liet haar in het rond draaien, haar verzekerend dat ze er prachtig uitzag. Dat was ook zo. Ze zag er prachtig uit, maar ook bijna onherkenbaar, en dat bracht hem een beetje uit zijn evenwicht. Het leek wel alsof ze was verkleed, voor een rol die ze moest spelen.

'Ik weet niet of dit nou wel zo'n goed idee is,' zei ze in de auto.

'Ik kan het nu niet meer afblazen. Bovendien, je bent zwanger van hun eerste kleinkind. Dus we hebben geen keus.'

'Vind jij ook niet dat het allemaal veel te snel gaat?'

Dat ging het zeker. Door de zwangerschap was het normale verloop van hun relatie in een versnelling geraakt. Tegelijkertijd vroeg hij zich af hoe dat normale verloop eruit zou hebben gezien. Hoe zouden ze ervoor hebben gestaan als Sheila niet zwanger was geworden? Zouden ze dan nog altijd uitstapjes maken? En in B&B's slapen? Dat leek inmiddels een ander leven.

Hij had het nieuws van de zwangerschap zelf amper verwerkt. En nu moest hij zijn ouders helpen te bevatten wat hun zoon had gedaan.

Zwanger. Wat een verschrikkelijk woord.

Ze waren om precies halfzeven bij het huis van zijn ouders. 'Blijf maar zitten,' zei Webster. 'Ik kom naar jouw kant, om je te helpen met uitstappen.'

'Doe niet zo raar!'

Toen ze uitstapte terwijl hij het portier voor haar openhield, barstte hij bijna van trots. 'Ik wil niet heel lullig doen,' zei hij zacht, 'maar die kauwgom is misschien geen goed idee. Mijn moeder heeft een hekel aan meisjes die kauwgom kauwen.'

'Hoezo, niet lullig?' zei Sheila honend, maar ze haalde een tissue uit haar tas en deed de kauwgom erin. 'Trouwens, hoe lang gaat dat etentje duren?'

Webster zuchtte. 'Denk je dat je het twee uur kunt volhouden?'

'O, en dan nog wat, ik ben geen meisje.'

Websters moeder, die voor de gelegenheid naar de kapper was geweest, ontving hen met de verzekering dat ze het geweldig vond om Sheila te leren kennen. 'Ik ook,' zei Sheila, terwijl de ogen van Websters moeder naar Sheila's taille gingen, die onder de grijze jurk nauwelijks te zien was.

Websters vader reageerde uitgesproken koel. 'We kennen elkaar al,' zei hij, zonder ook maar een zweem van een glimlach. 'Geroosterde bagel, boter in plaats van creamcheese, een pakje Virginia Slims, zwarte koffie. Je stond altijd voor de winkel te goochelen met die bagel, je koffie, een sigaret en het pakje. Ik vroeg me af hoe je dat deed.'

'Ik hield het pakje tussen mijn knieën,' zei ze, en ze liet het ietwat pijnlijke beeld tussen hen in hangen.

'De laatste tijd kwam je niet meer zo vaak,' zei Websters vader.

Webster probeerde zich voor te stellen wat voor indruk zijn

vader van Sheila had gekregen. Verveeld? Stuurs? Ongeduldig?

'Ik heb inmiddels een baan,' zei Sheila, misschien net zo gegeneerd als Webster door het beeld dat van haar was opgeroepen.

'En je hebt nu andere dingen aan je hoofd, waar of niet, kindje?' zei Websters moeder, waarmee ze behendig de angel uit de situatie verwijderde. Iets waarvoor Webster haar dankbaar was. 'Kom verder,' vervolgde ze. 'Ik stel voor dat we eerst wat drinken op de veranda, met wat lekkers erbij.'

Webster ging naast Sheila zitten, die haar handen in haar schoot had gelegd. Op de vraag wat ze wilde drinken, vroeg ze om limonade, waarvan er een grote kan naast een fles wijn stond. Webster volgde haar voorbeeld, wat voor zijn moeder aanleiding was hetzelfde te nemen. Websters vader nam zijn Rolling Rock.

'Ik hoor dat je uit Boston komt,' bulderde hij vanuit zijn gemakkelijke stoel, alsof Sheila doof was. Hij droeg een wit overhemd met een das, en hij had zijn haar ingesmeerd met iets wat het deed glimmen.

'Eigenlijk uit Chelsea,' zei Sheila.

'Aha. Dat ken ik niet.'

'Het ligt onder de rook van Boston. Niet echt een grote stad. De meeste mensen zien het alleen vanaf de Mystic River Bridge.'

Websters moeder leek gehypnotiseerd door Sheila's taille, die vaag zichtbaar was nu ze zat.

Webster doorstond een lange stilte, niet in staat ook maar iets te bedenken om die te doorbreken. In zijn zenuwen at hij het hele bakje noten leeg.

'Hoe ben je in Vermont terechtgekomen?' vroeg Websters vader, ook al kende hij het antwoord op die vraag.

Sheila keerde zich enigszins hulpeloos naar Webster. Ze wist niet wat ze geacht werd te zeggen.

'Ze had problemen met haar auto,' antwoordde Webster. 'Dat heb ik je verteld.'

'En hoe hebben jullie elkaar ontmoet?'

'Pap! Hou op met je kruisverhoor,' zei Webster, bereid tot het riskeren van een confrontatie. Zijn vader geloofde duidelijk niet in het verhaal van Sheila die in alle onschuld had besloten zich in Vermont te vestigen. Hij wist wel beter; had haar op het parkeerterrein voor zijn winkel bezig gezien.

Websters moeder kon het niet schelen hoe Sheila en hij elkaar hadden leren kennen. Ze wilde het over de baby hebben. 'Zorg je wel goed voor jezelf?' vroeg ze aan Sheila. 'Ik heb het bij hem' – ze wees naar Webster – 'bepaald niet cadeau gekregen.'

'Mam!'

'O, maar daarmee wil ik niet suggereren dat jij het ook zwaar krijgt,' verzekerde ze Sheila. 'Elke bevalling is anders. Dat weet je ongetwijfeld net zo goed als ik.'

'Ik hoop dat ik een goede moeder zal zijn,' zei Sheila.

'Dat weet ik wel zeker, kindje. Maak je geen zorgen.' Websters moeder klopte Sheila op haar knie, het eerste lichamelijke contact.

Sheila knipperde met haar ogen. Websters vader keek haar strak aan. Websters moeder staarde naar Sheila's taille. En Webster wist niet waar hij het zoeken moest. Er waren van de twee uur amper een paar minuten verstreken.

Tijdens het diner vertelden Webster en Sheila over het appartement dat ze hadden gevonden boven de ijssalon, waarop Websters moeder herinneringen ophaalde aan haar kleine 'Petey' die altijd dol was geweest op ijs met spikkeltjes in een chocoladehoorntje.

Webster sloot zijn ogen.

Sheila complimenteerde de gastvrouw met de ovenschotel

die op tafel verscheen en die leek te bestaan uit een soepachtige substantie van kip, champignons, zure room en broodkruimels. De rand van de schaal was versierd met takjes peterselie. Webster vermoedde dat het Sheila moeite zou kosten het eten naar binnen te krijgen. Hij vond haar een ware heldin toen ze daarin slaagde.

Zijn vader zette de fles rode wijn op tafel, schonk een glas in en bood het Sheila aan. Webster was verrast toen ze het na een korte aarzeling aannam, en hij voelde zich verplicht te zeggen dat een glas rode wijn af en toe volgens sommige artsen goed was voor de moeder en niet schadelijk voor het kind. Het liefst had hij tegen zijn vader gezegd op te rotten met zijn wijn, maar dat stond niet in het script.

Webster keek zo vaak op zijn horloge dat het een tic werd. Sheila vroeg of hij die nacht dienst had, misschien in de hoop dat hij ja zou zeggen.

Ze dronk het glas wijn te haastig leeg en gebruikte het woord 'hokken' in relatie tot hun verhuizing naar het appartement boven de ijssalon. Websters vader leek tevreden en verwaardigde zich zelfs tot een glimlach. Begon zijn aanvankelijke wantrouwen af te nemen, of zag hij zich bevestigd in zijn eerste indruk? Tegen de tijd dat Websters moeder haar Boston cream pie serveerde, zat Sheila aan haar tweede glas wijn en lachte Websters vader voluit. Sheila flirtte met hem, en Webster werd er doodzenuwachtig van. Of voelde ze zich gewoon op haar gemak, probeerde ze charmant te zijn om het etentje te redden?

Websters moeder had voortdurend een glimlach om haar mond en leek slechts uit haar gelukzalige verdwazing op te schrikken als er iets tegen haar werd gezegd. Uiteindelijk riep ze zichzelf tot de orde om koffie aan te bieden.

Webster wist dat Sheila misselijk werd van koffie, dus hij nam niet. Zijn vader wel. Sheila verslond de taart en vroeg Websters moeder haar te leren hoe ze die maakte.

'Je komt uit Boston, dus je hebt hem ongetwijfeld vaker gegeten.'

'Ik heb iets gegeten wat moest doorgaan voor Boston cream pie,' zei Sheila. 'Maar dat was allemaal niet te vergelijken met dit.'

Toen de koffie kwam, drukte ze de knokkels van haar vingers tegen haar neus en trok bleek weg. Over de tafel heen zocht haar blik die van Webster.

'Ik denk dat ik even naar buiten ga met Sheila.' Webster schoof zijn stoel naar achteren. 'Ze heeft de tuin nog niet gezien.'

'Maar ik wil graag helpen met de afwas,' protesteerde Sheila zwakjes.

'Onzin,' zei Websters moeder kordaat. 'Gaan jullie maar lekker naar buiten.'

Webster pakte Sheila's hand toen ze de achtertuin in liepen. Haar hakken zakten weg in het zachte gras. 'Je hebt dat hele bakje nootjes leeggegeten,' zei ze zodra ze uit het zicht van zijn ouders waren. 'En alle blokjes kaas naar binnen gewerkt!'

'Ik was als de dood dat je iets anders zou zeggen dan autopech. Ik moest zorgen dat hij ophield met vragen stellen.'

'Ik wou dat ik een kussen onder mijn jurk had gestopt. Voor je moeder.'

'Ze kon haar ogen niet van je buik afhouden.'

'Wat denk je dat ze nu over ons zeggen?' vroeg Sheila, omhoogkijkend naar het keukenraam.

Webster wilde het niet weten. Zijn vader zou zeggen dat hij dat meisje voor geen cent vertrouwde. Zijn moeder zou het vurig voor Sheila opnemen. 'Doe niet zo raar,' zou ze zeggen. 'Het is een allerliefst kind.' Waarop zijn vader zijn hoofd zou schudden en het verschil van mening als excuus zou gebruiken om zijn vrouw de afwas alleen te laten doen.

'Wil je echt weten hoe je Boston cream pie moet maken?' vroeg Webster.

'Alsjeblieft niet! Ik heb genoeg Boston cream pie gegeten voor de rest van mijn leven!'

De volgende middag arriveerde Websters vader met zijn gereedschapskist, net toen Webster bezig was zijn schamele bezittingen naar boven te sjouwen. Hij had het aan Webster overgelaten om de matras uit zijn oude slaapkamer te halen, maar hij hielp zijn zoon wel om die de buitentrap naar het nieuwe appartement op te dragen. 'Het is erg klein,' zei hij, eenmaal boven.

Websters moeder had in de kelder een oud tweezitsbankje gevonden dat er nog netjes uitzag, al hadden de afneembare hoezen een bloempatroon. Ze had zelfs bijpassende gordijnen, en hoewel Webster dat wat te veel van het goede vond, was daarmee wel het probleem van de kale ramen opgelost. Zijn vader repareerde een lekkende kraan, plamuurde de grootste gaten in de muren dicht en schilderde eroverheen, controleerde de stopcontacten en voorzag ze van nieuwe afdekplaten. Websters moeder bracht beddengoed, want in een nieuw huis waren de lakens en dekens uit Websters oude kamer niet gepast, vond ze. Sheila en zij maakten het bed op, en toen Webster hen samen bezig zag, werd het hem even te veel.

Het ging allemaal te snel, veel te snel.

Hij vroeg zich af wat Sheila dacht. Zou ze de bemoeienissen van zijn ouders als een inbreuk ervaren? Of was ze blij dat die haar hadden geaccepteerd?

Sheila en zijn moeder maakten de dozen open – een bonte verzameling kopjes en borden, glazen, een broodrooster, allemaal opgediept uit de kelder van Websters ouders – terwijl Webster en zijn vader een biertje namen. Webster beschouwde de behulpzaamheid van zijn ouders als een teken van acceptatie. Misschien had zijn moeder het pleit de vorige avond uiteindelijk toch gewonnen.

Tegen de tijd dat zijn ouders vertrokken, stonden Webster en Sheila bij de eetbar, met daarop een stapel tupperwarebakjes die zijn moeder had meegebracht, gevuld met de onderdelen van een maaltijd en ook nog een stuk cake voor het ontbijt, de volgende morgen. Ze schudden verbijsterd hun hoofd. Twee weken eerder hadden ze alleen elkaar gehad, en verder niets of niemand. Toen was alle tijd die ze samen doorbrachten nog een geheim geweest. Webster was bang dat ze iets kostbaars dreigden te verliezen. Hun relatie was inmiddels openbaar, onderworpen aan het oordeel van de buitenwereld. Hij verlangde terug naar dat moment in de B&B, toen hij Sheila's arm had gestreeld, in de hoop dat ze wakker werd.

'Wat heb je gezegd toen ze weggingen?' vroeg Webster.

'"Dank u wel." Wat had je gedacht dat ik zou zeggen?'

'Dat weet ik niet.'

'Als hij denkt dat ik het niet merk, kijkt je vader naar me alsof hij me niet vertrouwt.'

'Hij is wel komen helpen.'

'Ja, dat is zo.'

Webster sloeg zijn armen om de vrouw met wie hij het bed had gedeeld, de vrouw die zijn geliefde was, de aanstaande moeder van zijn kind en misschien ooit zijn echtgenote.

'Zullen we ze openmaken?' vroeg Sheila, wijzend op de tupperwarebakjes. 'Ik rammel.'

'Attentie Hartstone. We hebben een melding op Deartrack Road, nummer 45. Het slachtoffer is tweeënzeventig. Vermoedelijk een beroerte. Zijn vrouw is bij hem. Moeite met praten. Verlammingsverschijnselen aan de linkerzijde.'

'Kom mee!' zei Burrows.

In de auto pakte Burrows de mobilofoon. 'Hier wagen nummer 60. Is ook bekend wanneer de symptomen zich voor het eerst hebben voorgedaan?'

'Ongeveer een kwartier voor de melding. Heb je al een verwachte tijd van aankomst?'

'Reken maar op zes minuten,' zei Burrows, en hij verbrak de verbinding. 'Dus tegen de tijd dat we daar zijn, zitten we op twintig minuten. Weet je waar het is?'

Webster was er vrij zeker van dat hij wist waar Deertrack Road was. Hij had ooit een vriendinnetje gehad in die buurt. Dus hij knikte.

'Ken je het slachtoffer?' vroeg Burrows.

'Nee, jij?'

'Niet echt.'

Op hun bestemming aangekomen keerde Webster de wagen en reed achteruit het tuinpad op. Gewapend met hun gebruikelijke uitrusting haastten ze zich door de voordeur naar binnen. Het huis was oud, gebouwd in de jaren twintig, met veel donker lijstwerk en kleine kamers stampvol meubilair.

Het slachtoffer zat onderuitgezakt in zijn stoel. Zijn vrouw ondersteunde hem, om te voorkomen dat hij op de grond gleed.

'Ik ken jou,' zei ze tegen Burrows. 'Jij bent die aardige broeder die mijn kleinzoon heeft geholpen toen hij een astma-aanval had.'

Je kon veel van Burrows zeggen, dacht Webster, maar 'aardig' was niet de eerste kwalificatie die bij hem zou zijn opgekomen.

Burrows controleerde de luchtwegen en koppelde de zuurstof aan. Webster haalde pen en papier tevoorschijn. 'Ik moet u een paar vragen stellen,' zei hij tegen de vrouw van het slachtoffer.

Terwijl Webster de vereiste gegevens noteerde, ontfermde Burrows zich verder over de patiënt.

'Mag ik uw naam?' vroeg hij.

De patiënt gaf antwoord, maar het was duidelijk te horen dat zijn spraakvermogen was aangetast. Burrows vroeg hem een voor een zijn benen op te tillen. Dat lukte alleen met het rechter. Webster noteerde dat, net als de spraakproblemen. Daarop vroeg Burrows de patiënt te glimlachen. Het werd een scheve grijns, waarbij de linkerkant van zijn mond naar beneden hing.

Daarmee was de voorlopige diagnose bevestigd. Beschadiging van de rechterhersenhelft.

'Ik ga de brancard halen,' zei Burrows tegen Webster.

'Mevrouw,' zei Webster, 'kunt u me helpen om te zorgen dat uw man rechtop blijft zitten? Leg uw hand op zijn linkerschouder, alstublieft. Dan kan ik hem onderzoeken.'

De man zei opnieuw iets onverstaanbaars.

'Wat zegt hij?' vroeg de vrouw, die in paniek begon te raken.

'Ik weet het niet, mevrouw, maar het is een goed teken dat hij probeert te praten.'

Toen Burrows terugkwam, bracht Webster verslag uit. 'Bloeddruk 62 bij 128. Pols 92. Ademfrequentie 24. We moeten een infuus zetten. Kunt u in mijn hand knijpen?' Dat laatste tegen de patiënt.

Webster voelde wel iets, maar hij wist niet zeker of het de reactie was waar hij om had gevraagd. Hij moest weten in hoeverre het slachtoffer nog aanspreekbaar was. Had de beroerte alleen de motorische functies aangetast, of was de hele rechterhersenhelft beschadigd?

Webster bracht zijn gezicht tot vlak voor dat van de patiënt. 'Als u mij kunt horen, knipper dan met uw ogen.'

Het slachtoffer knipperde een keer.

Duidelijk.

'Er was helemaal niks aan de hand,' zei de vrouw. 'En toen zakte hij ineens opzij.'

'U kunt voorin meerijden. Voor aankleden is geen tijd. Trek alleen schoenen en een jas aan.'

Webster en Burrows schoven de brancard de auto in. Daarna hielpen ze zijn vrouw, die haar jas over haar peignoir heen had aangeschoten, op de voorstoel. Webster gooide de achterdeur dicht en sprong achter het stuur. De vrouw was inmiddels in tranen.

Webster reed zo snel als hij kon. Elke minuut telde bij een beroerte.

Burrows vergezelde de patiënt en diens vrouw naar de SEH, gewapend met de aantekeningen die Webster had gemaakt. Eenmaal alleen begon Webster de inventaris op te maken van alle gebruikte spullen waarmee de ambulance moest worden herbevoorraad. Hij maakte het inwendige van de wagen schoon, gooide medisch afval in de daarvoor bestemde bak. Ten slotte ging hij aan de bijrijderskant van de auto staan om op Burrows te wachten. De zon scheen al krachtig, maar kon weinig uitrichten tegen de kilte van de laatste aprildagen.

Een dokter die Webster herkende, wuifde in het voorbij-gaan. Zat zijn dienst erop? Ging hij ergens een kop koffie halen?

Koffie! Webster snakte ernaar.

Waar bleef Burrows in godsnaam?

Tweeënzeventig en een beroerte. Dat was niet ongewoon. Waarschijnlijk woonde het echtpaar al jaren in hetzelfde huis, waar de dagen volgens een vast patroon verliepen. De kinderen waren de deur uit, de ouders waren samen overgebleven. De vrouw had de indruk gewekt dat ze van haar man hield. Ze hadden elkaar. Misschien kibbelden ze weleens; misschien ook niet. Webster had – tevergeefs – gekeken of hij ergens foto's van kleinkinderen zag.

Ten slotte kwam Burrows naar buiten en klom in de wagen.

'Wat duurde dat lang,' zei Webster met een blik op zijn horloge. 'Je bent meer dan een halfuur weggebleven.'

'Hij kreeg binnen weer een beroerte. En toen nog een, voor de ogen van zijn vrouw.'

'Hoe is het met hem?'

'Hij is er slecht aan toe. Erg slecht. Reageert nergens meer op. Ik wilde hem niet alleen laten. Want ik wist dat jij me wel zou komen halen bij een nieuwe melding.'

'Arme donder,' zei Webster. 'Zo zit je de *Hartstone Herald* te lezen met een kop koffie, zo kun je helemaal niks meer.'

'Ik heb het al zo vaak meegemaakt,' zei Burrows.

'Wen je er ooit aan?'

Burrows leunde naar achteren. 'Uiteindelijk wel, ja. Maar toch komt het af en toe nog hard aan. Dan denk ik, dat kan mij ook gebeuren. Of Karen.'

'Zo denk ik soms ook.'

'Jij?' Burrows lachte bulderend. 'Je komt net kijken.'

'Hoe groot is de kans dat hij het haalt?'

'Nihil,' zei Burrows.

Webster parkeerde voor de ijssalon. Hij dacht erover iets lekkers voor Sheila mee te nemen, maar besloot het haar eerst te vragen. Ze was de laatste tijd erg kieskeurig als het om eten ging. Hij stapte uit en strekte zijn rug. Omdat de ambulancepost die zaterdagochtend vier uur lang onderbemand was geweest, was hij tot ver na zijn dienst gebleven. Hij had pindakoekjes gegeten die de vrouw van Burrows had gebakken, en hij had zitten leren voor zijn diploma als eerstverantwoordelijke op de ambulance. Hij vond anatomie fascinerend. Maar op dit moment wilde hij alleen maar naar bed, met Sheila. Zijn gezicht, zijn ogen, alles voelde korrelig. Sheila zou thuis moeten zijn. Ze was doorgaans vrij in het weekend.

Met zijn uniformjack nog aan beklom Webster de hoge buitentrap naar het appartement. Op het moment dat hij de deur opendeed, verstarde hij. Er joeg een golf van adrenaline door hem heen, alsof hij zijn scheenbeen tot bloedens toe had gestoten. Er zat een politieagent aan de eettafel, recht tegenover Sheila. Rijden onder invloed, was Websters eerste gedachte.

Hij trok de deur achter zich dicht. Nee, dat was het niet. Daarvoor was de houding van de politieman te nonchalant. Hij zat achterover geleund in zijn stoel, met zijn benen over elkaar geslagen, zijn enkel op zijn knie. Toen pas zag Webster de onderscheidingstekenen op zijn uniform. Chelsea, Massachusetts, stond erop.

'Je hebt me helemaal niet verteld dat hij ambulancebroeder was,' zei de vlezige man aan de tafel met een grijns. 'Dat is een behoorlijke stap terug, Muis. Van een politieman naar een verpleegkundige.'

Muis?

De politieman sprak met hetzelfde accent als Sheila. Hij was atletisch gebouwd, met enorme schouders. Webster schatte hem op minstens honderd kilo. Het was wel duidelijk dat hij zijn dagen niet alleen in een surveillancewagen sleet. Misschien speelde hij football. Of deed hij aan gewichtheffen.

'Wat is er aan de hand?' Webster balde als vanzelf zijn vuisten.

'Dit is de man over wie ik je heb verteld,' mompelde Sheila. Ze zag bleek. Haar houding, de manier waarop ze op haar stoel zat, vertelde Webster alles wat hij moest weten. Ze had haar schouders naar elkaar toe getrokken, alsof ze probeerde haar borsten te verbergen; alsof ze zich zo klein mogelijk probeerde te maken. Toen Webster zag dat ze beefde, nam een razende woede bezit van hem.

Maar hij kon een politieman die twintig kilo zwaarder was dan hij, met bovendien een pistool aan zijn riem, niet zomaar bij kop en kont pakken.

'Hé, niet om het een of ander, maar ben je soms vergeten hoe ik heet, Muis?'

'Dit is Brian Doyle,' zei Sheila, zonder Webster aan te kijken. De man die in bed pieste, wilde Webster eraan toevoegen.

De politieman bleef zitten en stak zelfs zijn hand niet naar hem uit.

Webster keek hem aan, wachtend tot iemand hem uitlegde wat er aan de hand was. De kin van de politieman zat onder de littekens van de acné, zo erg dat het leek alsof er op was gekauwd. Hij had waterige, lichtblauwe ogen.

'Een ambulancebroeder,' herhaalde hij, op een toon alsof dat iets heel grappigs was. Ondertussen knikte hij onafgebroken, en hij bekeek Webster van top tot teen, als om zijn tegenstander de maat te nemen. 'Het is wel een verrassing, om mijn kleine Muis in Vermont aan te treffen, zwanger en hokkend met een verpleegkundige.'

Waarom zei Sheila niets?

'Ga weg,' zei Webster.

'Wát? Ik kom helemaal uit Chelsea hierheen, en jij stuurt me weg zonder een fatsoenlijke hap eten?'

'Een eindje verderop is een wegrestaurant,' zei Webster.

Fout!

Niet op ingaan.

'Muis en ik hebben nog wat dingetjes te bespreken.'

'Niet in dit huis,' zei Webster.

'Huis? Is dit een huis? Fuck, dat had ik er nog niet in gezien.' De politieman nam een slok koffie alsof hij de beste maatjes was met Webster.

'Wat voor dingen?' vroeg Webster.

Alweer fout.

'Dat snap je toch wel? Dat rotwijf is bij me weggelopen,' zei de politieman op een toon van mannen-onder-elkaar.

Sheila keek Webster aan. 'Hij zegt dat ik hem geld schuldig ben.' Ze legde haar hand op de tafel.

'Is dat zo?' vroeg Webster.

Ze haalde haar schouders op.

'Hoeveel?'

'Achthonderd dollar.'

'Achthonderdvijftig,' verbeterde de agent haar. Hij schoof zijn hand over de tafel en legde hem op die van Sheila. Ze kromp ineen.

'Blijf met je poten van haar af,' zei Webster, trillend van woede.

De politieman was een jaar of dertig, drieëndertig. Een zwaargebouwde, gespierde kerel.

'Effe dimmen, melkmuil.'

Was het pistool in zijn holster de reden dat hij de lange reis in uniform had gemaakt? De rit naar Hartstone moest hem minstens drie uur hebben gekost.

In gedachten hoorde Webster de waarschuwing van Burrows, enkele maanden eerder: Kom nooit te dicht bij een vent met een pistool. Zelfs niet als hij gewond is. Dan heeft hij pech. Negen van de tien keer schieten ze je verrot als je te dichtbij komt, zelfs als ze gewond zijn.

'Die Muis. Ze kan de boel mooi belazeren.' De politieman keek van Sheila naar Webster. 'Heeft ze jou ook te pakken?'

'Ik zeg het je nog één keer,' zei Webster, luid en duidelijk. 'Sodemieter op!'

'En anders? Dan bel je de politie?' De politieman grijnsde.

In gedachten zag Webster het al voor zich: Nye en McGill die het appartement binnenkwamen en van hem naar de politieman keken.

'Wat heeft ze tegen jou gezegd?' vroeg de politieman. 'Heeft ze je alles verteld?'

Sheila werkte zich uit haar stoel, liep naar het fornuis en ging daar staan, met haar rug naar de twee mannen.

'Heeft ze je verteld dat ze altijd boven aan de trap stond, als mijn dienst erop zat, in haar blote donder? Helemaal roze en rozig, net uit bad? Ik met een fles Maker's Mark onder mijn arm? Heeft ze je verteld dat ik haar uit de goot heb gevist?' Hij wendde zich tot Sheila en zei tegen haar rug: 'Ik had wel wat meer dankbaarheid verwacht. Een appartement. Een auto om in rond te rijden. Blijkbaar vindt ze het leuk om gered te worden.'

'Sheila,' zei Webster. 'Trek je jas aan. We gaan.'

'Jullie gaan helemaal nergens heen,' zei de politieman. 'Niet voordat ik mijn zaakjes heb afgehandeld.'

Webster zei niets.

De politieman schoof abrupt naar voren op zijn stoel, waarvan de zitting nauwelijks breed genoeg was voor zijn dijen. 'Ik weet het goed met je gemaakt. Ik heb honger. Dus ik ga naar dat wegrestaurant waar je het over had, en daar bestel ik een groot bord eten. Tegen de tijd dat ik mijn koffie op heb, wil ik dat Sheila op een kruk naast me zit met het geld in grote coupures in een envelop.'

Hij stond op.

'Ik heb een ander voorstel.' Webster vond het afschuwelijk

om in onderhandeling te gaan, maar hij had geen keus. Hij kon het niet laten gebeuren dat die vent naar Dunlap's ging. 'We zien elkaar in de pub bij het motel.'

De politieman grijnsde weer. 'Je bent een eerlijke vent, weet je dat? Maar je bent ook een idioot. Je verspilt je tijd aan die hoer.'

De drang om iemand aan te vliegen was nog nooit zo sterk geweest. Websters spieren protesteerden uit alle macht terwijl hij een stap opzij deed.

De politieman zette zijn pet op, waardoor hij er in zijn uniform ineens ongepast intimiderend uitzag.

'Je zou het in Chelsea nog geen tien minuten volhouden,' zei hij.

Zodra de deur achter hem was dichtgevallen, keerde Sheila zich naar Webster. 'Het spijt me.' Ze drukte haar vingers tegen haar ogen, alsof ze het beeld van de politieman op die manier wilde uitwissen.

'Waarom heb je hem binnengelaten?'

'Dat heb ik niet gedaan. Ik hoorde voetstappen op de trap. En ik dacht dat jij het was, dus ik deed de deur open. Voor ik het wist stond hij in de kamer.'

Websters benen werden slap. Hij legde zijn jas over een stoel en ging zitten. 'Hoe heeft hij je weten te vinden?' vroeg Webster.

'Vraag je je dat serieus af?'

'Ik had hem in elkaar willen slaan!'

'Ik was als de dood dat je zoiets zou proberen.'

'Kom eens hier.' Hij klopte op de stoel naast de zijne. Niet de stoel waar de politieman net nog had gezeten. 'Het is een klootzak en hij is levensgevaarlijk.'

'Als ik hem dat geld niet betaal, laat hij ons niet met rust,' zei ze kleintjes.

'Hoe wil je dat betalen?' vroeg Webster.

'Ik bedenk wel iets.'

'Hoeveel heb je gespaard?'

'Tweehonderd dollar. Om de Buick te kopen.'

'Hoe komt het dat je hem achthonderdvijftig dollar schuldig bent?'

'Hij heeft me financieel gesteund.'

'Om wat te doen?'

'Om te spelen.'

'Wat is er gebeurd?'

'Ik had pech. Een paar avonden dat ik beter niet had kunnen spelen.'

Webster blies de lucht uit zijn longen. 'Heb je echt met die vent sámengewoond?' vroeg hij.

Sheila stond abrupt op van haar stoel.

'Shit.' Webster stond ook op. 'Ik zal het geld van de bank halen en het hem gaan brengen.'

Sheila liep de slaapkamer in, tilde de matras op en gaf Webster haar tweehonderd dollar. 'Dat zou ik moeten doen.'

'Geen sprake van.'

'Wacht even. Laten we er nog even over denken.'

Webster wachtte. 'Er valt niets te denken,' zei hij toen. 'Of ik geef hem het geld, of ik bel de politie. En als ik de politie bel, wat belachelijk is, komt hij een andere keer terug, en dan is hij niet zo inschikkelijk.'

Sheila zei niets.

Webster zou het beeld van Sheila, roze en rozig, boven aan de trap, nooit meer uit zijn hoofd kunnen zetten.

Webster reed naar de bank. Terwijl hij het geld opnam, negeerde hij de vragende blikken van Steph, de kasbediende, die zich ongetwijfeld afvroeg welke grote aankoop hij ging doen. Van de bank liep Webster naar de pub, zich er met elke stap van bewust dat hij geen geld zou moeten geven aan een afperser. Maar wat zou er gebeuren als hij het niet deed? Daar durfde hij niet eens aan te denken.

Toen hij de schemerige pub binnenkwam, zat de politieman aan een stuk citroenschuimtaart. Op de rug gezien leek hij zelfs nog groter dan in de keuken. Webster legde de envelop op de kruk naast hem.

De politieman draaide zich om. 'Ik had toch duidelijk Sheila gezegd, sukkel.'

'Wil je dat geld of niet?' zei Webster met vaste stem.

De politieman stak zijn kin naar voren en dacht even na. Toen lachte hij kil.

'En laat ik je nooit meer zien,' dreigde Webster.

'Want anders?'

'Want anders vermoord ik je.'

Webster draaide zich om voordat hij de honende grijns op het gezicht van de politieman uit Chelsea kon zien.

Sheila zat aan de keukentafel toen hij thuiskwam. Het leek erop dat ze zich niet had verroerd sinds Webster was vertrokken. Alle kleur was uit haar gezicht verdwenen.

'Hoe is het gegaan?' vroeg ze.

Webster wendde zich af en beukte met zijn vuist tegen de muur. Er ontsnapte hem een kreet van pijn en frustratie. De pijn drong niet eens ten volle tot hem door, maar dat zou nog wel komen, daar twijfelde hij niet aan.

Hij hoorde dat Sheila opstond en ijsblokjes in een vaatdoek schudde.

'Ik weet eigenlijk maar zo weinig van je,' zei hij terwijl hij zich naar haar omdraaide.

Sheila stond met de vaatdoek in haar handen en zei niets.

'Volgens mij wordt het tijd dat je me alles vertelt,' zei Webster.

Tegen de tijd dat ze aan het eind van haar verhaal was gekomen, begon het buiten al te schemeren. Ze had het ijs tegen Websters hand gehouden. Ze had twee van de drie toegestane sigaretten gerookt, maar ze had zichzelf geen borrel in geschonken. Ze was door de keuken heen en weer gelopen, was gaan zitten, en opnieuw gaan ijsberen. Ze had nog meer ijs op Websters hand gelegd. Ze was opgestaan en de kleine woonkamer rondgelopen. En Webster had aandachtig geluisterd.

Toen ze haar verhaal had gedaan, had ze hem verteld over haar vader die dronk; haar vader die haar zevende verjaardag in een cel op het politiebureau had doorgebracht en daarna voorgoed was vertrokken. Ze had hem verteld over haar moeder, die naaiwerk deed en die bij J.J. Newberry's achter de kassa zat; die had gedaan wat ze kon, maar nooit thuis was. En die veel te jong aan darmkanker was gestorven. Sheila was toen dertien. Ze had hem verteld dat zij en Nancy, haar oudere zus, bij hun oom en tante in huis waren gekomen, die drie straten verderop woonden. De tante wilde dolgraag voor hen zorgen, de oom niet. Hij sloeg hen met een riem. Vooral Nancy. Zij was een goede leerling, Sheila niet. Ze gaf niet om leren, zei ze.

Ze vervolgde haar verhaal met haar tijd als serveerster en hoe het was geweest om in Chelsea te wonen, een stad die berucht was om zijn straatbendes, om zijn drugs en criminaliteit. Hoe gevaarlijk het er was, vooral 's nachts wanneer ze laat van haar werk kwam. Dat ze voortdurend werd belaagd en bedreigd en lastiggevallen. En ze vertelde over de agent die op een avond het Italiaanse restaurant waar ze werkte was binnengekomen en haar naar haar auto had gebracht, en dat ze daarna door niemand meer werd lastiggevallen. De agent huurde een goedkoop appartementje voor haar, waar ze weliswaar ratten had, maar waar ze eindelijk bevrijd was van haar oom en tante. Het kwam er echter op neer dat ze in haar onnozelheid de ene nachtmerrie had ingeruild voor de andere. Waar ze niets over vertelde, waren de incidenten die hadden geleid tot de blauwe plekken die Webster had gezien, maar toen de zon eenmaal achter de horizon was verdwenen, zou hij het gezicht van de politieman het liefst tot pulp hebben gebeukt en hem al zijn tanden uit zijn mond hebben geslagen.

'Hij is getrouwd,' zei Sheila. 'Hij heeft kinderen. En hij meende het toen hij me een hoer noemde.'

Ze huilde niet. Ze liet geen moment blijken dat ze medelijden had met zichzelf.

Al die tijd hield ze Websters hand in de hare, hem teder masserend. Ze vertelde over de avond waarop ze van een vriendin hoorde dat de politieman al rond het middaguur was begonnen met drinken. Zonder zijn thuiskomst af te wachten, had ze wat spullen in een tas gestopt, was ze in de Cadillac gestapt en gaan rijden. Bij de grens van New Hamsphire was ze gestopt om te plassen, om iets te eten, en om een paar borrels te nemen. Een uur later stopte ze opnieuw, weer om te plassen en een paar borrels te nemen. De alcohol hielp tegen de angst. Gedurende de hele rit was ze als de dood dat hij achter haar aan zou komen.

'Je was op weg naar New York,' zei Webster.

'Ik wilde gewoon weg, zo ver als ik kon komen.'

'En uiteindelijk kwam je bij mij in de auto terecht.'

'Zo kun je het ook zeggen.'

Terwijl Sheila met het avondeten begon, dacht Webster nog lang na over haar verhaal. Hij verafschuwde het leven dat ze had geleid, maar dat wilde niet zeggen dat hij haar verafschuwde. Hij besloot haar verleden te zien als 'de tijd vóór Vermont', en de boom waartegen haar Cadillac tot stilstand was gekomen, als de scheidslijn tussen 'toen en nu'. Daar kon hij mee leven, besloot hij.

Ze aten, en zij deed de afwas. Na al dat praten was ze zwijgzaam, alsof ze niets meer te zeggen had. Toen ze klaar was met de afwas, nam hij haar mee naar de bank, hij trok haar tegen zich aan en wachtte tot het appartement was gezuiverd van alle giftige sporen.

Bij thuiskomst riep Sheila dat ze meteen onder de douche ging. Al lopend trok ze haar uniform uit, alsof het haar niet snel genoeg kon gaan. Na de douche verzamelde ze de kledingstukken in omgekeerde volgorde en stopte die in de wasmachine, voordat ze zich bij Webster voegde; schoongewassen en met natte haren.

Ze zag er stralend uit. Hoewel ze van meet af aan doodsbang was geweest voor de dokter, zorgde Webster ervoor dat ze zich aan haar maandelijkse afspraken hield en de reusachtige vitaminepillen slikte die de dokter had voorgeschreven.

'Waarom had je zoveel haast om je kleren uit te trekken?' vroeg hij toen ze aan tafel gingen voor een gemarineerde biefstuk die hij had gegrild. 'Kwam dat door mijn verbijsterende charmes?'

'Smeerlap heeft aan mijn buik gezeten. Meestal kan het me niet schelen. Mijn lichaam is niet meer alleen van mij, en dat vind ik prima. Maar bij hem griezel ik ervan.'

Webster had kaarsen gekocht en een tafelkleed, maar Sheila had er geen oog voor.

'Nou ja, nu is alles weer goed.' Hij sneed een stukje van zijn biefstuk en bracht het naar zijn mond.

Ze keek langdurig de keuken rond, alsof ze iets zocht. Maar ze zei nog altijd niets. En hoewel ze ten slotte haar vork pakte, roerde ze haar vlees niet aan, noch de gepofte aardappel of de sperziebonen.

'Ik denk erover om morgen de slaapkamer te schilderen,' zei Webster.

Sheila pakte haar glas water en dronk het achter elkaar leeg. Toen ze het glas weer neerzette, reikte hij naar haar hand. Ze schrok.

'Ik wil je iets vragen,' zei Webster met een grijns.

Sheila keek hem bijna wantrouwend aan, zonder zijn glimlach te beantwoorden.

'Wil je met me trouwen?' vroeg hij.

Ze bevroor, haar vork in de lucht. Uiteindelijk legde ze hem neer.

'Wat?' vroeg ze.

Webster zei niets.

'Je overvalt me,' zei ze.

'Sheila.'

'Moet dat per se nu?'

Webster liet haar hand los. 'Wat bedoel je?'

'Praten. Plannen maken.'

'We maken voortdurend plannen,' zei hij.

'Geen concrete plannen.'

'Wel waar. We krijgen een kind. Dat is een behoorlijk concreet plan.'

Ze drukte haar lippen op elkaar.

'Jezus, Sheila, wat wíl je nou?' Hij schoof zijn stoel naar achteren. 'Dit is niet zomaar een plan. Ik vraag je of je met me wilt trouwen.'

Sheila wreef met de binnenkant van haar handen over haar ogen. 'Het is goed zoals het is,' zei ze vermoeid. 'Laten we dat nou niet bederven.'

Ze was rozig van het hete water, haar natte haren hingen sluik achter haar oren. Anders dan wanneer ze de deur uit ging, droeg ze geen make-up, en terwijl hij naar haar onopgemaakte gezicht keek, had hij het gevoel dat hij de echte Sheila zag.

'Ik vraag het heus niet alleen omdat je zwanger bent.'

'Dat weet ik.'

'Wat is het dán?'

'Waarom moeten we alles officieel maken?' vroeg ze, terwijl ze een sigaret opstak.

Hij staarde haar aan.

'Ja, ja, ik zie het heus wel. Je wilt dat ik hem uitmaak.'

'Inderdaad.'

'Waarom?'

'Dat wéét je.'

'Dat is het nou precies. Ik heb de pest aan al die regels. Je verstikt me.'

Ze wil een borrel.

Dat besef maakte elke verdere discussie zinloos. Hij kon haar het idee van een borrel niet uit het hoofd praten, net zomin als hij haar ervan kon overtuigen dat de drank, of liever gezegd haar behoefte daaraan, de reden was dat ze ruzie zocht. Hoe graag hij ook zou willen zeggen dat het gevaarlijk was om te drinken terwijl er een kindje zo groot als zijn pink in haar buik groeide, het was zinloos. Ze zou toch niet naar hem luisteren. Het enige wat hij kon doen, was haar afleiden, precies zoals hij dat deed met de alcoholisten die hij tijdens zijn werk tegenkwam.

'Ik neem het terug,' zei hij. 'Ik wil niet met je trouwen.'

Ze keek op. 'Wat is het nou? Wil je het wel of wil je het niet?'

'Ik wilde het. Maar inmiddels niet meer.'

'Zit je me te plagen?'

'Hoezo? Zie ik eruit alsof ik je zit te plagen?'

Ze maakte haar sigaret uit, pakte haar vork en nam een hap sperziebonen. Achter haar stond een lege fles afwasmiddel op de vensterbank onder het raam. De vuile pannen stonden scheef opgestapeld in de gootsteen.

'Ik heb dienst,' zei hij met een blik op zijn horloge.

'Dienst? Het is vrijdagavond.'

'Er heeft zich iemand ziek gemeld. Een nieuweling.'

'Wou je me vertellen dat er iemand is met nog minder ervaring dan jij?'

Met een leeg gevoel vanbinnen schoof Webster zijn stoel naar achteren.

'Je liegt,' zei ze.

Hij loog inderdaad, maar hij zei niets.

'Je gaat weg omdat ik niet over trouwen wil praten. Heb ik gelijk of niet?' Ze nam weer een slok water.

De aanblik van de kaarsen maakte Webster verdrietig. Waarom namen ze zelfs maar de moeite om vader-en-moedertje te spelen?

Hij liep naar de slaapkamer om zich te verkleden. Hoewel hij nergens heen hoefde, trok hij toch zijn uniform aan. En hij pakte zijn portofoon en de riem met zijn spullen.

Toen hij uit de slaapkamer kwam, versperde ze hem de weg naar de voordeur, met een tupperwarebakje in haar hand waarin ze de restanten van zijn avondeten had gedaan.

Hij bleef staan, op ruime afstand van haar vandaan.

'Heb je een vork en een mes nodig?' vroeg ze.

'Nee, die heb ik daar wel.'

'Wil je met me trouwen?' vroeg ze.

'Nee.'

'Alsjeblieft?'

'En alle regels dan? En het feit dat ik je verstik?'

'De regels, daar heb ik schijt aan. We maken onze eigen regels.'

'Zoals?'

'We zouden kunnen trouwen op dat stuk grond van je, met alleen een paar honden als getuigen.'

'Dat stuk grond is niet van mij.'

'Een kleinigheid,' zei ze, maar aan de manier waarop ze haar blik afwendde, zag hij dat ze de optelsom deed die hijzelf al weken eerder had gemaakt. Webster + Sheila + baby = geen grond. Het stuk grond betekende zonder Sheila en de baby niets meer voor hem. Bovendien zou hij wat er nog van zijn spaargeld over was, straks hard nodig hebben om zijn gezinnetje te onderhouden. Desnoods zou hij vierentwintiguursdiensten gaan draaien.

Hij volgde haar blik van de hoek van de kamer, naar de vloer, naar zijn gezicht. 'Het is niet goed wat je doet,' zei ze. 'Dat kan gewoon niet. Je hebt jaren voor dat stuk grond gespaard.'

Hij zei niets over haar schuld aan de politieman, die ze hem had laten afbetalen. 'Wat hebben we nou net gezegd? Geen regels. Ik kan doen wat ik wil.'

'Dit is niet iets om grappen over te maken, Webster. Ik meen het heel serieus.'

'Mijn vraag of je met me wil trouwen, was ook serieus.'

Ze keek hem aan, en er verscheen een zweem van een glimlach om haar mond. 'Waar is de ring?' vroeg ze.

Hij haalde het blauwe juweliersdoosje tevoorschijn. Omdat hij niet wilde dat ze het zou vinden wanneer hij niet thuis was, had hij het in zijn broekzak bewaard. Ze pakte het van hem aan en deed het open. In het doosje zat een gouden ring, met een kleine diamant in verzonken zetting.

'Jezus, Webster,' zei ze. 'Ik maakte maar een grapje.'

Ze werden getrouwd door de dominee van de congregationalistische kerk; de kerk waar Webster belijdenis had gedaan voordat hij van zijn geloof viel. De ziel was iets waarover hij ambivalente gevoelens koesterde.

Websters ouders woonden de plechtigheid bij, net als Burrows en zijn vrouw, Karen. Twee neven van Webster maakten de reis vanuit het Northeast Kingdom. Van Sheila's kant was er niemand, en tijdens de dienst had Webster even het gevoel dat zijn aanstaande vrouw uit de lucht was komen vallen; dat ze door een gebrek aan wortels van het ene op het andere moment in de afgrond van de vergetelheid zou kunnen tuimelen. Haar zus, het enige familielid dat misschien had kunnen komen, was zwanger en bijna uitgerekend, dus niet tot reizen in staat. Sheila leek het niet erg te vinden. 'Ik wou dat we het gewoon samen konden doen, jij en ik, met verder niemand erbij,' had ze de avond tevoren gezegd.

Ze droeg een zwarte jurk met een hoge taille, iets wat Webster verraste. Hem was niets gevraagd, maar hij had als vanzelfsprekend aangenomen dat ze in het wit zou zijn. Toen hij na de plechtigheid zei dat ze er prachtig uitzag – de jurk viel soepel en elegant om haar heen en deed haar huid stralen – zei ze dat ze bewust iets had gekocht wat ze nog vaker zou kunnen dragen.

'Voor je volgende huwelijk?' vroeg hij.

Ze gaf hem een mep met haar boeket, uitgekozen door zijn moeder.

Na de plechtigheid wandelde het gezelschap in de stralende julizon naar de Bear Hollow Inn, voor een feestelijke lunch in een apart zaaltje. Websters neven, Joshua en Dickie, allebei boer, hadden een aanstekelijk gevoel voor humor, iets wat Webster zich nog van vroeger herinnerde, toen ze vlak bij elkaar woonden. Dankzij hen kwam ook Burrows op dreef, en toen die eenmaal een paar grappen had verteld, was hij niet meer te stuiten. Webster leunde naar achteren in zijn stoel en streelde Sheila's arm. Hij vond het heerlijk om zijn moeder zo uitgelaten en uitbundig te zien lachen. Zelfs Sheila mengde zich zo veel mogelijk in het gesprek, hoewel ze soms ook minutenlang angstaanjagend stil was.

'Gaat het goed met je?' vroeg hij.

Toen ze zich naar hem toe keerde, meende hij te zien dat haar ooghoeken vochtig waren. Hij zette zijn elleboog op de tafel om haar af te schermen van de rest van het gezelschap. Het was voor het eerst dat hij tranen in haar ogen zag. Hij bracht zijn gezicht tot vlak voor het hare en besefte dat de tranen hem bang maakten.

'Is er iets?' Hij pakte haar hand.

'Nee hoor, alles in orde.'

Webster dacht dat ze zich misschien eenzaam voelde, omdat er niemand van haar familie op de bruiloft was, en hij wilde zeggen dat hij nu haar familie was. Samen met haar dikke buik.

'Sorry dat ik zo onnozel doe,' zei ze. 'Dat gebeurt me anders nooit. Maar ik ben ook zo gelukkig.' Ze boog haar hoofd en leunde tegen zijn schouder, alsof ze zich schaamde voor haar emoties. Hij sloeg zijn armen om haar heen. 'Ik had nooit gedacht dat ik dit zou meemaken. Niet op deze manier. Je bent veel te goed voor me, Webster. Dat verdien ik niet.'

'Zit je me nou in de maling te nemen?' fluisterde hij in haar oor. Teder getortel tussen bruidegom en bruid. 'Ik ben hier de geluksvogel. Je bent zomaar aan komen rijden, uitgerekend op een moment dat ik dienst had. Hoe groot was de kans dat ik op die manier de liefde van mijn leven zou vinden?'

Hij voelde dat ze lachte.

Hij gaf haar de schone zakdoek die hij bij zich had gestoken. Als hij opkeek, zou zijn vader, die op de zakdoek had aangedrongen, naar hem grijnzen, wist hij. Webster hield Sheila in zijn armen tot ze zichzelf weer had gefatsoeneerd. 'Je jurk is echt prachtig,' zei hij, en hij gebruikte het compliment om zijn hand op de verrukkelijke ronding van haar buik te leggen.

'Is mijn mascara uitgelopen?' vroeg ze.

Hij leunde iets naar achteren en nam haar onderzoekend op. 'Rechteroog, net onder het buitenste hoekje.'

Ze verwijderde de zwarte veeg en gaf Webster zijn zakdoek terug. Toen hief ze het champagneglas dat ze tot op dat moment niet had aangeraakt. Het gebaar trok de aandacht van Websters moeder.

'Ach, kindje. Daar heb ik al die tijd op gewacht.' Ze tikte met haar glas tegen dat van Sheila.

Die avond begon voor Webster en Sheila de eerste nacht van hun huwelijksreis die drie dagen zou duren, ook al hadden ze besloten niet letterlijk op reis te gaan. Webster was al gelukkig in de cocon van hun slaapkamer, met het vooruitzicht van meer dan twee dagen vrij. Maandag zouden ze op stap gaan om een autostoeltje en een wieg te kopen, van het geld dat zijn ouders hun als huwelijkscadeau hadden gegeven. En op hun eerste dag als echtpaar zouden ze het besluit nemen waar de wieg moest komen te staan; welk stukje van hun toch al niet grote appartement ze tot kinderkamer zouden bestempelen. Maar die avond en die nacht hadden ze geen zorgen, geen plannen. Als een echte kloek had Websters moeder via het hotel twee maaltijden geregeld en ervoor gezorgd dat ook het overschot van de bruidstaart werd ingepakt. 'Een vrouw hoort niet te koken op haar trouwdag,' zei ze tegen Sheila toen de lunch achter de rug was. 'Ook niet als ze haar eerste huwelijksnacht thuis doorbrengt.' Het was voor het eerst dat Sheila haar omhelsde.

Webster was zijn moeder innig dankbaar voor al haar inspanningen, maar vooral voor het enthousiasme dat ze voor hun huwelijk aan de dag legde. Sheila gaf haar dan ook iets waar ze vurig naar had verlangd: een kleinkind.

Webster legde zijn handen op Sheila's buik. Ja, dacht hij, dit is nu mijn familie.

Terwijl Webster haar in zijn armen hield, soesde Sheila weg, werd weer wakker, en dommelde opnieuw in slaap.

'Ik heb weeën,' zei Sheila toen Webster om halfnegen thuiskwam. Hij had een rustige nacht achter de rug. Weinig oproepen, en niets ernstigs. 'Maar ze zijn goed te hebben.' Ze was
net in haar negende maand. Voor haar op de keukentafel
stond een glas water. Ze zat in haar badjas, die haar dikke buik
nog maar nauwelijks kon bedekken. De ceintuur strikken
ging al bijna niet meer. Het had zijn grappige kanten, dat
zwanger zijn.

'Zijn het geen valse weeën?' vroeg hij.

'Het zou kunnen.'

Ze waren samen naar zwangerschapscursus geweest, ook al
wist Webster van de hoed en de rand. Maar dat had hij voor
zich gehouden, omdat hij niet tussen Sheila en wat ze moest
weten, in wilde staan. Hij had al in zijn eerste maand als ambulancebroeder een bevalling gedaan. Volgens Burrows wachtten mensen bij de tweede altijd te lang met bellen. Hoe dan
ook, Webster wist alles over de bloedvaten en de aorta die samen de navelstreng vormden, over het wegzuigen van het
slijm, over de kostbare seconden voordat het huidje van de
baby roze kleurde, over puntige babyhoofdjes die door de verpleegkundigen na de geboorte werden bedekt met een mutsje.
Naar hun zeggen om het kindje warm te houden. Maar volgens Webster omdat zo'n puntig hoofdje gewoon lelijk was.
Trouwens, hij had nog nooit een kindje gezien dat er direct na
de bevalling mooi uitzag. Het duurde doorgaans tot de baby's

een maand oud waren – tegen die tijd kwamen de moeders naar de ambulancepost om de broeders te bedanken – voordat Webster het predikaat 'schattig' gepast begon te vinden.

Terwijl hij zijn riem en zijn portofoon op tafel legde, zag hij dat Sheila zich met opgetrokken schouders voorover boog en haar ogen sloot.

Hij wachtte tot ze weer alert was.

'Dat is geen valse wee,' zei hij.

'Nee, dat denk ik eigenlijk ook niet.'

'Zijn je vliezen al gebroken?'

Ze knikte.

'Wanneer?'

'Om een uur of twee vannacht.'

'Waarom heb je me niet gebeld?'

Ze haalde haar schouders op.

Webster nam haar onderzoekend op. Hij keek op zijn horloge en wachtte op de volgende wee. Die kwam al na vier minuten, en deze keer balde ze haar vuisten tegen de pijn. Hij liet zich voor haar op zijn hurken zakken.

'Weet je nog wat je hebt geleerd over je ademhaling?' vroeg hij.

'Natuurlijk weet ik dat nog. Ik kan het alleen niet.'

'Op de cursus deed je het prima,' hielp hij haar herinneren.

'Maar dit is anders.'

'Probeer door te gaan met ademhalen tijdens de weeën, ook al lukt het niet op de manier zoals je het hebt geleerd. Kun je jezelf aankleden?'

'Dat denk ik wel.'

'We gaan.'

'Naar het ziekenhuis?'

'Naar het ziekenhuis.' Hij richtte zich op.

'Ben ik dan niet een van die sukkels waar ze het op de cursus over hadden? Zo'n vrouw die veel te snel naar het ziekenhuis gaat en weer naar huis wordt gestuurd?'

'Nee,' zei Webster. 'Je vliezen zijn gebroken. Dan moet je naar het ziekenhuis.'

Ze begon zich moeizaam overeind te werken, en hij schoot haar te hulp. 'Ik vind het vreselijk dat jij hier meer van weet dan ik,' zei ze.

'Waarom? Als de baby in de auto geboren wordt, ben je blij dat je mij bij je hebt.'

Ze gingen naar de slaapkamer om zich te verkleden, want Webster wilde liever niet in uniform naar het ziekenhuis. Sheila was niet zijn patiënt. Ze was zijn vrouw, en hij stond op het punt vader te worden. Hij wist echter precies wat er allemaal mis kon gaan: het kindje kon zich aandienen in stuitligging, het kon dood geboren worden, het kon de navelstreng om de nek hebben. Hij vroeg of hij haar buik mocht aftasten, om te zien hoe het kindje lag. 'Blijf van me af,' snauwde ze toen hij naar haar toe kwam.

Hij pakte zijn riem, want daar zat een steriele schaar in. En hij nam een paar dekens mee. Ten slotte pakte hij haar koffertje.

Ze leunde hijgend tegen de muur. 'Denk je echt dat het nu al komt?'

'Nee,' zei hij.

Hij hielp haar de hoge buitentrap af. De treden waren in de winter verraderlijk glad, maar in september leverden ze geen probleem op. De ochtendzon had al veel kracht, de bladeren waren stralend van kleur. Hij was inmiddels tweeëntwintig, maar de kleurenpracht van Vermont verveelde nooit.

Tijdens de rit kreeg Sheila drie zware weeën. Ze zette zich schrap, met één hand tegen het dashboard, de andere tegen het portier. De weeën volgden elkaar snel op. Webster trapte het gaspedaal diep in, maar harder dan honderd durfde hij niet. Tenslotte wist je nooit of er niet een verdwaalde toerist zo stom was om de weg op te stormen.

'O god!' Ze keerde zich naar hem toe. 'Ik moet persen.'

'Niet doen,' zei Webster ferm. 'Wat je ook doet, niet persen. Diep inademen, Sheila. We zijn amper op weg. Doe je ademhalingsoefeningen. Hoor je wat ik zeg? Niet persen!'

'Het lukt me niet, die verrekte ademhaling!'

Webster wilde haar op een ziekenhuisbed hebben, met haar benen in de beugels, terwijl de dienstdoend arts de foetale monitor in de gaten hield.

Hij zag dat ze zich schrap zette tegen de volgende wee. Als verpleegkundige had hij zich vaak afgevraagd hoe het voelde om weeën te hebben. Nu was hij blij dat hij die pijn niet kende.

Webster bracht de wagen abrupt tot stilstand voor het laadplatform van de SEH, gooide zijn portier open en stormde naar binnen. Daar wenkte hij de eerste verpleegkundige die hem bekend voorkwam.

'Mary! Jij bent toch Mary? Mijn vrouw moet persen.'

De verpleegkundige greep een brancard en haastte zich naar de surveillancewagen. Ze rukte het portier open. Sheila hing met een spierwit gezicht tegen de rugleuning van haar stoel. 'Rustig maar,' zei Mary. 'Het komt allemaal goed. Kun je staan?'

Sheila schudde haar hoofd. Ze zat met haar benen wijd uit elkaar.

'Dan gaan we je helpen.'

Webster pakte Sheila onder haar oksels, hij draaide haar een kwartslag en trok. Mary, die met haar tengere postuur verrassend sterk was, pakte haar benen. Zo tilden ze Sheila samen op de brancard.

Eenmaal binnen op de SEH trok Mary een gebloemd gordijn dicht. Samen met Webster liet ze Sheila uit het laken waarin ze haar hadden gewikkeld, op het bed glijden. Sheila begon zacht te jammeren tijdens de weeën. Mary hielp haar razendsnel uit haar zwangerschapsbroek en haar slipje, spreidde haar benen en legde ze in de beugels. Nu was Sheila alleen nog gekleed in het paarse, gebatikte zwangerschapshes met een vredesteken op de voorkant.

'Ik zie het hoofdje al,' zei Mary.

Webster moest zich beheersen om geen 'shit!' te zeggen. Hij wilde zijn vrouw niet in paniek brengen.

'Waar is de dienstdoend arts?' vroeg hij.

'Op de IC.'

Webster smoorde nog een 'shit!'

'Het is zover,' zei Mary. 'Jij blijft bij het hoofd van je vrouw staan, om haar schouders vast te houden. Je bent hier als haar man. Zij heeft je harder nodig dan ik.'

Mary verdween achter het gordijn om een collega te roepen die Julie heette.

Met zijn handen op Sheila's schouders vertelde Webster haar dat hij van haar hield, dat het allemaal dik in orde kwam. De baby wilde niet langer wachten, en ze kon persen zoveel als ze wilde.

'O, goddank!' jammerde zijn vrouw.

Ze kneep haar ogen stijf dicht, haar gezicht verkrampte, het zweet brak haar uit. Binnen enkele ogenblikken was haar haar drijfnat. Ze begon een soort gegrom voort te brengen. Het geluid maakte Webster bang. Hij had het eerder gehoord, maar niet bij Sheila. Hij probeerde kalm te blijven en zich te verplaatsen in de rol van verpleegkundige, maar bij het horen van Sheila's gejammer en als hij voelde dat haar spieren zich spanden, vergat hij alles wat hij had geleerd. Hij was zowel opgewonden als doodsbang, alsof hij nog nooit een bevalling had meegemaakt.

'Kom op, Sheila,' zei hij in haar oor. 'Nog één keer! Persen! Zo hard als je kunt!'

Sheila gaf alles wat ze had. Toen werd het haar te veel, ze maaide hulpeloos met haar armen. 'O jezus, o jezus, o jezus!' jammerde ze, en Webster vroeg zich af of het een gebed was.

'Sheila,' zei hij streng. 'Sheila! Persen, vooruit. Zet 'm op. Je kunt het. Je bent er bijna. Nog even, dan is het gebeurd. Nog één keer.'

Toen nam Sheila's lichaam het over en werd ze meegevoerd.

Webster wist het gelijk toen de baby eruit was. In de stilte die volgde, hield hij zijn adem in.

Het bleef maar heel even stil. Toen hoorde hij het gehuil van een baby. Innig dankbaar boog hij zijn hoofd.

'Oké, papa,' zei Mary. 'Wil jij de navelstreng doorknippen? Je hebt een prachtige dochter.'

Webster trok haastig latex handschoenen aan, waarop Mary hem een steriele schaar aanreikte. In één snelle beweging knipte hij de navelstreng door. Terwijl Julie zich bezighield met de nageboorte, desinfecteerde Mary het overgebleven stukje navelstreng. Daarop wikkelde ze het kindje in doeken en gaf het aan Webster. Hij duwde de windsels opzij zodat hij het gezichtje van zijn dochter goed kon zien.

Zijn dochter.

Het besef overweldigde hem. Hij liep met zijn dochter naar haar moeder, die haar ogen gesloten had.

'Sheila,' zei hij zacht. 'Hier is ze. Ons kind. Ze wil drinken.'

Sheila schrok wakker en strekte haar armen uit. Ze beefden, zag Webster. Hij hielp haar iets overeind te komen. Toen legde hij de baby op haar borst. Heel voorzichtig nam Sheila hun dochter in haar armen. Webster was zich ervan bewust dat Mary toekeek.

'O god, ze is prachtig!' Sheila klonk bijna verrast, en Webster begon te lachen. Ze zag er verschrikkelijk uit, en voor de pasgeborene gold hetzelfde. Maar die gedachte hield niet lang stand. Tenslotte was hij nu de papa. Staande naast het bed keek hij op hen neer.

De baby zoog zich vast aan de tepel. Sheila keek op naar Webster. 'Onze eerste ontmoeting, was die ook niet hier?' vroeg ze.

Sheila koos een naam die bij de Websters in de familie voorkwam en die ze mooi vond: Rowan. En Webster wist het zo te regelen met zijn vrije dagen dat hij twee weken thuis kon zijn. Toen hij weer aan het werk ging, werd hij op de dagdienst gezet. Zijn chef noemde het een reorganisatie, maar Webster vermoedde dat hij probeerde hem ter wille te zijn. Op die manier kon hij al tegen halfvijf thuis zijn bij Sheila en de baby.

En dus stormde hij elke dag na zijn werk de trap op, brandend van verlangen om bij zijn kleine meisje te zijn, dat zich in rap tempo ontwikkelde tot een volmaakt schepseltje. Hij trof Sheila soms op de grond, spelend met de baby die ze op een kussen had gelegd, of doezelend op de bank, met natte plekken van de moedermelk op haar T-shirt en met Rowan slapend in haar wiegje. Hij kon zijn dochter niet voeden, maar Webster verschoonde haar en legde haar aan terwijl zijn vrouw langzaam wakker werd. Wanneer Sheila klaar was met voeden, ging ze eten koken, en ondertussen genoot Webster van zijn dochter.

Rowan had Sheila's haar, iets wat Webster beschouwde als een enorme genetische bof. Haar oogjes waren blauw, en ze had lange armen en benen, maar die kon ze van zowel haar vader als van haar moeder hebben geërfd. Websters moeder hield bij hoog en laag vol dat Rowan sprekend op Websters oma leek, maar Webster kon zich de weinig elegant geklede vrouw op de foto niet herinneren, en hij noch Sheila kon ook maar enige gelijkenis ontdekken. Websters ouders werden omie en opie gedoopt.

En Websters leven kwam op zijn kop te staan. Sheila en hij hadden inmiddels een totaal verschillend dagritme, waarin ze geen van beiden genoeg slaap kregen, wat ze allebei niet erg vonden. Webster was ervan overtuigd dat Sheila en hij de mooiste baby hadden gemaakt die hij ooit had gezien. Zijn moeder sloeg aan het breien, en het leek wel alsof ze bij elk bezoek aan het appartement weer iets nieuws voor Rowan had gemaakt: kleertjes en dekentjes direct na Rowans geboorte; knuffels en truien en een prachtige groen-blauwe jas toen ze kon zitten. Burrows en zijn vrouw gaven Sheila en Webster een chique wandelwagen die je uit elkaar kon halen en die, behalve eten koken, alles leek te kunnen.

Wanneer hij Rowan op de arm hield, drukte Webster zijn neus tegen de hare en vertelde hij haar hoe lastig ze was. Hij liep met haar het hele appartement door om haar alle lichtjes te laten zien. Hij maakte met eindeloos geduld telkens weer dezelfde puzzel van vijf stukjes terwijl zij elke keer weer verrast haar handje voor haar mondje sloeg wanneer ze het laatste stukje op zijn plaats had gelegd. Hij stelde zich voor dat de achtertuin voor de negen maanden oude Rowan een eindeloze, opwindende vlakte moest zijn. In de zomer kwam Websters moeder regelmatig verse groente brengen, die Sheila kookte, pureerde en in kleine blokjes invroor. Bij de lunch en het avondeten ontdooide ze een blokje, warmde het op en voerde Rowan in de kinderstoel, met de geijkte vliegtuigtruc waarvan Webster veronderstelde dat alle ouders die gebruikten.

Hij betrapte zich erop dat hij het woord 'liefde' voortdurend en lukraak gebruikte. Hij had het gevoel dat hij eindelijk het leven leidde waarvoor hij was bedoeld, ook al zou hij dat nooit zo hebben kunnen omschrijven voordat hij Sheila ontmoette.

Sheila hervond geleidelijk aan haar slanke figuur en leek

het leven te ervaren zoals haar baby dat deed: aanvankelijk in een cocon die niet verder reikte dan het bed, de bank en het aanrecht, maar die zich geleidelijk aan uitbreidde met ritjes naar omie en naar de supermarkt, waarbij Rowan achter haar zat in haar autostoeltje.

Toen Webster op een middag in augustus laat thuiskwam, trof hij Sheila en Rowan slapend op het gras in de achtertuin. Hij wilde hen niet wakker maken, dus hij trok een stoel bij en ging zitten om naar hen te kijken. Een warme bries streek langs hen heen en hield de muggen op afstand.

Hij vroeg zich af wat er was gebeurd. Hadden Sheila en Rowan samen op het gras gezeten en besloten een dutje te doen? Wat een grappige aanblik boden ze, die twee vrouwen met dezelfde kleur haar, het ene kleine hoofd verborgen onder het andere. Ademden ze synchroon? Webster wilde dat hij zijn camera bij de hand had, maar hij durfde niet op te staan om die te gaan halen. In de tuin kon hij de drukte horen van de ijssalon aan de voorkant. Het was de volmaakte dag voor een ijsje. De tuin bood hun volledige privacy wanneer de bomen in blad waren. Op de plek waar Sheila en Rowan lagen te slapen, groeide het gras het weligst.

Rowan was de eerste die wakker werd, en ze wekte Sheila, die het gras van hen afklopte. 'Hallo,' zei ze dromerig. Ze stond op, met de baby op de arm, en Webster volgde haar voorbeeld.

'Ik moest maar eens aan het eten beginnen,' zei Sheila. Webster hield haar tegen met een kus.

'Ik heb een beter idee. Laten we een ijsje gaan halen.'

Sheila protesteerde niet, wat hij eigenlijk had verwacht. Doorgaans stond ze erop dat Rowan gezond at. Maar nu glimlachte ze.

'U hebt soms de geweldigste ideeën, meneer Webster. Weet u dat wel?'

Hij nam Rowan van haar over, die nog altijd slaperig in haar oogjes wreef. 'Wat denk je? Lust je wel een ijsje in plaats van avondeten?'

Ze knikte en legde haar hoofdje op zijn schouder.

Hij was gelukkig, besefte Webster, zo gelukkig als hij nog nooit was geweest.

Een duidelijk geval van SIDS. Het kind was al uren dood toen Webster en Burrows op het adres arriveerden, een kleine cottage aan de rand van de kreek die evenwijdig aan de 83 liep. De cottage was gebouwd als zomerhuis, zonder enige vorm van isolatie, en Webster vroeg zich af of de moeder misschien een toerist was. Tegen de meldkamer had ze nadrukkelijk verklaard dat het kindje nog ademde.

De wieg lag vol dekentjes en knuffeldieren. Niemand kon nog met zekerheid zeggen wat de oorzaak was van een dergelijke zinloze, hartverscheurende dood. Webster voelde slechts verdriet en afschuw.

Hij reikte naar het armpje van de baby om de pols te voelen. Wanneer was de moeder voor het laatst bij haar kind gaan kijken, vroeg hij zich af, en hoe lang ontkende ze de waarheid al? Burrows begon te reanimeren, ook al wisten ze allebei dat het zinloos was. Maar in het belang van de nabestaanden moesten ze doen wat ze konden.

Webster keek de kleine woonkamer rond. De wieg stond naast de bank. Hij probeerde zich altijd een indruk te vormen van een huis, van het gezinsleven dat zich daar afspeelde. In dit geval had het huis één slaapkamer, de baby stond in de woonkamer. Hij schatte de leeftijd van het kindje op een week of tien.

Burrows belde de meldkamer om te vragen om politie-assistentie en een schouwarts. Bij wiegendood moest er autopsie worden verricht.

'Wat is uw naam?' vroeg hij aan de moeder van het kind.

'Susan.'

'Susan, is je man niet thuis?'

'Die is aan het werk.'

'Waar is dat?'

'Hij werkt in de bouw, ergens in de buurt van Rutland.'

Ze gaf duidelijke antwoorden, zonder te aarzelen. Haar haar zag er ongewassen uit, en ze had ernstig vergeelde tanden. Van twee meter afstand kon Webster haar slechte adem ruiken. Ondanks de zonnige dag maakte de kamer een sombere indruk.

De vrouw trok haar roze vest nog dichter om zich heen, met haar vingers krampachtig om de stof geklemd. 'Waarom doet u niets voor mijn dochtertje?'

Webster liet zich voor haar op zijn hurken zakken. 'We doen wat we kunnen. Mijn collega is met haar bezig.' Webster voelde dat hij transpireerde, het zweet drong door het overhemd van zijn uniform. 'Hoe heet uw dochtertje?' vroeg hij.

'Britney.'

Het zou niet Webster zijn die haar het afschuwelijke nieuws moest vertellen. Dat zou later gebeuren, in het ziekenhuis. Maar het waren de vergeefse inspanningen voor een kind dat al dood was, die rare dingen met je deden.

'Ze is dood, hè?' vroeg de vrouw.

'We zijn nog met haar bezig. We doen wat we kunnen.'

'Ik weet dat ze dood is.'

Op dat moment trof het verdriet haar in volle hevigheid. Haar gezicht verkrampte, haar benen begaven het en ze liet zich op de bank vallen. Met haar handen voor haar mond geslagen begon ze te huilen. 'Nee... nee... nee...' Geleidelijk aan stierf haar stem weg tot een zacht gejammer. Webster ging naast haar zitten en legde een hand op haar mouw. Zij was nu zijn patiënt, niet de baby.

Ten slotte stond hij weer op, en hij vroeg Burrows naar eventuele medicijnen voor de moeder. Maar die schudde zijn hoofd. 'We zullen zien hoe ze eraan toe is tegen de tijd dat de politie hier klaar is. Misschien moeten we haar dan ook naar het ziekenhuis brengen.'

'Het is onverdraaglijk,' zei Webster.

'Is dit je eerste wiegendood?'

Webster knikte.

'Dat zijn de ergste,' zei Burrows, die niet van sentimentaliteit kon worden beschuldigd. 'Zo'n kind had nog een heel leven voor zich. Allemaal weg. En waarom? Hoe vaak je het ook meemaakt, het is om krankzinnig van te worden.'

'De moeder weet het al uren, waar of niet?'

'En dat neem je haar kwalijk? Dat ze de waarheid niet onder ogen heeft willen zien?'

'Nee, natuurlijk niet.'

'Je staat helemaal te trillen.' Burrows nam zijn collega onderzoekend op.

'Maak je over mij geen zorgen.'

'Luister, dit heeft niks met jou te maken,' zei Burrows. 'Met Rowan is alles goed. En dat blijft ook zo. Ze is allang voorbij de leeftijd waarop zoiets kan gebeuren.'

'Dat weet ik,' zei Webster.

'Ga jij maar naar buiten, om op de politie te wachten. Ik blijf hier bij de moeder.'

'Weet je het zeker?'

'Vooruit! Naar buiten!' zei Burrows. 'Dat is een opdracht.'

Webster deed wat hij zei. Er brandden tranen in zijn ogen en hij keek omhoog naar de lucht, zodat ze niet over zijn wangen liepen. Hij zou sterven van schaamte als hij stond te janken wanneer Nye arriveerde. Hardop bedankte hij God, waar die ook mocht zijn. Met Rowan was alles goed; geen wiegendood, geen ademhalingsstoornissen, geen rare dingen, geen verstrengelde navelstreng. Niets van dat alles. Hij kon de politiewagen horen aankomen, hobbelend over het zandpad. Er was geen enkele reden waarom hij buiten stond. Dus hij draaide zich om en liep weer naar binnen. Het zou nu allemaal heel snel gaan.

Onder het lopen deed Webster zijn riem af, roepend dat hij thuis was, verbaasd dat Sheila niet met Rowan in de woonkamer was. Hij riep haar opnieuw, en kreeg antwoord vanuit de slaapkamer. Daar was ze. Het was oktober, en het begon aan het eind van de middag al donker te worden in huis. Ze zat op het bed, met hun dochter van veertien maanden aan de borst. Sheila droeg een witte overhemdbloes op haar spijkerbroek, waardoor ze Rowan gemakkelijk kon aanleggen. Webster liet zich op het bed vallen en streek met een vinger over Rowans wangetje.

'Breng haar nou niet op een idee,' zei Sheila. 'Ik probeer haar zover te krijgen dat ze naar bed wil. Ze heeft de hele dag niet geslapen.'

De bitse toon ontging Webster niet. Sheila's haar hing er slierterig bij, en ze had donkere kringen onder haar ogen. Als Rowan de hele dag niet had geslapen, dan gold dat ook voor Sheila.

'Zodra je klaar bent met voeden, stop je haar in bed, en dan ga je lekker slapen,' zei Webster. 'En als Rowan niet wil slapen, dan neem ik haar wel en...'

'Je hebt net een dubbele dienst achter de rug.'

'Ik ben fitter dan jij.'

Sheila knikte.

Webster stond op en begon zich uit te kleden. Hij wilde niet dat ook maar iets wat met zijn werk te maken had, in contact kwam met de baby. Zijn uniform uittrekken was een manier om zijn ene leven af te sluiten en te verruilen voor het andere.

Hij trok een spijkerbroek aan en een zwarte trui, toen liep hij naar de badkamer om zijn handen en zijn gezicht te wassen. Weer in de slaapkamer, waar hij voor de spiegel op de ladenkast ging staan om zijn vingers door zijn haren te halen, ving hij het beeld op van Sheila met Rowan op het bed. In een impuls draaide hij zich om, en hij bukte zich om haar en de baby een kus te geven. Daarbij schopte hij met zijn voet een glas om. Sheila wendde haar hoofd af.

Hij raapte het glas op. Er zat nog een restje goudbruine vloeistof in. Hij rook eraan. De geur van whisky was als een klap in zijn gezicht.

'Waar is de fles?' vroeg hij.

Sheila gaf geen antwoord. Hij zag aan de stand van haar kaak dat ze kwaad was. Jammer dan. Als er iemand kwaad was, dan was híj het.

'Ik vind hem toch wel, dus zeg het nou maar gewoon.'

'Je doet maar.'

'Sheila, wat bezielt je! Je hebt een kind aan de borst. Je kunt Rowan de Jack Daniels net zo goed rechtstreeks te drinken geven.'

'Overdrijf niet zo.'

Webster nam Rowan van haar over. Even bleef Sheila met lege armen zitten. Ten slotte stond ze op, ze glipte achter hem langs en schoot in haar laarzen.

Rowan, die wreed van de borst was gerukt, begon te huilen. Wild maaiend met haar armpjes zette ze een verschrikkelijke keel op.

'Kijk nou wat je hebt gedaan,' zei Sheila.

'Wat ík heb gedaan?' vroeg Webster. 'Wat ík heb gedaan? Hoe lang is dit al gaande? Vertel op!'

'Ik hoef me tegenover jou niet te verantwoorden.'

'Nou en of wel. Het is mijn kind dat dankzij jou aan de whisky is.'

'Jouw kind.'

'Ons kind.'

'O gelukkig. Ik dacht dat ik misschien alleen een soort melkkoe was.'

'Hou daarmee op, Sheila.'

Ze liep de woonkamer uit, met Webster in haar kielzog. Hij keek toe terwijl ze haar tas pakte.

'Jezus! Waar ga je naartoe?'

'Dat weet ik niet.'

'Ik wil niet dat je weggaat.'

'Als ik hier blijf word ik gek.'

Webster ging voor de deur staan, met de jammerende Rowan op de arm.

'Wat is er in godsnaam gebeurd?' vroeg hij. 'Toen ik gisterochtend van huis ging was er niks aan de hand.'

Ze keek hem aan, met een harde blik in haar ogen. 'Het is verdomme min dertien! En het moet nog november worden. Ik kan nergens heen met de baby. Ze heeft de hele dag gehuild. Het is een puinhoop! Alles! Eén grote puinhoop! Ik voel me opgesloten en ik heb het gevoel dat ik bezig ben gek te worden.'

'Dat gevoel heeft iedereen aan het begin van de winter. Kind of geen kind.'

'Maar jij komt tenminste de deur nog uit. Jij zit niet de hele dag binnen.'

'Misschien wordt het tijd dat je weer aan het werk gaat,' zei Webster.

'Ik wil niet aan het werk. Ik wil gewoon...'

Webster had het gevoel dat zijn bloed in ijswater veranderde. 'Wat, Sheila? Wat wil je?'

'In een auto stappen.'

Hij was niet in staat ook maar een woord uit te brengen.

'Jij was mijn beste kans,' zei Sheila.

'Je beste kans op wat?'

'Op een veilig bestaan. Je straalt veiligheid uit, Webster.'

Het duizelde hem. Hij nam de baby op zijn andere arm en klopte zijn dochter sussend op haar ruggetje.

'Het is één keer gebeurd. Eén keertje maar. Oké, ik heb een borrel genomen. Ben je nu tevreden, meneer de ambulance-broeder? Het is één keer gebeurd, en het zal niet nog eens ge-beuren. Trouwens, ik zou nog maar eens in die dierbare boe-ken van je kijken. Weet je hoeveel een baby ervan meekrijgt als de moeder één borrel drinkt? Bijna niks.'

'Waar is de fles?'

'Rowan moet verschoond worden. Ze moet nodig een dut-je doen. En je staat in de weg.'

Ze duwde hem weg. Hoewel hij haar moeiteloos had kun-nen tegenhouden, deed hij een stap opzij, weg van de deur. Hij overwoog te zeggen dat ze niet terug hoefde te komen tenzij ze bereid was nuchter te blijven, maar hij wist dat het een loos dreigement zou zijn.

Nadat Sheila was vertrokken, ging Webster met Rowan op de bank zitten. Had ze hem echt uitgekozen als haar beste kans in het leven? Hij werd ziek bij de gedachte. Hield ze niet van hem? Tenminste, niet zoals hij van haar hield? Was alles tussen hen op niets gebaseerd?

Of had Sheila het allemaal in het vuur van het moment gezegd? Zou ze straks thuiskomen en alles terugnemen?

Toen Rowan onrustig werd en weer begon te huilen, haal-de Webster de roze luiertas uit de slaapkamer en haalde eruit wat hij nodig had. Hij legde zijn dochter op het kussen op de salontafel om haar te verschonen. Ze lachte alsof hij haar kie-telde. Hoewel Rowan de spanning misschien had gevoeld, zou ze nooit weten wat haar vader en moeder tegen elkaar hadden gezegd. Maar hij had het gevoel alsof Sheila's woorden als even zovele stenen op zijn maag drukten.

Nadat hij haar had verschoond trok hij Rowan haar gele pyjama aan. Even bleef hij met zijn dochter in zijn armen op de keukenstoel zitten, gekke bekken trekkend en met zijn tong klakkend.

Was Sheila welbewust zwanger geworden omdat hij haar beste kans was? Zoiets zou ze toch nooit doen? Maar toen dacht hij aan de verwarring over haar anticonceptie, de eerste keer dat ze het hadden gedaan. Hij sloot zijn ogen. Die nacht onder de bijna volle maan was altijd een kostbare herinnering voor hem geweest.

Sheila wilde de regels doorbreken. Goed, prima. Maar Webster kon de regels veranderen.

Het kostte hem enige moeite om Rowan haar lichtblauwe sneeuwpak aan te trekken. Sheila had het autostoeltje onder aan de trap laten staan. Met Rowan dicht tegen zich aangedrukt, om haar tere huidje te beschermen tegen de kou, zette hij het autostoeltje in de surveillancewagen. Toen hij haar riem had vastgemaakt, liep hij om de auto heen naar de voorbank, hij kroop achter het stuur en stak de sleutel in het contactslot.

Hij draaide zich om naar de achterbank, maar het enige wat hij van zijn dochter kon zien, waren twee ogen zo blauw als bosbessen, omlijst door het sneeuwpak. Een gevoel van kwetsbaarheid zorgde voor onrust in zijn lichaam. De nerveuze, rusteloze Sheila was terug. De Sheila die dronk.

Webster reed achteruit de 42 op en zette koers naar de Giant Mart. Met Rowan in een tuigje op zijn borst liep hij door de paden, op zoek naar babyvoeding. Hoe hij flessen moest klaarmaken, daar kwam hij wel uit. De volgende morgen zou hij tegen Sheila zeggen dat ze moest stoppen met voeden. Hij verwachtte dat ze akkoord zou gaan, al was het maar vanwege de vrijheid die ze daardoor kreeg.

Eenmaal weer thuis stopte hij Rowan in bed en kamde hij

het hele appartement uit, op zoek naar drank. Hij vond niets. Dus of ze had alles meegenomen, of ze was voorzichtiger dan hij had gedacht. *Muis.* Hij moest ineens denken aan de bijnaam die de politieman haar had gegeven, en er steeg een kwaadaardig geluid op uit zijn keel.

Toen Sheila thuiskwam, was het al ver na middernacht. Webster vroeg niet waar ze was geweest.

Voordat hij de volgende morgen naar zijn werk ging, maakte hij vier flesvoedingen klaar.

Het signaal klonk, gevolgd door de onbewogen stem van de meldkamer. 'Man. Vermoedelijk een hartaanval. Ernstige pijn in de borst, uitstralend naar de kaak.' Webster vroeg naar het adres. 'Fuck.' Burrows slaakte een verwensing en bleef de hele rit vloeken, terwijl de Bullet het zwaar te verduren had op de bevroren groeven van de onverharde weg. Burrows was ongewoon gehecht aan zijn wagen.

'Waar is het eigenlijk precies?' vroeg Webster.

'Ik mag barsten als ik het weet.'

Uiteindelijk kwamen ze bij een vishut op de oever van een klein, bevroren meer. Er stonden vijf pick-ups geparkeerd. De reusachtige, splinternieuwe auto's boden een belachelijke aanblik naast de kleine hut.

'IJsvissen,' zei Webster.

'Heb je *Deliverance* gezien?' vroeg Burrows.

'Nee.'

'Oké, laat dan maar.'

Het ontging Webster niet dat Burrows aanklopte, in plaats van naar binnen te stormen zoals hij doorgaans deed. Misschien hield hij rekening met de mogelijkheid dat er achter de deur iemand klaarstond met een geweer. 'Binnen!' riep een mannenstem. Het klonk niet als een hinderlaag. Niet dat Webster ooit een collega had gesproken die in een hinderlaag was gelopen, maar in de grote stad gebeurde het nog weleens, had hij gelezen.

Er stonden vier mannen in de hut, een vijfde lag op de grond. Vijf mannen, vijf pick-ups. Waren ze allemaal op eigen gelegenheid gekomen? Had niemand een van de anderen een lift aangeboden?

De vloerbedekking bestond uit grijze tapijttegels, van het soort dat ook buiten kon worden gebruikt. Ze zaten onder de vlekken. Waarvan, dat wilde Webster niet weten. De man die op de grond lag, drukte jammerend een hand tegen zijn borst.

Webster en Burrows baanden zich een weg door de pizzadozen en bierblikken.

Toen Webster bij de patiënt knielde, besefte hij dat er iets niet klopte. De huid van de man was bleekroze van kleur. Dat wees niet op hartproblemen, maar de ademhaling ging zwaar. Webster verrichtte een eerste, oppervlakkige controle. De patiënt zweette niet, hij leed niet aan kortademigheid en hij was ook niet misselijk. Zijn bloeddruk was wel aan de hoge kant.

'Hoe heet hij?' vroeg Webster.

'Sully,' zei een man die bij het aanrecht stond.

'Sully,' zei Webster. 'Heb je hier al eerder last van gehad?'

'Eén keer,' jammerde de visser. 'Op de bruiloft van mijn nicht.' Hij klonk alsof hij erg veel pijn had. 'Ze hadden bijna een ziekenwagen gebeld.'

'Hoe erg is de pijn, Sully? Op een schaal van een tot tien?'

'Acht,' zei de man. 'Misschien wel negen. Het is verschrikkelijk.'

'Kun je aanwijzen wáár het pijn doet?' vroeg Burrows.

De man legde zijn vingers net onder zijn oren. Vandaar ging hij met zijn hand naar het midden van zijn borst.

'Pijn in de borst, uitstralend naar de kaak,' zei Webster.

'Bel mijn vrouw!' riep de man.

Webster richtte zich op. 'We moeten hem meenemen,' zei hij tegen Burrows.

'Dat wordt dan een leuke rit.'

'Vooral een lange.'

Webster hielp Sully te gaan zitten en vroeg of hij zelf naar de ambulance kon lopen. Sully probeerde het, en na diverse pogingen lukte het op eigen kracht te blijven staan. De boer kwam al voordat ze bij de deur waren. 'De pijn zakt een beetje,' zei Sully, precies zoals Webster had verwacht. 'Ik begin me weer wat beter te voelen. Misschien moeten we nog even wachten.'

'Laat me je vitale functies controleren,' zei Webster, zoals het protocol voorschreef, ook al wist zowel hij als Burrows inmiddels precies wat er aan de hand was. 'Ga maar even zitten.'

Webster deed de manchet om de arm van de patiënt en pakte zijn pols om de hartslag te controleren. Maar voordat hij uitsluitsel kon geven, kwam Sully alweer overeind alsof hij op wonderbaarlijke wijze was genezen na een bijna-doodervaring. Even later hief hij zijn armen. 'Ik ben gered!' riep hij uit.

De visser die bij het aanrecht stond, begon te grinniken. 'Ik zéí toch dat je gewoon last had van brandend maagzuur!'

De vijf mannen wilden de ambulancebroeders bedanken met een maaltje verse vis. Maar Burrows sloeg het aanbod af. Een van de mannen wees Webster op het kleine hutje midden in de bevroren vlakte van het meertje. Daarbinnen stonden een kacheltje en wat stoelen rond een gat waarin de mannen hun lijn lieten zakken, wist Webster.

En hij wist nog iets: de meeste spoedgevallen waar een ambulancebroeder op af werd gestuurd, bleken routinewerk en weinig spectaculair.

'Ze zouden die klootzak een rekening moeten sturen. De auto rijdt tenslotte niet op water, en hij heeft het zwaar te verduren gehad,' zei Burrows terwijl Webster terugreed naar de ambulancepost.

'Waarom wilde je die vis niet?' vroeg Webster.

'Maak jij hem schoon?'

'Nee, dank je.'

'Dat bedoel ik. Karen moet er al helemaal niks van hebben. En volgens mij Sheila ook niet.'

Webster probeerde zich voor te stellen dat Sheila vis schoonmaakte. Tevergeefs.

De ambulance hobbelde over de bevroren grond. 'Stelletje idioten,' zei Burrows.

Het duurde eenentwintig minuten voordat ze weer op een verharde weg kwamen. De rit naar de hut had zesendertig minuten geduurd, ze waren twintig minuten ter plaatse geweest, en terug hadden ze er ook weer zesendertig minuten over gedaan. Bijna anderhalf uur verspild. Het gezicht van Burrows stond op onweer.

'Je ziet er belabberd uit, trouwens,' zei hij tegen Webster. 'Houdt de baby jullie uit je slaap?'

'Nee hoor, die wordt nooit wakker.'

'Alles goed met je huwelijk?'

'Prima.'

'Het hoort bij mijn baan om dit soort vragen te stellen. Als je niet optimaal functioneert, moet ik daar aandacht aan besteden. Dus vertel op, wat is er aan de hand?'

'Functioneer ik niet optimaal?' vroeg Webster verschrikt.

'Jawel, je doet het prima. Maar je ziet eruit alsof je aan de dialyse zit. Zijn er problemen thuis?'

'Misschien,' zei Webster.

'Zie je wel! Ik wist wel dat het niet goed zat tussen jou en Sheila.'

'Ach man, lul niet,' zei Webster. 'Ik kan toch ook financiële problemen hebben?'

'Maar die heb je niet. Ik had gelijk. Waar of niet?'

Webster zuchtte.

'Typisch een geval van de macht van de vagina. Je was zo verdomde gek van haar.'

'Dat ben ik nog.'

'Houdt ze ook van jou?' Burrows haalde een tandenstoker tevoorschijn en ging ermee aan de slag.

'Ja,' zei Webster.

Maar was dat wel zo?

'Wat is dan het probleem?' vroeg Burrows.

'Ik weet het niet. Kijk nou eens! Een verkeersopstopping in Hartstone?'

'Je kunt de sirene aanzetten.'

'We zijn er bijna.'

Het plotselinge geloei van de sirene zou de bestuurder voor hem een hartaanval kunnen bezorgen.

'Sheila is opstandig. Rusteloos.'

'Wat wíl ze dan?' vroeg Burrows.

'Dat wil ze niet zeggen. Misschien weet ze het zelf ook niet.'

'Weet je zeker dat het niet die postnatale shit is?'

Webster zag de eerste huizen van de stad al, maar hij kon niet doorrijden. Een reusachtige vrachtwagen met oplegger hield het verkeer op. 'Is er soms een optocht vandaag?'

'Geen idee.'

'Dat is het niet. Ze is niet depressief,' zei Webster.

Burrows wendde zich naar hem toe en kneep zijn ogen tot spleetjes. 'Wat is het dan wel?'

Webster had nog nooit met iemand over Sheila gesproken. Het voelde niet goed om de intimiteit van het huwelijk te verbreken. Maar hij wist dat Burrows niet zou rusten tot hij duidelijkheid had. En misschien luchtte het wel op om erover te praten.

'Ze drinkt,' zei Webster.

'O, goeie god.' Burrows sloot vluchtig zijn ogen. 'En jij? Drink jij ook?'

'Nee.'

'Mooi. Dat is goed.'

'Het is helemaal niet goed.'

'Ik wil wedden dat het in het begin heel romantisch was,' zei Burrows. 'Een flesje wijn... en dan nog een...'

'Ja, misschien.'

'En voor je het weet zit je, verdomme, elke dag aan de wijn, omdat het zo romantisch is. Heb ik gelijk of niet? Kaarsen, fonkelende glazen, goeie seks. Het lijkt allemaal zo geweldig, of niet dan?'

Webster zei niets.

'En dan ontdek je op een avond dat een van jullie tweeën een probleem heeft, en jij bent het niet.'

De opstopping loste zich op, zonder dat Webster kon zien wat er aan de hand was geweest. Geen optocht. Geen ongeluk. 'Hoe weet je dat zo goed?' vroeg hij.

'Ik ben ervaringsdeskundige. Heb je behoefte aan een relatietherapeut?'

Webster schudde zijn hoofd, zowel verrast als ontkennend. 'Dat kun je vergeten. Want dat gaat niet gebeuren.'

'Mooi, want ik zou er ook geen weten!' Burrows grinnikte. 'Maar ik ben gewoon nieuwsgierig. Denk je dat Sheila erheen zou gaan?'

'Zou jij erheen gaan?'

'In geen honderd jaar!'

Webster had het gevoel dat hij in een onregelmatig kloppend hart woonde. Wekenlang leek alles goed te gaan met Sheila. Dan was ze lief en gezellig, soms zelfs met de uitdagendheid waar Webster ooit op was gevallen. Wanneer ze er gedrieën op uit trokken met de slee, wanneer ze gingen winkelen of op zondag gingen lunchen bij zijn ouders, wanneer hij zag hoe ze Rowan voorlas, of met haar in het bos wandelde, wanneer hij zag hoe ze naar Rowan lachte, dan kreeg Webster weer hoop. Dan week de druk van zijn hart en dacht hij, voorzichtig, op zijn hoede: het komt allemaal goed met ons.

Maar hij bleef waakzaam. En onvermijdelijk zag hij dan na een maand of na een week of zes weer iets waaruit bleek dat hij zich toch bijna weer in slaap had laten sussen. En eenmaal alert, ging hij op zoek naar meer aanwijzingen. Soms had hij het gevoel dat hij zijn huwelijk vergiftigde met zijn voortdurende achterdocht, dat hij de aanwijzingen als het ware zelf creëerde: verslapte gelaatstrekken, een licht slepende manier van praten, de weigering hem te kussen. Sheila ging weleens uit, maar niet met hem. Dan doorzocht Webster het huis op flessen drank, en wanneer hij die vond, hing er een donkere wolk van wantrouwen in het appartement.

Op een avond vond hij een fles Bacardi achter Rowans knuffelbeesten op de plank. Dat ze Rowans speelgoed gebruikte om haar drank te verstoppen, maakte hem minstens zo razend als het feit dat ze tegen hem loog over haar drankgebruik.

'Zo kan het niet langer,' zei hij toen hij de woonkamer binnenkwam, zwaaiend met zijn vondst.

Sheila wendde zich af. Rowan keek op naar haar papa.

Webster besefte dat zijn dochter zich bewust moest zijn van de spanning tussen Sheila en hem, en nu ze begon te praten zou ze misschien meer begrijpen dan hem lief was. Dus hij verstopte de fles achter zijn rug.

'We gaan met je naar de AA,' vervolgde hij tegen Sheila.

'Daar moet je zelf naartoe willen.'

'En maak je maar geen illusies, dat wil je.'

'En hoe denk je dat voor elkaar te krijgen?' vroeg Sheila, zonder haar blik van de televisie af te wenden.

Webster had zijn antwoord klaar. Het was iets waar hij al weken over liep te piekeren. 'Ik neem Rowan mee, en we gaan naar mijn ouders.'

Sheila zette de televisie uit. 'Wat bedoel je daarmee?'

'Daarmee bedoel ik dat Rowan en ik bij mijn ouders gaan wonen, zonder jou.'

'Omie?' vroeg Rowan.

Webster glimlachte naar zijn dochter. 'We zullen zien,' zei hij, en hij bedacht dat 'We zullen zien' misschien wel de meest gebruikte zin was in het repertoire van een ouder.

'Dat durf je niet,' zei Sheila.

'Moet jij eens opletten.'

Webster draaide zich om en liep naar de slaapkamer, waar hij zijn koffer achter uit de kast haalde en zijn toiletspullen en wat kleren begon in te pakken. Toen hij met een grote canvas tas in Rowans kamertje verdween, kwam Sheila achter hem aan.

'Oké,' zei ze kleintjes.

'Hoe bedoel je, oké?'

'Ik ga. Naar de AA.'

Webster bracht de koffer en de tas terug naar de slaapkamer. 'Ik zal informeren waar en wanneer de volgende bijeenkomst is.'

'Dat weet ik al,' zei Sheila.

Dus ze had zelf al naar de AA geïnformeerd? Dat was in elk geval een begin.

'Mammie verdrietig?' vroeg Rowan die altijd alles wilde weten. Alsof ze zich afvroeg of ze zich zorgen moest maken.

'Nee, poppenkop,' zei Webster. 'Alles is goed.'

Dat was niet waar. Maar misschien zou het van nu af aan beter worden.

Hij parkeerde bij de kerk, zo ver mogelijk van een straatlantaarn. Onzin natuurlijk, want over een paar minuten zou Sheila uitstappen en naar binnen gaan, voor de bijeenkomst in het souterrain. Misschien probeerde hij haar identiteit te beschermen, dacht hij, ook al was het zo goed als onmogelijk om in een plaats als Hartstone – en omstreken – anoniem te blijven. Rowan was in haar autostoeltje op de achterbank in slaap gevallen.

Sheila had twee sigaretten in de auto gerookt. Onder andere omstandigheden zou Webster daartegen geprotesteerd hebben, met Rowan achterin. Misschien begon hij inderdaad een intolerante zedenprediker te worden, iets wat Sheila hem had verweten. De laatste tijd betrapte hij zich steeds vaker op de wens om naar de kroeg te gaan met zijn collega's. Om de hele avond weg te blijven en dan met een stuk in zijn kraag thuis te komen. Maar als hij dat deed, zou ze helemaal nooit meer naar hem luisteren.

'Het valt vast mee,' zei hij bemoedigend.

'Ik ga nog liever naar de tandarts voor een wortelkanaalbehandeling.'

'Heb je ooit een wortelkanaalbehandeling gehad?'

'Nee.'

Ze droeg een spijkerbroek met een witte bloes. Het was begin april, de dagen werden langer, maar de nachten konden nog erg koud zijn.

Webster keek op zijn horloge.

'Ja, ja, nog drie minuten,' zei Sheila. 'Trouwens, ik kan naar binnen gaan wanneer ik wil.'

'Dan trek je alleen maar extra de aandacht.'

'Niet om het een of ander, maar het is niet met één avond opgelost,' waarschuwde ze. 'Dus verwacht er niet te veel van.' Ze keerde zich naar hem toe. 'Of doe je dat wel?'

'Ik weet niet of ik het durf.'

Hij legde zijn hand op haar rug, net boven haar spijkerbroek, en meende te voelen dat ze huiverde. Het deed hem beseffen hoe weinig ze elkaar nog aanraakten.

Toch leek het fysieke contact iets bij haar te hebben losgemaakt. Met een diepe zucht boog ze haar hoofd. 'Webster, het spijt me.'

Hij wilde haar in zijn armen nemen, maar daarvoor zaten ze te ongemakkelijk, als pubers die probeerden te vrijen in een auto. Zou Sheila ooit het gevoel krijgen dat ze iets had goed te maken, vroeg hij zich af. Hij wilde niet dat ze het goedmaakte. Hij wilde dat ze stopte met drinken.

'Ik hou van je,' zei ze.

Hij maakte zijn gordel los en trok haar naar zich toe. 'Echt waar?'

Ze knikte, en hij drukte een kus op de bovenkant van haar hoofd. 'Ik hou ook van jou.'

Ze legde haar hand op zijn dij. 'Het is geen hypnose. Ik ben niet genezen als ik er vandaan kom.'

'Dat weet ik,' mompelde hij, met zijn mond in haar haren. 'Je moet gewoon naar de bijeenkomsten blijven gaan.'

Ten slotte maakte ze zich los uit zijn omhelzing, en ze stapte uit. Na een korte aarzeling begon ze te lopen. Hij keek haar na. Met haar handen in haar zakken, haar rug kaarsrecht liep ze naar de deur van het souterrain.

Toen ze weer naar buiten kwam, lag er een glimlach op haar gezicht. Websters hart maakte een sprongetje, hoewel hij zichzelf had voorgehouden er niet te veel van te verwachten. Hij zag haar naar de auto komen, door een poel van licht, afkomstig van een lantaarn.

Wat was ze mooi!

Eenmaal thuis stopten ze Rowan in bed en vrijden ze zoals ze in het begin van hun relatie hadden gevrijd. Webster kon zijn geluk niet op. Was hij maar eerder over de AA begonnen, dan hadden ze elkaar niet zoveel pijn gedaan. Van nu af aan werd alles anders. Daar was hij van overtuigd.

Nog geen week later besefte Webster dat ze naar drank rook. Hij werd zo kwaad dat hij even geen woord kon uitbrengen.

'Ik wil maar één ding van je weten,' zei hij ten slotte, voordat hij naar de slaapkamer liep. Hij was te moe, te zeer verslagen om Rowan uit haar bedje te halen en te vertrekken; hij was zelfs te moe om ermee te dreigen. 'Die glimlach, toen je terugkwam van die bijeenkomst... Was je toen al bezig de boel te belazeren?'

'Ik weet het niet.'

Webster maakte duidelijk dat hij geen ruzie wilde maken waar Rowan bij was. Sheila was het met hem eens, maar soms kon ze zich niet beheersen. Op het dieptepunt van de moeilijke periodes overwoog Webster opnieuw om ermee te kappen. Soms leek het wel alsof Sheila wilde dat hij haar in de steek liet; alsof ze daarom vroeg. Dan hield hij zichzelf voor dat ze gewoon een slechte periode doormaakte in het leven van een jonge moeder. Nog even, en ze zou uit zichzelf naar de AA gaan, of ze zou een andere manier weten te vinden om haar evenwicht te herwinnen.

Ze kenden ook rustige periodes. In een nacht met geweldige seks werd alles vergeven en vergeten. Dan laaide er ook weer iets van het liefdesvuur op. In afwachting van een verzoeningsgebaar van de ander kropen Webster en Sheila steeds dichter naar elkaar toe.

Sheila ging uit zichzelf naar de AA en hield dat een maand vol.

Webster wist dat hij ooit zo gelukkig was geweest als een mens maar kon zijn, maar dat gevoel kreeg hij niet meer te pakken. Zelfs niet wanneer het goed ging tussen Sheila en hem. Dan sloot hij zijn ogen en probeerde hij terug te gaan naar die tijd, naar dat gevoel, maar het was alsof een deel van hem buiten zijn bereik was geraakt.

Onder deze omstandigheden, als in een onregelmatig kloppend hart, groeide Rowan op.

Soms, wanneer hij met de Bullet onderweg was, of wanneer hij hout stond te hakken met zijn weinig spraakzame vader, vroeg Webster zich af of alle huwelijken een dergelijk patroon kenden: een afwisseling van goede en slechte periodes. Waarschijnlijk wel, dacht hij. En een huwelijk was tot mislukken gedoemd als het bleef steken in een slechte periode, als de echtgenoten daar niet meer uit wisten te komen, omdat het hun niet meer kon schelen.

Tijdens zijn opleiding had een van de docenten gesproken over 'stressveroorzakende factoren'; uiteraard in de context van het werk, doelend op de afschuwelijke situaties waarmee ambulancepersoneel onvermijdelijk werd geconfronteerd, en hoe die er uiteindelijk toe konden leiden dat een ambulanceverpleegkundige onverschillig tegenover zijn patiënten kwam te staan. Webster had inmiddels de nodige ervaring met stressveroorzakende factoren, maar hoe schokkend die ervaringen soms ook waren, hij slaagde er doorgaans in ze een plekje te geven. Als het om zijn huwelijk ging, wist hij zich echter geen raad met de stressveroorzakende factoren. Met als gevolg dat hij onverschillig tegenover zijn eigen vrouw kwam te staan.

Zijn moeder deed een spelletje met Rowan. Ze zat op handen en knieën en klopte op de grond. Webster was zich er nauwelijks van bewust. *Mister Roger's Neighborhood* was op de televisie, een programma waar hij zich doorgaans dood aan ergerde. Maar ook dat drong niet tot hem door.

Sheila was aan het werk.

Rowans gezichtje was kleverig van de paarse glazuur. Van Webster mocht zijn moeder haar geven wat ze wilde. Tenslotte had ze voor het eerst een klein meisje dat ze kon verwennen. Webster vond het vermakelijk om te zien.

Uiteindelijk werkte zijn moeder zich lichtelijk buiten adem overeind en liet zich op de bank vallen. Rowan was gebiologeerd door de televisie, ook al verzuchtte Webster regelmatig dat groeiend gras spannender was om naar te kijken.

'Wat ben jij stil vandaag. Heb je je tong ingeslikt?' Zijn moeder gaf hem een por.

'Mam, hou op. Je klinkt als iemand uit dat stomme programma.'

'Oei, en nu zijn we op onze teentjes getrapt.' De blije uitdrukking op haar gezicht wist van geen wijken.

Webster deed zijn best om te glimlachen, maar dat lukte hem niet echt.

'Wil je iets drinken? IJsthee misschien? Ik kan het zo voor je maken.'

'Nee.'

'Wat is er?' Ze fronste haar wenkbrauwen. 'Je maakt je zorgen omdat Sheila drinkt, is dat het?'

'Hoe weet je dat?'

'Je vader en ik zijn niet blind.'

'Hebben jullie het erover gehad?'

'Alleen met elkaar.'

Webster wendde gegeneerd zijn blik af.

'Het is niet jouw schuld,' zei zijn moeder.

'Hoe weet je dat? Misschien doe ik wel iets, of doe ik iets juist niet, waarmee ik haar tot wanhoop drijf.'

'Zegt ze dat?' Zijn moeder keerde zich naar Rowan, om zich ervan te overtuigen dat haar kleindochter nog helemaal opging in Mr. Rogers. 'Jullie hebben samen een prachtige dochter,' voegde ze eraan toe.

'Daar ben ik me van bewust.'

'Je ziet er zo moedeloos uit.'

'Dat ben ik ook. Het was bepaald geen pretje, de laatste tijd.'

'Houdt Sheila van je?'

'Ik geloof van wel.'

'Dan stopt ze uiteindelijk wel met die onzin,' zei zijn moeder. 'Voor jou. En voor Rowan.'

'Was het maar zo simpel.'

Webster merkte dat zijn dochter onrustig begon te worden; het programma was bijna afgelopen.

'Jullie moeten vaker de deur uit,' luidde het advies van zijn moeder. 'De buitenlucht in. Ga wandelen samen. Neem Rowan ook mee. Dat is beter dan dat een van jullie thuis moet blijven om op haar te passen.'

Hij wist dat zijn moeder het goed bedoelde. Maar wat ze voorstelde, was niet meer dan een druppel op een gloeiende plaat.

Rowan kwam naar haar oma gewaggeld en drukte haar gezichtje, met snotneus en al, tegen oma's knieën. Websters moeder leek het niet erg te vinden. 'Als je altijd maar één ding goed voor ogen houdt: je mag nooit spijt hebben van iets waar je kinderen uit zijn voortgekomen,' zei ze, terwijl ze Rowan op haar hoofdje klopte.

De zondag daarna volgde Webster zijn moeders advies op. De avond tevoren had hij het er met Sheila over gehad om met Rowan naar een park in de bossen te gaan. Er waren wandelroutes uitgezet, er stonden picknicktafels en zelfs speeltoestellen. Ze zouden met het hele gezin gaan. 'Ik maak een picknick klaar,' zei hij. 'Dan kunnen we daar ontbijten.'

Dus die zondagmorgen pakte hij alles in: lucifers, brood, bacon, lange spiezen, papieren borden, sinaasappelsap, keukenpapier, een koekenpan en een thermoskan met koffie. 'Dat ziet er veelbelovend uit,' zei Sheila.

'Reken maar. Je zult nog eens wat beleven.'

Rowan was uitgelaten bij het vooruitzicht dat ze met papa en mama op stap zou gaan, en Webster vroeg zich af waarom ze dat niet vaker hadden gedaan. Ze gingen wel samen naar de supermarkt, ze deden ook andere boodschappen samen, en minstens eens in de twee weken aten ze bij zijn ouders, maar uitstapjes naar het park waren zeldzaam.

Terwijl Sheila achter Rowan aan rende, die elk speeltoestel moest proberen, maakte Webster een vuur in een van de barbecuekuilen die over het prachtige terrein verspreid lagen. Ondertussen arriveerden er nog meer gezinnen. De meeste kinderen waren met hun vader. De moeders sliepen uit, wist Webster, of wilden gewoon graag even tijd voor zichzelf.

Webster zette de koekenpan op het rooster boven het vuur. Hij maakte de bacon klaar zoals zijn vader hem dat had geleerd: niet te snel en goed doorbakken. Toen de geur in Sheila's neusgaten drong, trok ze een wenkbrauw op. Hij zette een wegwerpbord neer met een stuk keukenpapier erop om het vet van de bacon op te vangen. Vervolgens roosterde hij het brood aan de lange spiezen tot het donker kleurde. Hij schonk sinaasappelsap in papieren bekertjes, koffie in mokken. Toen maakte hij voor hen alle drie een sandwich van twee sneden geroosterd brood met daartussen drie plakken bacon. De andere vaders sloegen hem vast en zeker jaloers gade, dacht hij. Toen hij alles op de picknicktafel had gezet, riep hij zijn vrouw en zijn dochter. 'Aan tafel!'

Aan het genietende gekreun te horen viel zijn ontbijt duidelijk in de smaak.

'Ik heb meestal mijn twijfels als je iets zo enthousiast aan de man probeert te brengen,' zei Sheila. 'Maar dit is zelfs nog lekkerder dan ik had gedacht.'

'Je moet het buiten doen, op een houtvuur, om die speciale smaak te krijgen. Ik weet niet precies hoe dat komt, maar het is echt zo.' Webster keek naar zijn dochter die haar mond zo ver mogelijk opendeed om een hap van haar sandwich te nemen.

'Ik wou dat ik het fototoestel bij me had,' zei hij. 'Dit is een belangrijke mijlpaal. Besef je dat wel?'

'Haar eerste broodje bacon?' vroeg Sheila. 'Volgens mij moet je er nodig wat vaker uit.'

'Dat zei mijn moeder ook al, afgelopen dinsdag. Dat ik vaker de deur uit moest. Dus dat doe ik nu. We zijn gezellig samen uit.'

Sheila nam een slok van haar sap.

'Wil je er nog een?' vroeg Webster. 'Ik heb meer dan genoeg bacon. Het is al gebakken. En brood roosteren is zo gebeurd.'

'Ja, ik lust er nog wel een,' zei Sheila.

'Ik ook,' zei Rowan, die inmiddels doorhad dat ze de sandwich kon openklappen en de bacon ertussenuit kon eten.

Sheila en Webster namen ieder nog een broodje. Terwijl ze gedrieën tegenover elkaar aan de picknicktafel zaten, voelde Webster een aarzelend sprankje geluk.

Sheila ruimde op terwijl Webster met Rowan een kort wandelingetje over een van de paden ging maken. Hij wilde niet dat ze direct na het eten weer op de speeltoestellen klom. Het wandelingetje werd zelfs nog korter dan beoogd, doordat Rowan, als een hondje, alles wat ze onderweg tegenkwam – steentjes, dennenappels – moest bekijken en aanraken. Toen ze rechtsomkeert maakten, zag hij Sheila op een van de schommels zitten.

'Zal ik je duwen?'

'Hè, ja!'

'Duwen!' praatte Rowan hem na, en ze probeerde op de schommel naast die van haar moeder te klimmen.

Webster duwde hen allebei, totdat Sheila het uitschaterde en Rowan gilde van verrukking. Hij besefte hoe dierbaar die geluiden hem waren. Innig dierbaar. Uiteindelijk vroeg Sheila hem haar schommel stil te houden. 'Ik word duizelig,' zei ze.

Rowan en zij sprongen van hun schommel, en ze gingen gedrieën op een bank zitten langs een van de paden, niet ver van de tafel waaraan ze hadden gepicknickt. Uiteindelijk liet Rowan zich van de bank glijden, om de schatten van Moeder Natuur op de grond te verkennen. Sheila zweeg. Webster kreeg het angstige gevoel dat ze bezig was zich weer van hem terug te trekken.

'Sheila,' zei hij. Ze keerde zich naar hem toe, en om haar mond speelde de vluchtige glimlach die hij had geleerd te wantrouwen.

Webster kon momenten scheppen, maar hij kon er niet genoeg aan elkaar rijgen om een ander leven te creëren.

Hij legde zijn armen over de rugleuning, maar raakte Sheila niet aan. Ondertussen hield hij zijn blik op Rowan gericht.

Hij voelde dat Sheila snakte naar een borrel. 'Niet doen,' zei hij toen Rowan aanstalten maakte een kiezelsteen in haar neus te stoppen. Ze keek naar hem van onder haar wimpers, alsof ze aarzelde of ze zou gehoorzamen. Een oudere dame op een bank verderop boog zich naar hen toe. Ze was Webster nog niet eerder opgevallen.

'Dit zijn de mooiste jaren van je leven,' zei ze met een glimlach.

Webster knikte haar toe, om duidelijk te maken dat hij haar had gehoord. Sheila boog haar hoofd alsof ze de grond inspecteerde.

'Je meent het,' zei ze, tegen niemand in het bijzonder.

De achtertuin van de ijssalon bood normaliter een weinig uitnodigende aanblik, maar Webster en Sheila waren al een uur bezig om ballonnen in de bomen te hangen, een picknicktafel op te tuigen met feestmutsen en rode bekertjes en bordjes, en spelletjes klaar te zetten die geschikt waren voor tweejarigen. Rowan rende ondertussen uitzinnig van opwinding in het rond. De geel-met-witte jurk die haar moeder voor de gelegenheid had gekocht, zat al onder de grasvlekken. Toen Sheila en Webster klaar waren, lieten ze hun blik keurend over het grasveld gaan.

'Het ziet er echt uit als een verjaardagsfeestje,' zei Sheila.

'En het is goddank droog gebleven. Terwijl ze regen hadden voorspeld.'

'Ach, ze zitten er altijd naast.'

'Rowan hééft het niet meer.' Webster glimlachte naar zijn kleine meisje.

Het huwelijk verkeerde al geruime tijd in rustig vaarwater. Webster durfde nog niet te hopen dat Sheila en hij hun problemen achter zich hadden gelaten, maar hij vond wel dat ze de lange periode van rust mochten vieren, net als de verjaardag van zijn dochter. Sheila had de taart gebakken, een enigszins scheefgezakte chocoladecreatie bedekt met geel glazuur. Er stonden drie kaarsjes op, één gelukskaars en één voor elk levensjaar.

Rowans eerste verjaardag hadden ze in familiekring gevierd.

Dit jaar had Sheila te kennen gegeven dat ze vier kindjes wilde uitnodigen die met Rowan naar de dagopvang gingen, samen met hun ouders. Die laatsten kende Webster slechts vluchtig en alleen van gezicht. Rowans opa en oma zouden ook van de partij zijn.

Sheila maakte een gelukkige indruk. Ze schonk cola in een van de hoge rode bekers die voor de volwassenen bedoeld waren, en vroeg Webster of hij iets wilde drinken. Hij stond op het punt om ja te zeggen toen de eerste ouders arriveerden met hun kind, een jongetje dat Jason heette. Rowan sleepte hem onmiddellijk mee naar de spelletjes die haar vader had klaargezet. Sheila bood de ouders een drankje aan en wees hun waar de chips en dips stonden. Het gesprek verliep een beetje stroef, en er werden heel wat grapjes gemaakt over wonen boven een ijssalon. Webster had ze allemaal al eerder gehoord, maar toch grinnikte hij.

Sheila lachte luid en uitbundig met de moeders. Zij kende hen beter dan Webster.

Als ceremoniemeester ging Webster volledig op in zijn taak.

Zo kwam het dat hij pas na een uur in de gaten had dat Sheila voortdurend met een rode beker in haar hand liep. Onmiddellijk begon er een alarmbel te rinkelen. Ze was nerveus, zei hij tegen zichzelf. Ze had behoefte aan een steuntje. Toen het moment was aangebroken om de taart aan te snijden, deed Rowan een wens en ademde diep in. Maar tot Websters verbazing bukte Sheila zich en blies alle kaarsjes uit. Webster verwachtte dat Rowan het op een brullen zou zetten, maar in plaats daarvan sloeg ze met haar handje plat op de taart en vernielde het glazuur met HOERA VOOR DE JARIGE ROWAN. Alleen Webster zag er een uiting van boosheid in. Sheila gaf er de voorkeur aan het aanbiddelijk te vinden en begon te lachen. Het ontging Webster niet dat de ouders van de uitgenodigde kinderen haar argwanend opnamen.

Terwijl hij verder ging met de resterende spelletjes, stond Sheila tegen de betonnen muur van de ijssalon geleund, nog altijd met een rode beker in haar hand. Toen ze om een uur of halftwee afscheid nam van de ouders, sprak ze met dikke tong. Webster zag dat de ouders hun kinderen bij haar weghielden. Hij was woedend, en hij schaamde zich dood. Ze had zowel hem als Rowan in verlegenheid gebracht. Toen de laatste gasten waren vertrokken stuurde hij Sheila naar boven. Hij zou wel opruimen en op Rowan letten, zei hij.

Sheila werkte zich enigszins moeizaam de trap op. Websters moeder ontfermde zich over de rommel, terwijl Webster bij zijn vader ging staan onder een rode esdoorn, vanwaar ze Rowan in de gaten hielden.

'Het gaat niet goed met Sheila.' Zijn vader draaide er niet omheen. 'Er moet iets gebeuren.'

'Ik heb alles al geprobeerd,' zei Webster, 'behalve bij haar weggaan.'

'Dan zul je toch nog meer moeten doen. Misschien moet je eens informeren naar de mogelijkheden van een opname.'

'Je bedoelt in een ontwenningskliniek?'

'Precies.'

'Zulke behandelingen zijn schreeuwend duur, pa.'

Webster kromp ineen. Als zijn vader maar niet dacht dat hij om geld vroeg.

'Maar dan helpen we je toch...' begon zijn vader.

Webster hief zijn handen. 'Sorry. Maar dat wil ik niet. Ik had niet over geld moeten beginnen. Wat we ook doen, we doen het op eigen kracht.'

Zijn vader stak zijn handen in zijn zakken. Hij noch Webster had Rowan ook maar één moment uit het oog verloren. Het kleine meisje leek het incident met de taart alweer te zijn vergeten. 'Nog even voor alle duidelijkheid, zoon,' vervolgde Websters vader. 'Als jij en je gezin het daardoor een beetje makkelijker krijgen, dan zouden je moeder en ik geen betere bestemming voor ons geld kunnen bedenken.'

'Bedankt voor het aanbod, maar ik moet erover nadenken.'

'Je bent gewoon een ordinaire zuiplap,' zei Webster. Sheila en hij waren in de slaapkamer. Rowan zat in de woonkamer voor de televisie. Hij probeerde zijn stem gedempt te houden, maar dat lukte niet echt. Daarvoor was hij veel te kwaad. 'Op de verjaardag van je dochter! Wat bezielt je? Heb je wel gezien dat die kinderen zich aan hun ouders vastklampten als je te dicht- bij kwam? Godallemachtig, Sheila! Wat moeten die mensen wel niet denken?'

'Dacht ik het niet!' Er lag een zelfingenomen trek om haar mond. Ze pakte haar sigaretten uit het laatje van haar nacht- kastje en stak er een op. 'Wat de buren denken is belangrijker dan hoe het met mij gaat.'

'Ik weet hoe het met je gaat. Ik hoef maar naar je te kijken!'

Ze stopte haar haar achter haar oren en stak haar kin naar voren alsof het haar niet kon schelen. 'En hoe ga je me dit betaald zetten? Voor straf geen verjaardagsfeestjes meer? Geni- aal! Dan wordt Rowan ook gestraft.'

'Dat wordt ze al,' zei Webster.

'Ach god, heeft ze zich voor haar mammie geschaamd van- daag?'

'Nou en of. Ze weet het als je drinkt. Dan blijft ze bij je vandaan. Ik huiver bij de gedachte wat er gebeurt als ik niet thuis ben.'

'Je huivert bij de gedachte?' herhaalde ze honend. 'Jezus, Webster, je zou jezelf eens moeten horen!'

'Ik vind dat je hulp moet zoeken.'

'En dat bepaal jij?' Ze richtte zich op. 'Ik vertik het om weer naar die lui van de AA te gaan. Daar word ik compleet depressief van! Bij die mensen hoor ik niet thuis. Bovendien, zoveel drink ik nou ook weer niet. Je overdrijft, zoals je altijd alles overdrijft. Ziet Rowan eruit alsof ze honger lijdt? Loopt ze er ooit smerig bij? Ziet ze eruit alsof ze ongelukkig is? Denk je soms dat ik minder van haar hou dan jij?'

'Nee, natuurlijk denk ik dat niet. Maar blijkbaar is de drank belangrijker voor je dan je eigen kind.'

'Dat is niet waar.'

'Sheila, kap ermee! Stop met drinken!'

De verslagenheid in zijn stem maakte dat ze haar hoofd boog.

'Kunnen we nu alsjeblieft gaan slapen? Dan praten we morgen verder,' vroeg hij.

'Mij best. Hoe zeggen ze dat ook alweer? Nieuwe ronde, nieuwe kansen?'

Na een goede maand volgde opnieuw een slechte. Toen drie goede weken, met daarna zeven verschrikkelijke dagen. In de slechte weken herhaalde Webster in gedachten telkens dezelfde woorden, als een melodie die niet meer uit zijn hoofd wilde: mijn gezin heeft hulp nodig. En het stak hem dat hij hartaanvallen kon voorkomen, dat hij bij gewonden de schade tot een minimum wist te beperken, dat hij zelfs de effecten van een overdosis ongedaan kon maken, maar dat hij de wonden in zijn privéleven niet kon hechten.

Hij werd al nerveus als hij bij thuiskomst van zijn werk de voordeur opendeed. Want hij moest altijd rekening houden met de mogelijkheid dat hij Rowan moe en nukkig voor de televisie aantrof, terwijl Sheila in bed lag te slapen. En dan moest Webster zorgen dat alles weer in orde kwam. Op een dag stond Sheila aan het fornuis, toen hij thuiskwam, met een halflege fles wijn naast zich. 'Een glaasje voor de pot, en een glaasje voor de kok,' zei ze met een glimlach, alsof er nooit iets was gebeurd.

'Waar is Rowan?' vroeg hij in paniek.

'Die heb ik naar buiten gestuurd. Ze wilde een sneeuwpop maken.'

Webster stormde de trap af. Hij moest zorgen dat alles weer in orde kwam.

Webster liet Sheila beloven dat ze nooit met een slok op achter het stuur zou kruipen. Tot twee keer toe vergat ze Rowan te halen, zodat de leidster van het kinderdagverblijf Websters werk belde waar de boodschap werd doorgestuurd naar de mobilofoon. *Of je je dochter komt halen.*

Telkens opnieuw kamde Webster het hele huis uit. Op een ochtend vond hij een witte plastic zak bij het vuilnis van de ijssalon, vol met mini-flesjes wodka en whisky zoals je die in het vliegtuig kreeg. Het moesten er enkele tientallen zijn. Hij sloot zijn ogen. Om zo'n voorraad bij elkaar te krijgen zonder op te vallen, moest ze bij verschillende drankwinkels in de omgeving zijn langs geweest. Hij vroeg zich af of Rowan bij die ritjes op de achterbank had gezeten.

Webster deed wat hij kon, hij deed alles nauwlettend volgens het boekje, maar de angst dat zijn patiënt – hun huwelijk – de geest zou geven, raakte hij niet kwijt.

Op een avond in de week tussen Kerstmis en oudejaarsavond trof Webster bij thuiskomst Rowan slapend in het bedje dat ze onder een overhangende dakbalk hadden gezet. De rest van de ruimte werd in beslag genomen door de kerstboom. Ze hadden een gezellige kerst gehad, Webster had genoten van het gezicht van zijn dochter toen ze op kerstochtend bij het wakker worden alle cadeautjes had gezien. Zijn enige zorg was geweest wat hij Sheila zou geven. In het begin van hun relatie wist hij elke dag wel een cadeautje dat hij haar wilde geven, maar nu had hij geen inspiratie meer. Al wat mooi was of romantisch, voelde onecht. Uiteindelijk kocht hij een slow cooker. Die had Sheila gevraagd. Maar Webster vond het een deprimerend cadeau.

Ze hadden meer ruimte nodig, en daarmee konden ze niet lang meer wachten. Gelukkig hoefde hij niet bang te zijn dat zijn dochter wakker werd wanneer hij 's nachts thuiskwam. Rowan bleek een uitstekende slaper te zijn, die onverstoorbaar doorsliep.

Sheila riep hem vanuit de slaapkamer.

'Ik kom eraan,' riep hij terug.

Ze verscheen in de deuropening, in zwarte kousen tot halverwege haar dijen, een kanten beha en een bijpassende slip. Haar buik was volmaakt plat. Hoe had ze dat voor elkaar gekregen?

'Wow!' verzuchtte hij. 'Waar heb ik dat aan te danken?'

'Kom maar hier, dan zal ik het je laten zien,' zei ze koket.

Hij trok zijn kleren uit voor de wasmachine en nam de snelste douche van zijn leven. Toen dook hij bij zijn vrouw in bed. Ze rook niet naar sigaretten, en hij kon geen zweem van dranklucht ontdekken. Webster begon te ontspannen.

Sheila ging boven op hem liggen en spreidde zijn armen. 'Ik hou van je, meneer Webster. Denk erom dat je dat nooit vergeet.' Ze boog zich naar hem toe om hem te kussen.

Toen ze zijn handen losliet, liet hij ze over haar rug en haar benen dwalen. Het was een verrukkelijke sensatie. Ze kuste hem opnieuw en richtte zich op zodat hij de kanten niemendalletjes kon bewonderen. Hij pakte haar beet en draaide haar zo dat ze in de buiging van zijn arm lag en hij haar gezicht kon zien. Hun blikken vonden elkaar, en hij had het gevoel alsof ze zich allebei uitspraken tegenover de ander, alsof ze uiting gaven aan alle keren dat ze 'het spijt me' hadden willen zeggen, 'het spijt me echt verschrikkelijk', in een taal die ze geen van beiden beheersten. Hij zei dat hij van haar hield, en ze kuste hem hartstochtelijk, wat leidde tot de onstuimige krachtmeting die de seks vroeger was geweest. Webster voelde zowel verdriet als verlangen. Verdriet om alles wat ze hadden verloren, maar ook verlangen naar Sheila's lichaam, dat altijd weer zijn begeerte wist te wekken. Hij besefte dat ze allebei probeerden de ander te breken, en dat geen van beiden deze krachtmeting zou kunnen winnen. Hij wilde haar. Voor altijd. En bovenal wilde hij dat alles anders zou worden.

Sheila probeerde zich in te houden, maar dat kostte haar al haar wilskracht, zag hij. Toen het moment daar was, hadden ze slechts oog voor elkaar en voor niets anders. En toen ze zich uiteindelijk weer achterover lieten vallen, lachten ze allebei.

Een week lang, en daarna nog een week, leefde Webster zijn leven.

Het signaal klonk om kwart voor twee 's middags. Webster nam de melding in ontvangst. Burrows keek op van zijn winnende hand kaarten.

'Een 10-50,' zei Webster. 'Twee auto's. Op de 222, ten noorden van de stad.'

Burrows hoefde er geen moment over na te denken. 'Vier minuten, twintig seconden.' Hij stormde naar de Bullet, op de hielen gevolgd door Webster.

'Achter het stuur in slaap gevallen,' zei Burrows toen ze eenmaal onderweg waren. 'Waar wedden we om?'

Webster dacht even na. Kwart voor twee. Geen verkeer. Geen extreme weersomstandigheden. De bestuurder kon dronken zijn, maar dat leek hem onwaarschijnlijk. Of hij kon achter het stuur een hartaanval hebben gekregen, wat hem nog onwaarschijnlijker leek.

'Dat lijkt me te gemakkelijk,' zei Webster terwijl hij alle toeters en bellen aanzette. Hij trapte het gaspedaal zo diep mogelijk in. 'Misschien een overstekend hert.'

'Ik stond op het punt zeven dollar van je te winnen.' Burrows streek over zijn gemillimeterde haar.

'Dat denk je maar.'

'Jij had waardeloze kaarten,' zei Burrows.

'Om te winnen zul je toch eerst moeten spelen,' hielp Webster hem herinneren.

Burrows stak zijn middelvinger naar hem op. 'Zijn wij de

eerste auto?' vroeg hij. 'Of zijn we de back-up?'

'Voorlopig zijn wij de eerste auto. Er is ergens brand, en daar is ook al een ambulance naartoe.'

'Dus misschien is het iemand van de vrijwillige brandweer? Met spoed op weg naar de brand?'

'Het zou kunnen,' zei Webster.

'Was het frontaal?' vroeg Burrows.

'Zo klonk het wel.'

'Godsamme.'

Ze reden in volle vaart langs het oude huis met de lamellenveranda. Even daar voorbij maakte Webster een scherpe bocht, de 222 op.

'Hoe ver is het?' vroeg Burrows.

'Dat weet ik niet.'

Webster had een gloeiende hekel aan de 222. Het was een gevaarlijke weg, erg bochtig en heuvelachtig. Met amper vijftien meter zicht viel het niet mee om snelheid te maken.

Zodra hij de zwaailichten in zicht kreeg, stond hij boven op de rem. Een groen-met-gouden auto van de state police, met het portier open, blokkeerde zijn zicht.

Maar niet dat van Burrows. 'Shit!' Hij gooide zijn portier open, greep de paraatkoffer en een wervelplank en begon te rennen.

Toen pas zag Webster de Buick.

Een stoot adrenaline zette zijn hart in brand, en hij wist niet hoe snel hij uit de auto moest komen.

Terwijl hij naar de Buick rende, kon hij Sheila achter het stuur zien zitten. Burrows was al met haar bezig. Webster rukte het achterportier open. Waar was Rowan? Op het kinderdagverblijf? Hij dacht koortsachtig na. Had Sheila haar bij zijn moeder gebracht? Trouwens, wat deed ze op de 222?

Er kwam een agent van de state police naar hem toe. 'Bestuurder buiten kennis,' rapporteerde hij. 'Peuter tien meter uit de auto geslingerd. De andere bestuurder heeft op het laatste moment weten uit te wijken. Hij zit vast in zijn pick-up. We zijn bezig hem eruit te krijgen.'

'Ik heb hier iemand nodig!' riep een vrouwelijke agent. Toen zag Webster het bundeltje op de grond en vloog erheen.

'De riem van het stoeltje zat vast,' zei de politievrouw, 'maar het stoeltje zelf niet. Dus ze is door het open raampje de auto uit geslingerd. Ze leeft nog.'

Webster liet zich op handen en knieën vallen en boog zich over Rowan heen. Ze lag onder een deken, nog in haar autostoeltje.

'Rowan, liefje,' zei Webster.

De verpleegkundige in hem registreerde de kneuzingen, de verwondingen in het gezicht, de pols die misschien gebroken was, te oordelen naar de stand van het armpje. Gezien de glazige blik in haar ogen had hij de indruk dat zijn dochter in shock was. Haar gezicht zat onder het bloed.

'Ik heb assistentie nodig!' riep hij.

'Blijkbaar heeft het stoeltje als eerste de grond geraakt,' zei de vrouwelijke agent. 'Dat heeft als een helm het hoofdje beschermd.'

'Het is mijn dochter!' riep Webster.

De agente, die op haar hurken had gezeten, kwam overeind en floot. Een tweede agent kwam naar hen toe rennen.

'Is er nog een ambulance onderweg?' vroeg ze.

'Nog geen minuut geleden vertrokken,' luidde het antwoord.

'Waar is de andere verpleegkundige?'

'Die is met de bestuurder van de Buick bezig.'

'Is het kritiek?'

'Daar ziet het niet naar uit.'

'Zeg dat hij hier komt. En bel voor assistentie. Zoveel als we kunnen krijgen. Deze broeder staat met onmiddellijke ingang op non-actief.'

Webster werd door zijn collega overeind geholpen, zijn broek doorweekt van de vochtige bladaarde. 'Ik neem haar van je over,' zei Burrows zodra hij Webster in de ogen kon kijken. 'Laat mij haar behandelen. Jij kunt haar handje vasthouden.'

Webster deed een stap naar achteren.

'Haal de kleinste maat halskraag en spalken,' zei hij tegen een tweede verpleegkundige, die in vliegende vaart naar de ambulance rende. Webster zag dat er een derde ziekenwagen arriveerde.

Hij keek toe terwijl Burrows Rowans armpje spalkte. Het gejammer van zijn dochter klonk hem als muziek in de oren. Maar hij werd misselijk van ellende toen hij zag dat ze op een wervelplank werd gelegd.

Wat als, spookte er door zijn hoofd. Wat als de andere bestuurder niet had opgelet? Wat als Sheila tegen een boom was gereden? Wat als Rowan, toen ze uit de auto werd geslingerd, een boom had geraakt?

Burrows legde een hand op zijn schouder. 'Het komt allemaal goed met Rowan. Ze heeft een gebroken pols en een gebroken been. Blijkbaar is ze op haar rechterkant terechtgekomen. Ik heb een brandweerman gevraagd om ons te rijden. Dan kun jij bij mij achterin komen. Maar nogmaals, ze is mijn patiënt.'

Terwijl Webster zijn dochter samen met Burrows de auto in schoof, had hij het gevoel dat zijn hele wereld uit het lood was geraakt.

'O, en je vrouw,' begon Burrows toen ze achterin zaten.

'Ja?'

'Daar komt het ook goed mee.'

'Had ze gedronken?'

'Twee punt zes.'

Webster knikte grimmig. 'Rowan had wel dood kunnen zijn. En dan was het haar schuld geweest.'

'Maar dat is niet gebeurd. Wil je niet weten hoe ze eraantoe is?'

Webster zei niets.

'Ze heeft een gebroken sleutelbeen, verwondingen aan het voorhoofd en de borst, ettelijke kneuzingen, en het kan zijn dat de milt is beschadigd.'

Met andere woorden, niks aan de hand, dacht Webster.

'Ze huilde,' zei Burrows.

'Ze zoekt het maar uit,' zei Webster.

Na te zijn onderzocht op de Spoedeisende Hulp, werd Rowan overgebracht naar een tweepersoonskamer op de kinderafdeling. Webster week geen moment van haar zijde. Heel zorgzaam en voorzichtig sponsde hij het bloed weg. Hij voerde haar het eten dat de verpleging kwam brengen. Hij hield de monitoren in de gaten. En wanneer ze wakker was, las hij haar voor. Van de drieënveertig uur die hij naast haar bed zat, sliep hij er nog geen zes. Naar Sheila ging hij niet.

Op de ochtend van de derde dag kwam Websters moeder hem en Rowan halen. Ze zouden een paar dagen bij zijn ouders blijven. Over Sheila werd met geen woord gesproken.

Websters moeder had een nieuw autostoeltje gekocht, en ze had een deken meegenomen waar Webster zijn dochter in wikkelde. Hij ging naast haar op de achterbank zitten en maakte hun gordels vast. De rest van de bank was gevuld met knuffels die de verpleegsters hadden meegegeven, en Rowan begon te giechelen toen Webster ze een voor een een naam gaf. Burrows volgde in Websters auto. Hij zou later worden opgepikt door een stagiair.

Eenmaal thuis gaf Webster zijn dochter aan zijn moeder. Hij wist dat er een traktatie voor Rowan op de keukentafel stond. Zelf liep hij naar de veranda.

'Je staat een week op non-actief,' zei Burrows bij aankomst.

'Oké.'

'Sheila wordt morgenochtend uit het ziekenhuis ontslagen. Een surveillancewagen komt haar halen om haar mee te nemen naar het bureau. Daar wordt ze in staat van beschuldiging gesteld.'

'Hoe is het met de chauffeur van de pick-up?'

'Die heeft een heup en een knie gebroken. Misschien mag hij volgende week naar huis. Maar die knie, dat ziet er niet goed uit. Waarschijnlijk moet hij geopereerd worden, en hij zal maanden moeten revalideren. Geen lid van de vrijwillige brandweer, trouwens.'

'Wat is de aanklacht?'

'Roekeloos rijgedrag, rijden onder invloed, wie zal het zeggen?'

'Gaat ze de bak in?'

'Absoluut. Het is al haar tweede overtreding. En deze keer zijn ook anderen gewond geraakt.'

Webster wendde zijn blik af.

'De politie komt haar niet voor tienen halen,' zei Burrows nadrukkelijk.

Webster knikte.

'Dat heb ik rechtstreeks van Nye.'

Webster was verrast. 'Wie had dat kunnen denken?'

'Inderdaad, wie had dat kunnen denken?' herhaalde Burrows.

De volgende morgen om acht uur kwam Webster haar kamer binnen. Sheila had haar oude leren jack al aan. Blijkbaar had Burrows haar gewaarschuwd. Met haar gescheurde lip en pleisters op haar voorhoofd en wangen zag ze er grotesk uit. Rowan had een gebroken been en een gebroken pols, maar Sheila kon gewoon lopen.

'Je had bijna drie doden op je geweten gehad.' Hij bleef op ruime afstand staan, met zijn vuisten in zijn zakken.

Ze boog haar hoofd. 'Het spijt me.'

'Rowan was er bijna niet meer geweest. Door jouw schuld.'

'Ik vind het echt heel erg.'

'Je zoekt het maar uit.'

'Ik ga naar een ontwenningskliniek,' beloofde ze.

'Je gaat naar de gevangenis.' Hij zweeg even. 'Ik word geacht je naar het politiebureau te brengen.'

Ze keek op. 'Maar dat gaat niet gebeuren.'

'Nee.'

De lucht tussen hen in leek onder hoogspanning te staan. Een elektrische stroom van boosheid en spijt, maar dat was niet alles. In de blik waarmee ze elkaar aankeken, doofden de laatste vonken van wat hen ooit in de ander had aangetrokken.

Webster reed met de surveillancewagen naar de ingang van het ziekenhuis. Mary bracht Sheila er in een rolstoel naartoe. Nye, Burrows en Mary, ze zaten allemaal in het complot. En Webster zou voorgoed bij Nye in het krijt staan.

Eenmaal in de auto vroeg Webster aan Sheila hoe ze op de 222 was terechtgekomen.

'Ik weet het niet meer.'

Hij balde zijn vuisten om het stuur, maar dwong zichzelf te ontspannen. De grimmige trek om zijn mond liet zich echter niet verjagen. Hij was razend om wat ze had gedaan, en razend omdat ze hem dwong te doen wat hij deed.

Anderhalve kilometer van zijn ouderlijk huis zette hij de auto langs de kant van de weg. Hij wendde zich naar Sheila, maar ze keek niet op.

'Ik laat de sleutels in de auto,' zei hij. 'In het handschoenenkastje ligt vijftienhonderd dollar. Zorg dat je tot voorbij

New York komt. Laat de auto daar achter op het parkeerter-rein van een 7-Eleven of zoiets. Ergens waar ze dag en nacht open zijn. Stap daar op een bus en probeer zo ver mogelijk weg te komen. Terugkomen kun je vergeten. Want dan word je gearresteerd.'

Sheila begon te huilen.

'En dan verdwijn je achter de tralies.'

Hij zweeg. Misschien zou ze vragen haar dochter nog één keer te mogen zien. Daar was hij op voorbereid. Het antwoord was nee. Maar ze vroeg het niet.

Ten slotte stapte hij uit, en terwijl hij het portier achter zich dichtdeed, besefte hij dat hij daarmee de deur sloot naar een deel van zijn leven. Met opgetrokken schouders begon hij te lopen, alsof hij zich schrap zette voor een kogel in zijn rug.

Nadat hij misschien driehonderd meter had gelopen, hoor-de hij de motor van de surveillancewagen aanslaan. Het geluid kwam zijn kant uit.

Een wild verlangen laaide in hem op, een kleine vlam van hoop. Hij stelde zich voor dat ze zou stilhouden. Dat hij zou zeggen dat hij van haar hield. Dat er een wonder zou gebeu-ren, en dat ze weer een gezin zouden zijn.

Sheila kwam naast hem rijden, aarzelde even en reed toen door.

Hij keek de surveillancewagen na tot de achterbumper uit het zicht verdween.

Toen zakte hij in elkaar op het dorre gras langs de kant van de weg. Tranen stroomden over zijn wangen, en het kon hem niet schelen als iemand hem zag.

2009

Nadat Rowan naar school is vertrokken en Webster de afwas van het verjaardagsontbijt heeft gedaan, loopt hij de smalle trap op. Sinds de dood van zijn ouders is het huis van hem. Ze zijn allebei tot het laatst toe verpleegd in de voorkamer, terwijl Webster met al zijn kennis en apparatuur machteloos stond tegenover de kanker die hen met vernietigende kracht sloopte. Prostaatkanker bij zijn vader, longkanker bij zijn moeder. En dat terwijl ze nooit één sigaret had gerookt. Ook nog aan het eind – juist aan het eind – van de lijdensweg raakte Webster ondanks zijn ervaring in paniek bij de aanblik van zijn vader, die moest vechten om lucht. Elke ademhaling werd gevolgd door een secondenlange stilte. Alleen morfine kon nog verlichting brengen, de verpleegkundigen van de terminale zorg wisselden elkaar af, en Websters wereld bestond nog slechts uit de schemerige voorkamer, waar zijn vader in zijn ziekenhuisbed lag, met zijn koele hand, licht als een veertje, in de hand van Webster. Het was bepaald niet Websters eerste confrontatie met de dood, maar de ervaring betekende een enorme schok voor hem. Hij voelde zich tot in het diepst van zijn wezen geraakt, en tegen de tijd dat hij de tienjarige Rowan bij haar opa bracht om afscheid te nemen, bezweek hij bijna onder de druk van de verantwoordelijkheid van het vaderschap en van de angst voor alles wat er mis kon gaan. Het kwam allemaal op hem neer. Er stond niets meer tussen hem en de morfine aan het eind. Sheila was al acht jaar weg.

Inmiddels is Rowan zeventien.

Webster laat zich op het bed van zijn dochter vallen.

Op de muur boven zijn hoofd heeft Rowan alle skigebieden in New England geschilderd waar ze is geweest. De bergen zijn voorzien van ingewikkelde parcoursen, tegen de achtergrond van een strak blauwe hemel, en op de kronkelende wegen tussen de bergen rijden Jeep Cherokees, Subaru's en Rowans Toyota, stuk voor stuk met ski's op het dak. Sunday River, Stowe, Okemo, Loon, Killington, Stratton, Bromley, Bretton Woods, ze zijn er allemaal, dichter bij elkaar dan in werkelijkheid. Zelfs Wachusett in het zuidoosten ontbreekt niet, ziet hij.

Na de dood van zijn ouders heeft Webster zijn oude slaapkamer verbouwd tot een kamer voor Rowan, met een kast, boekenplanken en een bureau met laden, allemaal zelfgemaakt. Rowan slaapt nog altijd in het eikenhouten bed dat ooit van Webster is geweest, maar de sprei van de Boston Bruins is vervangen door een quilt die Rowans oma heeft gemaakt. Die quilt ligt nu op de grond, net als de helft van het bovenlaken. Webster is slecht in bedden opmaken, en hij heeft het Rowan ook nooit goed kunnen leren. Soms is de deken, met wat eruitziet als één machtige zwaai, opgetrokken tot aan de kussens.

In de hoek van de kamer staan Rowans gitaar en haar klarinet. Ze heeft er in geen maanden op gespeeld, beseft Webster. Als hij de laden van haar bureau opentrekt, vindt hij daar diverse tubes lipgloss, weet hij, en enkele tientallen Bic-pennen met stukgekauwde bovenkant, een foto van Sheila met Rowan kort na haar geboorte (de foto is inmiddels zo vaak bekeken dat hij Webster en Rowan niets meer doet; of toch wel?), de sieraden die Rowan in de loop der jaren cadeau heeft gekregen en waarvan ze het niet over haar hart kan verkrijgen ze weg te gooien, en een heleboel muntjes. Eens in de zoveel tijd geeft hij zijn dochter de opdracht al het losse geld in huis te verzamelen, het in rolletjes te doen en naar de bank te brengen. Dan krijgt Rowan de helft van de opbrengst. Nog niet zo lang geleden heeft Webster haar met Kerstmis een apparaatje gegeven om munten te sorteren en in rolletjes te doen. Bij het diner diezelfde avond legde Rowan tweehonderdzestig dollar, keurig in kokertjes verpakt, voor hem op tafel.

Maar de tijd dat Webster in Rowans laden kon kijken, is voorbij. Dat is het resultaat van een afspraak waarbij Webster heeft beloofd zijn neus niet meer in haar zaken te steken. Die herfst, direct na Rowans zeventiende verjaardag, had Webster een stripje met de pil in haar bureau gevonden en Rowan op het matje geroepen. Dat was verkeerd, en het leidde tot de ergste ruzie die vader en dochter ooit hadden gehad. Webster huivert nog bij de gedachte. Zijn eigen boosheid – waar kwam die eigenlijk vandaan? Was het omdat zijn dochter een seksleven bleek te hebben? Omdat ze er klaar voor was? Omdat ze over gezond verstand bleek te beschikken? – was net zo fel en impulsief geweest als die van Rowan, mede als gevolg van opgekropte frustraties aan beide kanten: vanwege een geheimzinnige deuk in de voorbumper van de Toyota waarvoor ze geen van beiden de verantwoordelijkheid wilden nemen; vanwege een slecht cijfer voor Spaans, waarvoor Rowan zich had verdedigd door te zeggen dat ze de stof wel kende – als bewijs zwaaide ze met het gecorrigeerde proefwerk, voorzien van begripvol commentaar van de leraar – maar niet op tijd klaar was geweest; en vanwege een uitgaansverbod dat Rowan beschouwde als een belachelijk zware straf. De inbreuk op haar privacy was onvergeeflijk, verklaarde ze hartstochtelijk. Uiteindelijk zorgde Rowan ervoor dat de deuk in de Toyota werd gerepareerd, maar Webster betaalde de rekening. En hij zwichtte in het geval van het uitgaansverbod. Wat het Spaanse proefwerk betrof, waren ze het er allebei over eens dat bijles misschien geen slecht idee zou zijn. En ten slotte beloofde Webster dat hij nooit meer in haar spullen zou neuzen.

Wanneer hij op zijn zij rolt, drukt de portofoon in zijn zij. Hij doet hem af.

Voor zijn dood had zijn vader de winkel verkocht voor een bescheiden bedrag, dat na aftrek van belasting en schulden naar Webster ging. Webster was op dat moment tweeëndertig, hij had geen vrouw en een dochter van tien. Het grootste deel van het geld ging in de loop der jaren dan ook naar oppas voor Rowan, zowel overdag als 's nachts. Van wat overbleef, zette hij het meeste apart zodat Rowan later kon gaan studeren.

Inmiddels verdient hij 57.000 dollar per jaar. Daarmee zit hij aan zijn top. Meer zal hij nooit verdienen, afgezien van de jaarlijkse salarisverhoging. Hoewel, de laatste tijd is die verhoging niet eens meer jaarlijks. De komende vier jaar zullen niet gemakkelijk zijn, maar ze zullen zich wel weten te redden.

Hoewel... Hij denkt aan het cadeau dat Rowan hem aan het ontbijt heeft gegeven. Die voorspelling zou ook – op elke willekeurige dag – voor zijn dochter kunnen gelden: een zonnetje, een zonnetje met een wolk, regen en weer een zonnetje.

Zijn portofoon begint te piepen. Hij neemt op. 'Webster.'

'Of je wat eerder komt. Of eigenlijk, je moet meteen aan de bak,' zegt Koenig.

'Ik kom eraan.'

'Nee. Je zit er vlakbij. Dus kom maar rechtstreeks.'

Koenig geeft hem het adres.

'Wat is er aan de hand?'

'Een man van achtenveertig met ademhalingsproblemen.'

De patiënt zit zwetend en verward op de grond, op een Perzisch tapijt, met zijn rug tegen een muur. Bij binnenkomst registreert Webster het hoge plafond, de reusachtige flatscreen televisie, en de muur van glas met daarachter de Green

Mountains. Koenig controleert de pols van de man en doet de manchet van de bloeddrukmeter om zijn arm. De roodharige echtgenote heeft haar handen voor haar gezicht geslagen en is duidelijk hevig van streek. Twee meisjes van een jaar of vijf en acht, ook met rood haar, zijn naar de keuken gestuurd, maar Webster ziet hun blote voetjes, net achter de drempel.

'Waar doet het pijn?' vraagt Webster aan de patiënt.

Die legt zijn hand op zijn borst en strijkt vervolgens over zijn linkerarm.

'Bloeddruk 78 bij 36,' rapporteert Koenig. 'Het lukt me niet een polsslag te meten. Ademfrequentie tweeëndertig en oppervlakkig.'

Webster brengt de elektrodes aan. Rechterarm, linkerarm. Rechterbeen, linkerbeen. 'Prik een infuus,' zegt hij tegen Koenig. 'We moeten zien dat we die bloeddruk omhoog krijgen.'

'We zaten net aan de koffie,' zegt de vrouw van de patiënt met een klank van ongeloof in haar hoge stem. Ze schuifelt rusteloos heen en weer, en Webster zou het liefst zeggen dat ze daarmee op moet houden, omdat ze de kinderen bang maakt. Vanuit de keuken klinkt gejammer.

'Hoe erg is de pijn?' vraagt Webster. 'Op een schaal van een tot tien?'

De man verliest het bewustzijn en zakt opzij. Webster en Koenig pakken de schepbrancard en tillen hem erop terwijl ze de hartslag controleren via de halsslagader.

'Hoe heet hij?' roept Webster.

De vrouw aarzelt zo lang dat Webster zich naar haar omdraait.

'Meneer Dennis!' roepen de kinderen vanaf de drempel.

Menéér Dennis?

'Dennis!' roept Webster.

Geen reactie.

'Dennis, kun je me horen!' Hij kijkt op de monitor. 'V-fib,' zegt hij tegen Koenig. 'Hebben we een hartslag?'

'Niet meetbaar,' rapporteert Koenig.

'Koppel de zuurstof af.'

Webster controleert de positie van de pads. 'Alles los!' roept hij dan, en zodra hij zeker weet dat niemand fysiek contact heeft met de patiënt, dient hij de man een schok toe.

De echtgenote begint te gillen; een griezelig geluid dat opstijgt naar het hoge plafond.

Webster voltooit een reanimatieronde, zet het apparaat weer op 100 joule en dient de patiënt nog een schok toe. Nadat hij hem epinefrine heeft gegeven, verhoogt hij het niveau naar 150 joule. Er zijn vier reanimatierondes nodig voordat Koenig een hartslag voelt. Door de patiënt te intuberen, zorgt hij dat de luchtwegen vrij blijven.

'Tijd om hem in te laden,' zegt Webster.

'Waar brengt u hem naartoe?' vraagt de echtgenote wanneer ze naar de deur lopen.

'Mercy Hospital,' antwoordt Webster. 'We doen wat we kunnen voor uw man.' Hij kijkt naar de kinderen, die spierwit zijn geworden.

'Het is niet mijn man,' zegt de vrouw kleintjes.

Webster knikt. Natuurlijk. Haar aarzeling. De kinderen die 'Meneer Dennis' riepen. Het feit dat ze hem tijdens de hele reanimatie met geen vinger heeft aangeraakt en geen woord tegen hem heeft gezegd.

Neem nooit iets als vanzelfsprekend aan.

'Ik stel voor dat u hier blijft tot er iemand komt die op de kinderen kan passen, en dat u dan met eigen vervoer naar het ziekenhuis komt. En misschien kunt u er ook voor zorgen dat iemand mijn auto terugrijdt naar de ambulancepost. Leg de sleutels maar onder de stoel. Probeer kalm te blijven. We doen wat we kunnen.'

Maar het gaat niet goed met vriend Dennis. Onderweg raakt hij opnieuw in V-fib, en deze keer slaagt Webster er niet in het hart met elektrische schokken weer in een normaal ritme te krijgen. Met gierende banden scheuren ze de helling af, die spaarzaam is bebouwd met dure vakantiewoningen, waarvan de eigenaren ongetwijfeld euforisch waren bij het vooruitzicht zes keer zo ver te kunnen kijken als in Manhattan.

Webster en Koenig zetten het zwaailicht en de sirene uit wanneer ze de SEH naderen. Meerennend naast de brancard brengt Webster verslag uit, waarbij hij nauwkeurig de volgorde van de verrichte handelingen vermeldt, de hoeveelheid medicatie die ze de patiënt hebben gegeven en het aantal shocks dat hem is toegediend. 'Sinds 9.47 uur geen hartslag meer,' zegt hij tot besluit.

De patiënt is zo goed als dood.

Hij vraagt zich af of de vriendin naar het ziekenhuis zal komen, en of de patiënt getrouwd is. Of ze misschien niet alleen van streek was uit ongerustheid, maar ook omdat ze dacht: niet hier!

Van Mercy Hospital, dat net buiten de bebouwde kom ligt, rijden Koenig en Webster terug naar de ambulancepost, waarbij ze een bord passeren waarop staat dat Hartstone een rookvrije zone is. Webster en Koenig zeggen niets, want hoezeer ze ook hun best hebben gedaan, een sterfgeval voelt als een mislukking. Terwijl ze naar het zuiden rijden, met de Taconic Mountains in het westen en de Green Mountains in het oosten, denkt Webster aan de vriendin. Koenig heeft haar adres in hun rapport gezet, en misschien heeft ze daar geen moeite mee, maar dat betwijfelt hij. Als het haar niet had kunnen schelen dat haar vriend bij haar thuis werd aangetroffen, zou ze wel toeschietelijker zijn geweest met informatie. Dan zou ze haar kinderen én Dennis niet aan hun lot hebben overgelaten.

Wie is de naaste verwante, vraagt Webster zich af. De officiële echtgenote kan wel in Manhattan zitten, of misschien heeft ze een helling verderop haar eigen panorama-uitzicht. Webster is een cynicus. Het gebeurt te vaak dat hij bij een melding stuit op overspel. Of dat hij bij een echtelijke twist wordt geroepen die dramatisch uit de hand is gelopen. Waarschijnlijk heeft hij wel zo ongeveer alles gezien wat echtgenoten elkaar kunnen aandoen.

Koenig zet de auto op zijn vaste plek, met de neus naar de weg, klaar om weer uit te rukken. Webster loopt naar binnen, terwijl Koenig de auto verder schoonmaakt. Bloedvlekken zijn er niet, registreert Webster in het voorbijgaan. Dat is altijd weer een meevaller.

'Waar zit Pinto?' vraagt Webster wanneer Koenig het personeelsverblijf binnenkomt. Koenig loopt naar de koffiemachine en pompt zes keer voor een halve mok. Webster kijkt op zijn horloge. Het is inmiddels drie uur geleden dat zijn dochter ontbijt voor hem heeft gemaakt.

'Die heeft zich ziek gemeld.' Koenig zet zijn mok op het formica werkblad dat over de volle lengte van het personeelsverblijf loopt.

'Alweer?'

'Hij heeft een burn-out,' zegt Koenig. Hij is geen groentje meer, maar hij heeft nog niet dezelfde anciënniteit als Webster.

'Na amper twee jaar?' vraagt Webster.

'Het is altijd al een stresskonijn geweest.'

Burn-out. Webster weet er alles van. De combinatie van emotionele onrust en fysieke schade aan rug en knieën als gevolg van het vele tillen is maar al te vaak de reden dat beginnelingen, maar ook oude rotten in het vak het werk voortijdig de rug toekeren. Sommigen gaan terug naar school om verpleegkundige te worden. Van de jongeren meldt een aantal zich aan bij de politieacademie. Anderen verdwijnen uit het zicht of overlijden thuis, in hun eigen woonkamer, zoals Burrows, met wie Webster in zijn begintijd heeft samengewerkt. Burrows zat thuis met een burn-out en kreeg er uiteindelijk een hartstilstand overheen. Webster, die op dat moment geen dienst had, hoorde pas een uur later van zijn dood en was in alle staten. Had hij maar dienst gehad! Hij was ervan overtuigd dat hij zijn oude makker, die hem dierbaar was geworden als een narrige oom, had kunnen redden.

Webster kan zelf ook uit ervaring spreken als het om een burn-out gaat. Na Sheila's vertrek was hij niet tot werken in staat geweest. Hij lag op de bank en keek toe terwijl zijn moeder zich ontfermde over de tweejarige Rowan. De verlamming die hem in de greep had, was niet volledig toe te schrijven aan een burn-out, maar het zwaartepunt van zijn frustraties richtte zich wel op zijn werk: het bloed en de chaos, de patiënten die vaak veel te dik waren, de huizen waar het stonk naar urine en kattenvoer, de onverwachte dood van jonge mensen, vaak nog kinderen, met als triest hoogtepunt de gevallen van zelfmoord. Hij had het meegemaakt dat collega's compleet door het lint gingen, dat ze de nieuweling die ze bij zich hadden, volledig stijf vloekten en de patiënt de stuipen op het lijf joegen. Hij had hen in het openbaar zien snotteren en meegemaakt dat ze, eenmaal terug op de ambulancepost, hun uitrusting van zich af smeten. Erger nog, hij had sommigen voor de korte weg van de alcohol zien kiezen. Niet bereid ontslag te nemen, vond iemand met een burn-out altijd wel een manier om te zorgen dat hij werd gedwongen om met werken te stoppen.

Nadat Webster een week bij zijn moeder op de bank had gelegen, nam ze hem onder handen. Het werd tijd dat hij zichzelf bij de kraag vatte, zei ze. Hij had geen keus. Tenslotte had zijn dochter alleen hem nog. In gedachten ziet hij nog altijd het gezicht van zijn moeder, de strenge blik in haar ogen, met daarachter zoveel warmte en medeleven. Ze stond met haar vuisten op haar heupen. Samen met zijn vader zou ze hem helpen waar ze kon, beloofde ze, maar Rowan was Websters verantwoordelijkheid.

Sinds die dag heeft Webster zichzelf niet toegestaan zelfs maar aan een burn-out te denken. Dat kan hij zich niet veroorloven.

'Het belooft goed weer te worden vanavond, voor de repetitie van het trouwdiner,' zegt hij tegen Koenig om het over iets anders te hebben. Zijn collega, een grote kerel die zowel rookt als hardloopt, ziet er met zijn kortgeknipte blonde haar en zijn opvallende blauwe ogen jonger uit dan zevenenveertig. Als leraar wiskunde op een privéschool was hij ook ooit het slachtoffer geworden van een burn-out. Dat had hem doen besluiten dat hij een baan moest zoeken waarin hij zich niet dodelijk verveelde. Het had Webster verrast dat een ambulanceverpleegkundige beter verdiende dan een leraar wiskunde. Dus voor het geld hoefde je niet vier jaar naar de universiteit! Koenig was dolblij dat hij niet meer voor de klas stond. Hij hield van het werk, en dat bleek uit alles. Webster kan zich niet herinneren ooit een betere collega te hebben gehad, en die zal hij waarschijnlijk ook nooit meer krijgen. Ze wisselen regelmatig van rol om Koenigs vaardigheden op peil te houden. Webster wil hem niet kwijt, maar voor Koenig hoopt hij dat die eerstverantwoordelijke wordt op de nieuwe ambulance waarmee de Hulppost wordt uitgebreid.

'Is het een aardige vent?' vraagt Webster. De bruiloft is weliswaar geen moetje, maar er wordt wel erg snel getrouwd omdat Jim – Joe? Jack? – volgende week wordt uitgezonden naar Afghanistan.

'Ik vind het beroerd voor hem, maar ik maak me meer zorgen om Annabelle.' Annabelle is tweeëntwintig en net als haar vader lang van stuk en dol op hardlopen. 'Misschien dat ik hem meer ga waarderen wanneer hij terug is,' voegt hij eraan toe. 'Hij is rabiaat rechts, maar dat is normaal voor een beroepsmilitair. Dus ik heb het nooit met hem over politiek. Maar Annabelle heeft voor Obama gewerkt. Dus ik mag barsten als ik weet waar die twee het over hebben.'

'Hoe hebben ze elkaar leren kennen?'

'Op een blind date.'

'Ach, dat zijn soms de beste,' zegt Webster.

Beter dan je vrouw ontmoeten op de plek van een ongeluk dat zij heeft veroorzaakt omdat ze dronken was. Als Webster beter had opgelet, had dat hem meteen moeten vertellen wat hij van Sheila kon verwachten.

'Ik hoop alleen niet dat hij thuiskomt met een kogel in zijn kop of een dwarslaesie,' zegt Koenig. 'Ik ken Annabelle. Die laat hem niet in de steek. Godsamme, dan ben je een week getrouwd geweest, en dan zit je de rest van je leven vast aan een vent die je nauwelijks kent, en die je zijn kont af moet vegen en weer moet leren praten. Geen kinderen. Kostwinner. Dat is toch geen leven!'

'Hallo, je loopt wel erg ver op de zaken vooruit,' zegt Webster. 'Laat ze nou eerst maar eens trouwen. En geniet van de bruiloft, man. Meer hoef je niet te doen.'

'En de rekening betalen.'

'Precies. O shit, dat was ik bijna vergeten.' Webster haalt een envelop uit zijn achterzak. 'Ik moet mijn rijbewijs verlengen.' Hij legt de brief op het werkblad.

'Hoezo, ben je bijna jarig?'

'Vandaag.'

'Hé, gefeliciteerd. Hoe oud ben je geworden? Veertig?'

'Klopt.'

'Ach man, je komt net kijken,' zegt Koenig.

'Pas op wat je zegt.'

Webster verdiept zich in de brief. 'Ik moet ook een nieuwe foto meenemen. Denken ze soms dat de kleur van mijn ogen is veranderd?'

'Nee, maar je gewicht misschien wel. En je zou onderhand grijs kunnen worden.'

'Mijn ouders werden grijs toen ze de veertig gepasseerd waren,' zegt Webster.

'Ik heb een kale kop tegen de tijd dat ik vijftig ben.'

'Hoe weet je dat? Was de vader van je moeder al jong kaal?'

'Ja, ik was dol op hem. Maar hij was woest lelijk.'

Webster kijkt in de computer op de tafel in het midden van de ruimte die altijd aanstaat. 'Het weer wordt echt geweldig morgen. Twintig graden en zonnig.'

'Mogen de goden welwillend op Annabelle neerzien.'

'En op de soldaat.'

'Hij heet Jackson.'

'Ja, dat weet ik.' Webster legt de brief neer en neemt een slok lauwe koffie.

'Is alles goed met je?' vraagt Koenig.

'Ja, hoezo?'

'Je lijkt een beetje verstrooid.'

'Ach, het oude liedje. Ik maak me zorgen om Rowan.'

'Vroeger – en dan heb ik het over een halfjaar geleden – maakte je je haast nooit zorgen om Rowan.'

Webster zegt niets.

'Wat is er gebeurd?' vraagt Koenig.

'Ze is zeventien.'

'Misschien is ze verliefd.'

'Ook dat,' zegt Webster. 'Op Tommy. Een goeie jongen, volgens mij.'

Koenig zwijgt. Hij verfrommelt zijn lege koffiebeker en gooit die met een boog in de vuilnisbak. 'Rowan is een serieuze meid,' zegt hij terwijl hij de veters van zijn laarzen los-maakt. 'Die nieuwe Timberlands knellen verschrikkelijk.'

'Hoe lang heb je ze?'

'Drie weken.'

'En je hebt ze elke dag aan?'

Koenig knikt.

'Dan wordt het niks meer. Dus ik zou ze maar wegdoen. Goed schoeisel is in dit vak van levensbelang.'

'Zonde.'

'Misschien kan een collega ze overnemen. Iemand met de-zelfde maat als jij.' Op het moment dat Webster het zegt klinkt het signaal. Webster neemt op.

'Attaque,' rapporteert hij aan Koenig. 'Vrouw. Tweeëntwin-tig. Lijdt aan vallende ziekte.'

'Net waar we op zaten te wachten.' Koenig begint razend-snel zijn veters weer vast te maken.

Webster maakt die zaterdagmorgen de keuken schoon. Hij pakt de zilveren kubus van de tafel en zet hem op de vensterbank. Terwijl hij dat doet, ziet hij dat er een nieuwe voorspelling in het schermpje is verschenen: geduld is een schone zaak. Waarschijnlijk heeft Rowan de kubus de avond ervoor nog een keer op zijn kant gehouden, denkt hij, en hij vraagt zich af welke goede raad ze daarin hoopte te vinden. Wanneer hij klaar is met de keuken, geeft hij de badkamer een goede beurt. De ramen zijn smerig van de lange winter, maar die neemt Rowan voor haar rekening, nog altijd enthousiast over de nieuwe hogedrukspuit voorzien van een fles Windex, waarmee ramen moeiteloos schoon worden. Het is een prachtige dag, zoals voorspeld, en Websters gedachten gaan af en toe naar Koenig en Annabelle en haar soldaat. Maar het meest denkt hij aan Rowan.

Het is nog niet zo lang geleden dat zijn dochter hem bij thuiskomst een knuffel en een kus gaf. Dan vroeg ze hoe hij het had gehad op zijn werk, terwijl ze appels schilde en voor hen op een bordje deed, bestrooid met suiker en kaneel. Hij informeerde naar haar belevenissen, en zij vertelde: over haar hikingplannen met Gina; hoe blij ze was dat ze geen geschiedenis meer in haar pakket had; en of hij haar vijftig dollar kon lenen tot ze haar loon kreeg, dan kon ze met Gina naar Manchester, want de winterjacks waren in de uitverkoop. Wanneer was dat geweest? In oktober? November? Had de verandering zich geleidelijk voltrokken? Was het allemaal heel plotseling gegaan? Hij kan het zich niet herinneren. Voor zijn gevoel had ze hem de ene dag nog geknuffeld en een kus gegeven, en was het de dag daarna gedaan geweest met de knuffels. Het is alsof hij ineens niet meer weet waar ze is, of met wie. Wat hij wel weet is dat er sinds Kerstmis iets nukkigs, iets humeurigs in haar stem is geslopen, iets wat ook weer van het ene op het andere moment kan verdwijnen. En dat ze ergens in maart is begonnen zijn gezag ter discussie te stellen. Sindsdien maakt ze er ook geen geheim van wanneer hij haar irriteert met zijn vragen – waarom moet je altijd alles weten? Hij veronderstelt dat de verandering onvermijdelijk was, dat die het afscheid gemakkelijker zou maken wanneer Rowan in de herfst uit huis ging. In theorie was het allemaal volstrekt logisch en begrijpelijk. Maar dat gold niet voor de praktijk, voor de werkelijkheid van alledag waarin zijn dochter een vreemde voor hem was geworden.

Webster hoort het kenmerkende gejank van Rowans Corolla al voordat ze het tuinpad op rijdt. Hij is nog bezig met stofzuigen wanneer ze binnenkomt, dus hij hoort de stemmen in de achtergang pas wanneer hij het apparaat uitzet. Behalve die van Rowan herkent hij de stem van Gina, een hoogbegaafde blondine die zich misschien ooit tot een schoonheid zal ontwikkelen als ze van de puistjes weet af te komen die haar gezicht bedekken als eilandengroepjes in een oceaan. Met zijn handen in zijn zakken komt Webster de keuken binnen. 'Hoi Gina, hoe gaat het?'

'Hallo, meneer Webster.'

'Hoi pap.' Rowan doet de koelkast open; bij thuiskomst is dat altijd het eerste wat ze doet. 'Wil je een glaasje sap?' vraagt ze haar vriendin.

'Ja, doe maar.'

'Hoe was het op je werk?' vraagt Webster. 'Zaten jullie in dezelfde ploeg vandaag?'

Gina's trui zit onder de vlekken. Bloedvlekken, zo te zien, van de slagersafdeling.

'O, het ging wel. Niks bijzonders,' zegt Gina, terwijl Rowan sinaasappelsap in twee hoge glazen schenkt. 'Ik ben vooral achter bezig geweest, in het magazijn. Dozen uitpakken. De deur stond open, dus op die manier kreeg ik nog een beetje zon.'

'Ik had een vrouw aan de kassa die compleet door het lint ging,' vertelt Rowan terwijl ze met haar sinaasappelsap aan tafel gaat zitten. 'Ze begon ineens te schreeuwen dat ik haar probeerde te belazeren. Terwijl ik haar totaal nog niet eens had aangeslagen! Laat staan dat ze al had betaald. En zij maar gillen – echt gillen – dat ze werd afgezet! Door mij!' Rowan drinkt haar glas in één teug leeg en kijkt om zich heen, op zoek naar een servet. Webster scheurt een stuk keukenrol voor haar af. 'De assistent-bedrijfsleider komt erbij, slaat de kassa af en vergelijkt de bon met alles wat ze inmiddels heeft ingepakt. Ze heeft recht op twee bakjes aardbeien voor de prijs van één, maar ik heb er twee gerekend, zegt ze, met een beschuldigende vinger naar mij wijzend. Meneer T. legt uit dat de aardbeien vorige week in de aanbieding waren. Maar voordat hij kan zeggen dat ze er deze week ook nog twee voor de prijs van één krijgt, gooit ze haar tas naar hem toe. Alles valt eruit. Muntgeld, sleutels, papiergeld, gebruikte tissues, pepermuntjes... een pot crème die stuk valt, met als gevolg dat mijn gympen onder zitten. Trouwens, de schoenen van meneer T. ook. En toen barstte ze ineens in snikken uit. Meneer T. probeert alles weer in haar tas te doen, behalve de crème en de gebruikte tissues. Ze krijgt haar portefeuille terug, hij stopt haar boodschappen weer in de zakken en brengt ze in het winkelwagentje naar haar auto. Zonder dat ze ook maar één cent heeft betaald!'

Gina begint te lachen. 'Ik lach me dood om die pot crème.'

'Je zou wel anders piepen als het jóúw gympen waren,' zegt Rowan. 'Ik moest de hele boel schoonmaken en die vieze tissues oprapen en minstens één miljoen glassplinters opvegen.'

'Afijn, wat zijn jullie plannen voor vanavond?' vraagt Webster.

'Gina komt hier, want haar computer is weer eens stuk,' zegt Rowan. 'Ze moet aantekeningen van me overschrijven en een proefexamen.'

Het is een leugentje om bestwil, en dat weten ze allebei. Gina's moeder heeft geen geld voor een computer, dus Gina moet ervoor naar de bibliotheek, maar daar staat altijd een enorme rij. Zo'n twee, drie keer in de week komt ze met Rowan mee om haar laptop te gebruiken. Gina moest ook al haar aanmeldingen op de computer doen, in sommige gevallen vergezeld van wel vier essays. Ondanks alle problemen haalt ze uitstekende cijfers, en dat bewijst wel iets, ook al weet Webster niet precies wat. Hij vindt het in elk geval leuk dat Rowan met Gina bevriend is.

'Er is zelfgemaakte erwtensoep in de vriezer,' zegt hij.

Soms maakt Webster zich zorgen over wat Gina thuis te eten krijgt. Ze woont met haar moeder, Eileen, en haar aan huis gekluisterde oma. Eileen werkt parttime als receptioniste bij Blake Ford, omdat ze haar moeder niet de hele dag alleen kan laten. Webster vermoedt dat Eileen niet meer dan 25.000, misschien 30.000 dollar verdient op jaarbasis. Gina kan dus alleen naar Columbia University met een volledige beurs.

Op zaterdag kookt Webster niet. Gina en Rowan eten die middag twee keer, eerst thuis, en daarna nog een keer, buiten de deur. Geen echte maaltijd, maar een snack hier en daar. Zelf eet Webster op zaterdagavond doorgaans kliekjes en hij kijkt televisie tot zijn ogen dichtvallen. Vroeger maakte Rowan hem altijd wakker wanneer ze thuiskwam, maar dat doet ze niet meer.

'Nou, dan zal ik jullie maar met rust laten,' zegt Webster met een blik op Rowan, die zijn blik beantwoordt en haar schouders ophaalt.

'Je moet de ramen doen,' zegt Webster op zondagmorgen. 'Het moet vandaag, want morgen gaat het regenen.'

Rowan knikt, haar gezicht is duidelijk nog niet wakker.

'Oma vond het altijd heerlijk wanneer opa in de lente de ramen deed. "Ik heb nieuwe ogen," zei ze dan.'

Rowan gaat in haar flanellen broek met daarop een T-shirt aan de keukentafel zitten. Ze moet om vier uur naar Liz Foster, zegt ze. 'We zijn bezig met een project voor natuurkunde. Het is bijna af.'

'Prima. Maar blijf niet te lang weg. Ik neem aan dat je nog huiswerk moet maken?'

'Ik moet vooral ont-zet-tend veel lezen.'

'Welk boek?'

'*Gravity's Rainbow*, heet het.'

'Waar gaat het over?' vraagt Webster.

'Weet ik veel. Het is een verschrikkelijk stom boek van zevenhonderdzestig bladzijden.'

Webster staat bij het fornuis. Hij heeft eieren met bacon gebakken en draait zich naar haar om. 'Zevenhonderdzestig bladzijden? Aan het eind van je laatste jaar? Heeft mevrouw Washington dat bedacht?'

'Het is de mooiste roman in de Engelse literatuur, zegt ze.'

'Hebben jullie haar het leven dit jaar erg zuur gemaakt?' vraagt Webster terwijl hij de eieren en de bacon op Rowans bord laat glijden.

'Nee. Nou ja... misschien een beetje.'

'Tja, je oogst wat je zaait.'

Rowan haalt haar schouders op.

'Maar leuk is anders.' Webster zet een bord met toast tussen hen in.

'Dat kun je wel zeggen, ja.'

'Hebben Gina en jij het gezellig gehad gisteravond?'

'Ja. Best wel.' Langs de kruin op haar voorhoofd loopt een rand van kleine pukkeltjes, bij haar neusgat ontwikkelt zich een iets grotere oneffenheid. Rowans ochtendgeur – haar haren ruiken lekker, haar huid heeft zijn eigen kenmerkende geur – is Webster zo vertrouwd dat hij haar overal zou weten te vinden: in het bos, in een druk warenhuis. Hij herinnert zich een reisje naar Boston, in de voorjaarsvakantie. Rowan was toen negen. Nadat ze de Freedom Trail hadden gedaan, had hij haar meegenomen naar het Aquarium, waar hij haar prompt was kwijtgeraakt, omdat hij volledig in beslag werd genomen door een expositie over pinguïns. In paniek had hij een beveiligingsbeambte aangeklampt, die op zijn beurt zijn collega's waarschuwde. Rowan schrok toen ze bij de dolfijnen ineens in het middelpunt van de aandacht stond. 'Maar ik wist toch waar híj was?' had ze verbijsterd gezegd.

'Rowan, je moet eten. Je hebt je energie hard nodig.'

Ze rolt met haar ogen. Webster vraagt zich af hoe vaak hij dat al heeft gezegd. Soms voelt hij zich een ouderwetse grammofoonplaat die blijft hangen. 'Niet om het een of ander, maar je ging vrijdag aan het ontbijt van het ene op het andere moment op "overload". Is alles in orde?'

'Alles is dik in orde, pap.'

'O, nou, gelukkig dan maar,' zegt hij, ook al weet hij nu zeker dat alles níet in orde is.

Rowan krabt aan haar linkerarm, een teken dat ze nerveus is.

'Met jou ook?' Rowan vraagt het geluidloos, nadrukkelijk naar zijn onaangeroerde ontbijt wijzend.

Webster prikt in een koud ei. 'Effe dimmen, jongedame.'

Rowan doopt een stuk toast in haar eieren.

Webster legt zijn vork neer en kijkt naar de smerige ramen. Hij krijgt de eieren niet naar binnen. Het verkeerde ontbijt. Hij had beter iets zoets kunnen nemen. 'Hoor eens, Rowan, ik begin behoorlijk genoeg te krijgen van dat humeurige gedoe van je.'

'Ach, rot toch op. Laat me nou maar gewoon met rust, oké?'

Haar woorden roepen een fysieke reactie bij hem op, als nagels die over een schoolbord krassen; een huivering die langs zijn ruggengraat trekt. Webster ziet dat Rowan wacht op een uitbrander. Wanneer hij niks zegt, schuift ze haar stoel naar achteren. 'Waar is de slang?'

Vanuit de garage kijkt Webster toe terwijl Rowan de buitenboel doet. Ze staat op een trap en begint met het zolderraam achter, een van de ramen van haar slaapkamer. Ze richt de slang met de spuitmond en de Windex op het glas, zet de knop om naar 'zeep' en laat het schuimende sop over de ruit klateren. Dan wacht ze even, ze zet de spuit op 'water' en spoelt het sop weg, zodat er een schoon raam achterblijft dat in een oogwenk droog zal zijn. Precies zoals hij het haar heeft geleerd. Hij heeft haar moeten verzekeren dat de vloeistof geen kwaad kan voor de struiken en het gras, en hoewel hij zich afvraagt hoe dat in 's hemelsnaam mogelijk is, hebben het gras en de struiken niets te lijden gehad. Vond Windex ook maar een product uit voor de binnenkant, denkt hij, dan konden ze de ramen daar net zo gemakkelijk schoonmaken als aan de buitenkant. Oude huizen waren geweldig, maar verschrikkelijk in het onderhoud.

Rowan komt van de ladder en doet de ramen op de volgende verdieping, met twee tegelijk. Ze sopt er twee en spoelt ze dan samen weer schoon. Over haar pyjamabroek draagt ze rubberlaarzen, en een oliejas die ooit geel is geweest. Haar laarzen zijn nat van de spuit en van de dauw op het gras dat zich nog in de schaduw bevindt. Webster geniet altijd van de bloemen eind mei, begin juni. De wilde appel, de seringen, de boslelies. Zo ligt de tuin er nog kleurloos bij, en een dag later staat alles ineens in bloei.

Hij vermoedt dat Rowan heviger geschokt is doordat hij niet op haar uitval heeft gereageerd dan wanneer hij haar een uitbrander had gegeven.

Ze sjouwt de trap naar de voorkant en stort zich op het andere zolderraam. Nadat ze de slang uit de knoop heeft gehaald, sleept ze die mee de trap op. Ze richt de waterstraal en zeept de raamstijlen in. Maar dan laat ze de straal op de kunststof beplating naast het raam roffelen.

Wat bezielt haar? Wil ze het huis soms ook een wasbeurt geven?

Met een nijdig gebrom en gekreun maakt Rowan wilde lussen en fanatieke borstelgebaren. Dan richt ze haar wapen op de struiken met hun jonge blad, op de krachtig geurende seringen, op een pijnboom die ze bedekt met schuim dat als nat wc-papier van de bladeren druipt.

Rowan spuit zo ver als ze kan het tuinpad af. Ten slotte heft ze de slang boven haar hoofd en laat ze het water over zich heen stromen.

Webster rent naar haar toe. Rowan laat de slang vallen en klimt de ladder af. Wanneer ze struikelt, vangt hij haar op, en hij trekt haar hoofd, druipend en onder het zeepsop, tegen zich aan.

Webster en Koenig zijn back-up, de tweede auto die arriveert op de plaats van het ongeluk. Een kettingbotsing waarbij zes auto's betrokken zijn. Heuvelafwaarts. De mist was razendsnel komen opzetten, waardoor het zicht tot nul was gereduceerd. Door de mist zijn de witte en blauwe zwaailichten op de politiewagens omringd door een stralenkrans. Webster telt vijf politieauto's en een ambulance. Koenig en hij melden zich bij de eerstverantwoordelijke ter plekke, en Webster krijgt opdracht naar de bus te gaan. Hij ziet een gekantelde tractor met aanhanger, waar een gele schoolbus overheen is geschoven; verder een verkreukelde, rode Ford Mercury, een marineblauwe jeep die tegen een boom tot stilstand is gekomen, en een zilvergrijze Volkswagen Touareg die de auto daarvoor – zo te zien een Hyundai – volledig in elkaar heeft gedrukt. Webster grijpt wat hij kan dragen uit de achterkant van de ambulance, en loopt naar de schoolbus. Koenig en hij maken vanaf dat moment deel uit van een groter team.

Kinderen zijn altijd de eerste prioriteit. Terwijl hij naar de bus rent, is hij zich bewust van het lawaai: politiewagens, ambulances, brandweerauto's, sleepwagens en het geschreeuw van de gewonden en mensen die in paniek verkeren.

Twee agenten zijn erin geslaagd de voordeur van de bus open te krijgen. Webster hijst zich aan boord. De bestuurder is buiten kennis en wordt door een verpleegkundige en een politieman snel en deskundig uit de bus gehaald. Houvast zoekend aan de rugleuningen van de stoelen begint Webster het gangpad af te lopen. Overal hoort hij gejammer en geschreeuw, maar hij maakt zich meer zorgen over de kinderen die niet jammeren of schreeuwen. Schoolbussen zijn niet uitgerust met veiligheidsgordels, en sommige kinderen zijn net als hun rugzakken uit hun stoel geslingerd, de meeste naar de achterkant van de bus, waar de deur wordt geblokkeerd door de Mercury. De politie heeft de nooduitgangen geforceerd. Agenten zijn naar binnen gekropen en geven kinderen over aan collega's die buiten staan. Sommigen van de jongens zien eruit als volwassenen kerels. Op het platteland vervoeren de schoolbussen kinderen van alle leeftijden, van kleuters tot achttienjarigen. Over een kwartier zal het hier zwart zien van de ouders, beseft Webster.

Door zijn knieën gezakt begint hij een voor een de rijen te inspecteren. Aan zijn rechterhand ontdekt hij een blond meisje in een paars topje dat zo diep onder de bank is geschoten dat haar billen bijna de vloer raken voor de stoel achter de hare. Ze ligt op haar zij, haar knieën en haar schouders zitten klem onder het stalen frame van de banken.

Webster laat zich op handen en knieën zakken, sluit het geschreeuw en gekrijs buiten en concentreert zich op dit ene slachtoffer. Hij is bang voor beschadiging van de ruggengraat, mogelijk zelfs verlammingsverschijnselen. Er is geen bloed te zien. En geen beweging. Met luide stem begint hij tegen het meisje te praten, in de hoop dat ze bijkomt. Hij controleert de luchtwegen, de ademhaling. Wanneer hij zijn vinger op de halsslagader legt, voelt hij een zwakke hartslag. Ze leeft nog, maar ze is er slecht aan toe. Hij bevestigt een halskraag en controleert haar pupillen. Er is geen verschil in grootte en ze reageren op licht. Dus waarschijnlijk geen beschadiging van de ruggengraat.

Wanneer hij opkijkt ziet hij drie banken verderop een jongen van een jaar of dertien, in een bruine trui met een rits. Het joch heeft zijn handen voor zijn gezicht geslagen. 'Hé, knul!' roept Webster. De jongen kijkt op. Verdwaasd, maar niet in shock, hoopt Webster.

'Hoe heet je?'

'Edward.'

'Kun je lopen?

'Ze zeiden dat ik moest blijven zitten.'

'Kom eens even helpen, alsjeblieft. Ik heb hier een meisje dat klem zit.'

De jongen werkt zich overeind, en Webster wijst naar de bank waar hij wil dat Edward gaat zitten. Die laat zich naar achteren vallen, met zijn voeten aan weerskanten van het achterwerk van het meisje.

'Ben je gewond?' vraagt Webster.

De jongen schudt zijn hoofd.

'Oké, goed luisteren. Ik tel tot drie, en bij drie wil ik dat je je handen op haar billen zet en haar voorzichtig naar voren duwt, zodat ik haar onder die bank vandaan kan halen. Zodra je zelf pijn voelt, stop je onmiddellijk. Is dat duidelijk?'

De jongen knikt. 'Wat is er met haar?'

'Dat weet ik nog niet. Hoe heet ze, weet je dat?'

De jongen werkt zich overeind om over de bank heen haar gezicht te kunnen zien. 'Jill,' zegt hij dan.

'Jill!' roept Webster. Geen reactie. Hij roept nogmaals haar naam. Weer geen reactie.

Webster maakt de riem van haar spijkerbroek los en overtuigt zich ervan dat de lussen waar die doorheen is gehaald, op gelijke hoogte zitten, zodat hij het meisje naar voren kan trekken. 'Let op. En denk erom dat je voorzichtig bent. Een. Twee. Drie!' Geholpen door de jongen en met zijn armen door het frame van de stoel voor haar gestoken, trekt hij Jill naar zich toe. Ze is tenger. Hij schat dat ze nog geen vijftig kilo weegt.

'Oké, kom nu maar hierheen, dan kun je me helpen haar op haar rug te leggen. Wanneer ik dat zeg, trek je voorzíchtig haar benen het gangpad in. Ondertussen zorg ik dat ik achter haar kom om haar aan haar schouders op te tillen.'

Het is een van de vele beslissingen die je als ambulancebroeder moet nemen. Door haar te verplaatsen kan de aangerichte schade nog groter worden, maar wanneer hij haar laat liggen en wacht tot de hulpverlening de bank los weet te krijgen, kan de tijd die daarmee verloren gaat – zelfs al gaat het om minuten – het verschil betekenen tussen leven en dood.

De jongen kruipt tussen de banken. Het duurt niet lang of Webster slaagt erin het meisje op haar rug te leggen, met haar voeten in het gangpad, terwijl Edward haar benen recht legt.

Webster controleert luchtwegen, ademhaling en bloedcirculatie en inspecteert het lichaam op verwondingen. Hij controleert de reflexen en kijkt opnieuw naar de pupillen. Ze zijn nog steeds gelijk en reageren op licht. Er trekt een schok door haar knie, en ze beweegt haar been.

'Blijf haar naam roepen,' zegt Webster tegen Edward.

Achter in de bus klinkt het geschreeuw van een al wat oudere jongen, maar Webster kan niks zien door de gele jas van een collega. Hij dreigt te worden afgeleid en moet zich tot het uiterste inspannen om zich op zijn patiënt te blijven concentreren.

Een van de schouders is in elk geval uit de kom. Misschien zelfs beide schouders. Op haar achterhoofd zit een kneuzing ter grootte van een honkbal. De bloeddruk is 110 bij 72. Ze heeft een snelle, zwakke pols. Wanneer hij lichte druk uitoefent op het sleutelbeen, voelt hij een breuk. Ze had schreeuwend van pijn moeten bijkomen bij zijn aanraking.

'Blijf bij haar,' zegt hij tegen de jongen. 'Ik ga de brancard en de zuurstof halen. Denk erom dat je niet weggaat, wat er ook gebeurt. En zorg dat níémand boven op haar gaat staan.'

Webster verlaat de bus via de deur waardoor hij is binnengekomen, terwijl de meeste andere hulpverleners de zijdeur gebruiken die inmiddels door de politie is geforceerd. Wanneer hij naar de wagen rent, arriveert er een ziekenauto uit New York. Hij steekt een hand op.

'Kom mee,' zegt hij tegen een van de verpleegkundigen. 'En neem een wervelplank mee, en een brancard en zuurstof. Je moet me helpen met een patiënt.'

Samen klimmen ze de bus weer in. Ze kantelen het lichaam van het meisje in het gangpad en leggen haar op de wervelplank. De riemen gaan vast, en Webster immobiliseert ook haar hoofd. Dan dragen ze haar voorzichtig naar de deur aan de voorkant. Webster gaat als eerste naar buiten, met de brancard op zijn schouders, maar zijn collega uit New York heeft het aanzienlijk lastiger. Hij moet de wervelplank uit de bus zien te manoeuvreren zonder zijn greep daarop te verliezen. Eenmaal buiten leggen ze Jill op de brancard en brengen ze haar naar de wachtende ambulance, Webster voorop, gevolgd door zijn collega, samen met Edward. De andere verpleegkundige uit New York heeft de achterkant van de ziekenwagen al opengezet. 'We nemen haar van je over,' zegt hij tegen Webster.

'Niet-reagerend, ademhaling oppervlakkig, pols zwak, bloeddruk 110 bij 72, mogelijk beide schouders uit de kom, gebroken sleutelbeen, vermoeden van een hoofdwond, de naam is Jill.'

Webster draait zich om naar Edward die enigszins afzijdig staat. Het joch trilt als een hart in V-fib.

'Neem hem ook mee, alsjeblieft,' zegt Webster tegen zijn collega uit New York. 'Hij heet Edward. Geef hem een telefoon, dan kan hij zijn ouders bellen. Of anders kunnen jullie het voor hem doen. Vraag hem om de achternaam van het meisje en bel die door naar de meldkamer.'

Webster helpt het joch, dat er ineens helemaal doorheen zit, op de bijrijdersstoel. 'Goed werk, Edward,' zegt hij terwijl hij zijn gordel vastmaakt.

Dan gooit hij het portier dicht en hij doet een stap naar achteren. Een blik op zijn digitale horloge vertelt hem dat hij inmiddels precies negentien minuten ter plaatse is.

Zo ver als hij heuvelopwaarts kan kijken, is de weg gevuld met auto's van hulpdiensten, waarvan de zwaailichten de mist doorboren. Veel gewonden zijn er ernstig aan toe, en er zijn ook doden gevallen. De bestuurders van de ziekenwagens zijn zo verstandig geweest hun auto in de berm te keren, zodat ze al in de juiste richting staan en onmiddellijk weer kunnen vertrekken. De andere hulpvoertuigen zullen dienen als kleine traumacentra, waar het ambulancepersoneel de eerste, spoedeisende hulp kan verlenen.

Webster was als een van de eersten ter plekke, maar hij is bijna de laatste die weer vertrekt. Om bij Mercy Hospital te komen moet hij de wagen via de berm langs de plaats van het ongeluk manoeuvreren, met Koenig en twee niet-kritieke gewonden achterin. Het zijn de inzittenden van de Touareg, een moeder met haar zoon. Zij heeft kneuzingen in haar gezicht en op haar borst, als gevolg van de airbag, het kind heeft een gebroken pols opgelopen toen hij, geruime tijd na het ongeluk, van de bijrijdersstoel op de weg viel. Verder mankeert hij niets.

Het ongeluk heeft vier doden geëist, onder wie drie kinderen. Het vierde slachtoffer is de bestuurder van de Hyundai. Een vrouw uit een achteropkomende auto die ongedeerd is gebleven, jammerde hysterisch dat ze niet op tijd had kunnen stoppen, tot een agent haar uiteindelijk in een politiewagen duwde en naar huis bracht, gewoon om te zorgen dat ze haar mond hield. De busjes van plaatselijke nieuwszenders uit zowel Vermont als New York blokkeren op misdadige wijze de uitvalsroutes. Kleine kinderen op korte wervelplanken, rode en blauwe truien die onder thermische dekens uit piepen. Webster heeft de meldkamer gebeld om erachter te komen naar welk ziekenhuis Jill is overgebracht, maar dat is nog niet duidelijk. Hij denkt aan Rowan, aan de kans dat zij dat meisje in het paarse topje was geweest.

Het is niet zijn eerste ongeluk met een groot aantal gewonden, maar een schoolbus maakt het allemaal wel extra enerverend. Van alle kanten zijn de ongeruste ouders toegestroomd, sommigen zijn zo nuchter om ook de helpende hand te bieden. De bestuurder van de jeep was er verschrikkelijk aan toe, zag Webster, toen de hulpverleners zich met de brancard waarop hij lag langs de bus haastten. Webster behandelde verder nog slachtoffers met gebroken botten, met een lichte hersenschudding en met hechtwonden, waarvan twee ernstig. Hij keek met opzet niet naar de ouders die te horen kregen dat hun kinderen het ongeluk niet hadden overleefd. De dood van een kind is onverdraaglijk; de beelden houden hem 's nachts uit zijn slaap. Hij kan zich het verdriet van de ouders zo goed voorstellen dat hij zelf regelmatig tot tranen geroerd wordt.

'Je reinste nachtmerrie,' verzucht Koenig op de bijrijdersstoel, wanneer ze van het ziekenhuis op de terugweg zijn naar de ambulancepost. 'De 42 zou verboden moeten zijn voor zwaar vrachtverkeer.'

'Wat is het alternatief?' Webster leunt achterover in zijn stoel, met één hand op het stuur. 'De 42 is de enige route door het westelijk deel van Vermont.'

'Dan moeten ze de spullen maar overladen in kleinere vrachtwagens. Die negenasser had op die weg nooit zo hard mogen rijden.'

'Hoe hard reed hij?'

'De state police vermoedt zo'n 100 kilometer per uur.'

'Koop in elk geval maar nooit een Hyundai.'

'Een Touareg daarentegen...' oppert Koenig.

'Alsof jij je die zou kunnen veroorloven.'

'De politie kon er gewoon mee wegrijden.'

'Ik heb een pesthekel aan dit soort meldingen,' zegt Webster.

'Je meent het!'

'Hoe was de bruiloft?'

Koenig schudt zijn hoofd. 'Rampzalig. Tenminste, het had niet veel gescheeld.'

'Vertel!'

'Annabelle is verstandiger dan ik had gedacht. Er vielen tranen in de auto, en ik heb ruim twintig minuten moeten wachten voordat ze was uitgehuild. Ze was bang. Eigenlijk wilde ze helemaal niet trouwen voordat hij werd uitgezonden, maar ze vond het moreel niet juist om Jackson ongetrouwd te laten vertrekken. En ze kon de gedachte niet verdragen om hem voor het altaar in de steek te laten, of hoe je dat ook noemt wanneer je in een hotel trouwt.'

'Shit.'

'Ze liep er al weken over te stressen.'

'Wat heb je gezegd?' vraagt Webster.

'Dat ik het rot voor haar vond. Ruth zat als moeder van de bruid op de voorste rij, en ik wist dat ze erin zou blíjven als Annabelle op het laatste moment afhaakte. Maar als ze dat wilde, kon ik haar zo naar huis brengen, heb ik tegen Annabelle gezegd, en dan zou ik zonder haar teruggaan om het aan Jackson en Ruth en de gasten uit te leggen. Dus uiteindelijk heb ik de auto gestart, maar ik had nog geen drie meter gereden of ze wilde dat ik weer bleef staan. Uiteindelijk heb ik gezegd dat ze moest kiezen. "Of je stapt uit, of ik rij door naar het hotel." Dat laatste werd het. Ze droogde haar tranen, fatsoeneerde haar gezicht zo goed en zo kwaad als het ging, en ik ben naar het hotel gereden. Maar ik voelde me alsof ik haar naar de slachtbank leidde.'

'Dat kan ik me voorstellen,' zegt Webster, en hij neemt de afslag naar de ambulancepost.

'Tijdens de receptie stond ze er stralend bij, dus misschien was het vooral een kwestie van zenuwen. Tenminste, dat hoop ik. Hoe dan ook, ze heeft het komende jaar alle tijd om zich af te vragen of ze de juiste beslissing heeft genomen.'

'Als ik haar was, zou ik me daar maar niet mee bezighouden,' zegt Webster. 'Zolang hij in Afghanistan zit, valt er toch niks aan te doen.'

Webster werkt zich uit de auto en loopt naar de achterdeur. Hij is kapot. Het is halfeen, en hij heeft een van de langste en zwaarste diensten sinds jaren gedraaid. Anderhalve dienst, om precies te zijn. Wanneer hij de keuken binnenkomt, staat Rowan op het punt een kliekje voor hem in de magnetron te zetten.

'Ben je nog wakker?' Webster is verrast. 'Heb je gekookt?'

'Niks bijzonders. Stoofpot. Je ziet er moe uit.'

'Het was een zware dag.'

'Een kettingbotsing. Ik heb het gehoord. Hoe ging het?'

Webster heeft haar vragen over zijn werk nooit ontweken en haar altijd alles verteld over de verleende hulp en de mogelijke gevolgen voor de slachtoffers. De laatste tijd zelfs tot en met de gruwelijkste details. 'Het was verschrikkelijk. Vier doden, van wie drie kinderen. Ik heb een meisje uit een schoolbus gehaald dat klem zat onder een van de banken. Ze had een hoofdwond. Ernstig, volgens mij, maar ik hoop dat ik me vergis. Ze kan niet ouder zijn geweest dan een jaar of vijftien.'

'En die ene volwassene? Hoe is die gestorven?'

'Doodgedrukt, in haar Hyundai.'

Rowan zegt niets. Probeert ze het zich voor te stellen?

Webster werkt zich uit zijn jack. Het liefst zou hij onmiddellijk al zijn kleren uittrekken en in de wasmachine stoppen. Een dode bezorgt hem, ongeacht de omstandigheden, nog altijd een verlangen om alle smerigheid van zich af te spoelen.

'Het is geweldig wat je doet.' Rowan kijkt op naar haar vader.

Ze is de hele avond opgebleven om hem dat te vertellen.

'Dankjewel. Dat maakt het allemaal de moeite waard.'

'Mooi zo.' Ze staat op.

'Ik zou maar naar bed gaan als ik jou was. Over zes uur gaat je wekker alweer.'

'Ik heb al even geslapen.'

Webster kijkt zijn dochter na wanneer ze vermoeid de trap op loopt.

Wilde ze het goedmaken? Vanwege die uitval van laatst? Vanwege de agressie waarmee ze de seringen te lijf was gegaan?

Die middag gaat Webster na zijn dutje aan het werk in de moestuin die hij heeft aangelegd. Wanneer hij het gepiep van de achterdeur hoort, kijkt hij om. Even – een seconde, of misschien maar een fractie daarvan – denkt hij dat het Sheila is. Niet zoals ze er nu uit zou kunnen zien, maar zoals ze toen was: lang, donker haar, een licht uitdagende houding, een grijze trui op een spijkerbroek, een zonnebril in de haren, laarzen met hakken. Maar het is Sheila niet, het is zijn dochter die er ineens twee jaar ouder uitziet dan de laatste keer dat hij haar zag.

Hij loopt over het tuinpad naar haar toe.

'Waar ga je heen?' Hij veegt zijn handen af aan zijn oude spijkerbroek. Op zijn kastanjebruine T-shirt staat HARTSTONE MARAUDERS.

'Uit,' zegt ze.

'Rowan.'

'Ik heb met Tommy afgesproken in het winkelcentrum. Hij moet een cadeautje voor zijn moeder kopen. Die is bijna jarig. Daarna gaan we naar de talentenjacht op school. En misschien is er dan nog een feestje.'

'Wat voor feestje?'

'Dat weet ik nog niet.'

'Daar hou ik niet van, dat weet je.'

'Ik bel je zodra ik er ben.'

Ze weten allebei dat een telefoontje van een mobiel toestel

weinig zegt. Als ze dat zou willen, zou ze moeiteloos kunnen liegen over waar ze is. Zou ze dat doen? Zou ze tegen hem liegen?

'Heb je benzine genoeg?' vraagt hij.

'Zat!'

Ze tilt haar hoofd op en gooit haar haren naar achteren. Het is een gebaar dat hij zelden van haar ziet. Webster wil niet dat ze gaat, maar hij kan haar niet tegenhouden.

Hij wil zijn armen om haar heen slaan. Drie maanden eerder zou hij het hebben gedaan. Hij maakt zich zorgen dat ze pech krijgt met de auto, of dat ze verdwaalt, hij is bang voor mannen die haar lastigvallen. Maar het afwerende schild dat ze tegen hem heeft opgetrokken, is bijna voelbaar.

'Nou, dan ga ik maar,' zegt ze.

Denk erom dat je niet drinkt, wil hij zeggen.

Hij kijkt naar zijn dochter terwijl ze achter het stuur van de Corolla gaat zitten. Daar wordt ze nerveus van, weet hij. Dus hij moet daar niet blijven staan, hij moet weg, terug naar zijn tuin, maar hij heeft het gevoel dat hij haar moet nakijken tot ze het tuinpad af is. Dat heeft hij altijd gedaan, en het valt niet mee om te breken met een oude gewoonte. Hij heeft haar nagekeken wanneer ze vertrok op de achterbank van de moeder van een vriendinnetje, en hij heeft haar nagekeken toen ze haar rijbewijs had gehaald. Het is onmogelijk om zulke ingesleten rituelen af te zweren.

Ze keert de auto, schuift haar zonnebril naar voren, op haar neus, strijkt haar haren uit haar gezicht en rijdt het tuinpad af. Hij kijkt haar na tot ze de 42 op draait.

Hij vindt het heerlijk om met zijn handen in de grond te wroeten, om de geur van aarde op te snuiven. Hij geniet van de verhoogde rijen met zaailingen. De eerste sla heeft hij al geoogst, en het zal niet lang meer duren of de erwten zijn ook zover. Morgen valt er een hoop onkruid te wieden, denkt hij, en dan moeten de tomaten geplant worden. De dag tevoren heeft hij de omheining verstevigd tegen de herten, ook al heeft hij van andere tuinlief-hebbers gehoord dat een groentetuin in Vermont weinig kans van slagen heeft. Volgens Ruth, de vrouw van Koenig, hadden de herten vorig jaar alle roze en blauwe bloemen in haar tuin opge-geten, maar de rest ongemoeid gelaten. Dus Webster heeft langs de hele omheining afrikaantjes geplant. Die zouden een remedie moeten zijn tegen klein ongedierte. Groot ongedierte heeft hij al, getuige de gangen onder het gras, die de aanwezigheid van mollen verraden. Zompige plekken waar hij in wegzakt met zijn voeten. Waarschijnlijk is het slechts een kwestie van tijd voordat het ongedierte ook zijn moestuin onveilig maakt.

Hij stelt zich Rowan voor, op weg naar haar afspraakje. Rijdt ze met één hand aan het stuur? Zit ze onder het rijden te sms'en?

Wanneer ze uit huis gaat, om te gaan studeren, heeft hij achttien jaar voor haar gezorgd. Misschien is dat alles. Mis-schien zit er voor hem niet méér in. Daar moet hij zich op voorbereiden. En dat zal hij moeten accepteren. Sheila heeft maar twee jaar van het leven van haar dochter meegemaakt.

Hij laat zich op zijn hurken zakken, steekt de spade diep in de zwarte aarde en legt zijn hand op het houten handvat. Het liefst zou hij gaan liggen, om zijn zorgen te laten wegvloeien in de grond.

Wanneer hij na zijn dienst thuiskomt, ruikt hij de alcohol al zodra hij de keuken binnenkomt. Met twee treden tegelijk rent hij de trap op, hij grijpt de deurstijl en stormt Rowans kamer binnen. Ze is er niet. Hij kan niet zien of haar bed be-slapen is. Hij valt bijna van de trap in zijn haast om naar de woonkamer te gaan. Daar vindt hij Rowan op de bank, gewik-keld in een zomerquilt.

'Rowan!' roept hij wanneer hij naast haar staat. Er hangt een sterke dranklucht in de kamer, maar het is niet alleen drank wat hij ruikt. Wanneer hij zijn blik over het tapijt laat gaan, ontdekt hij een plakkaat ingedroogd braaksel.

Godallemachtig.

Hij schudt haar door elkaar. Ze kreunt.

Shit! Heeft ze een black-out?

Hij schudt haar nogmaals door elkaar en roept opnieuw haar naam. Ze doet haar ogen open, probeert te focussen. Hij registreert een vluchtige blik van paniek. Ze is bij kennis en ze is alert.

'Wat is er in godsnaam gebeurd?' vraagt hij.

Rowan kreunt. 'Ik voel me niet lekker.'

'Hoeveel heb je gedronken?'

Een vluchtige beweging onder de dekens. Ze legt haar hand op haar maag. 'Geen idee.'

'Heeft Tommy dit op zijn geweten?' vraagt Webster streng, terwijl zijn bloeddruk stijgt tot duizelingwekkende hoogten.

'Nee,' antwoordt Rowan. 'Die was pisnijdig op me.'

'Heeft hij je naar huis gebracht?'

'Jezus, pap, moet dit?'

'Ja, dat moet! En er moet nog een heleboel meer als ik geen antwoord krijg!'

'Tommy heeft me in zijn auto gezet,' zegt Rowan. 'Hij had niks gedronken. Daarna kan ik het me allemaal niet meer herinneren.'

'Jezus, Rowan. Waarom doe je dit?'

'Waarom doe ik wat?'

'Wat bezielt je in godsnaam?'

Ze begint te hoesten, en hij is bang dat ze weer moet overgeven. Was ze er zo slecht aan toe geweest dat ze de wc niet meer haalde? En dat ze ook geen emmer meer uit de keuken had kunnen pakken?

'Ik weet het niet,' zegt ze met een klein stemmetje. 'Het zal wel een familietrek zijn.'

Webster trekt haar ruw overeind tot zit. Haar hoofd wiebelt op haar nek. Haar gezicht ziet groen. Hij wordt al misselijk wanneer hij naar haar kijkt. 'Nou moet je eens goed naar me luisteren! Daar trap ik niet in. Je hebt geen enkele neiging tot alcoholisme, dus waag het niet dat als excuus te gebruiken. Dit is iets wat je jezelf hebt aangedaan. Ik weet niet wat voor spelletje je denkt te spelen, maar ik zou er maar heel snel mee kappen!' Wanneer hij haar loslaat, zakt ze terug op de bank en wendt ze haar hoofd af.

Toen Rowan twaalf was heeft Webster haar verteld dat haar moeder alcoholist was, en dat ze daarom was weggegaan, omdat ze hulp wilde zoeken. Hij had nooit rekening gehouden met de mogelijkheid dat zijn dochter dat als haar erfenis zou beschouwen. Hij heeft Rowan alles verteld over Sheila en hem, voor zover het geschikt was voor de oren van een puber. Maar daarbij heeft hij één wezenlijk aspect achtergehouden. Hij heeft Rowan niet verteld dat hij haar moeder had weggestuurd. Dat mag nu niet langer onuitgesproken blijven, beseft hij.

Hij harkt met zijn nagels over zijn schedeldak. Op dit moment valt er echter helemaal niets te zeggen. Hij sluit niet uit dat ze zich dit hele gesprek de volgende dag niet eens meer herinnert.

Ze is niet zo ziek dat hij met haar naar de spoedeisende hulp moet. Hij zal gewoon geduld moeten hebben tot ze haar roes heeft uitgeslapen. Ze ligt al op haar zij, dat is goed. Hij zal haar de eerstkomende twee uur elk halfuur wakker maken. En hij hoopt dat ze de volgende dag barstende koppijn heeft.

Hij laat zich in een stoel tegenover haar vallen. Aan slapen valt niet te denken. Terwijl zijn ogen zich geleidelijk aan steeds meer aanpassen aan de schemering, ontdekt hij nog een vlek op het vloerkleed. Hij werkt zich uit zijn stoel om een dweil en een emmer te halen. Eigenlijk zou hij Rowan de volgende morgen de boel moeten laten opruimen, maar hij weet niet of hij de geur zo lang kan verdragen. Hoe meer hij spoelt en schrobt, hoe razender hij wordt. Als zijn bloeddruk nog verder stijgt, krijgt hij een hartaanval. Even overweegt hij zijn bloeddrukmeter te pakken. Hij kan zich niet herinneren wanneer hij voor het laatst zo kwaad is geweest. Misschien wel nooit.

Ze weet niets meer van de rit naar huis. En hoe zit het met Tommy? Zodra hij de kans krijgt, zal hij dat joch flink op zijn lazer geven. Wat is dat voor vriendje? Godallemachtig. Welke jongen laat het gebeuren dat zijn vriendin zich laveloos drinkt? Tenzij hij een geheime agenda heeft, natuurlijk. Webster schudt zijn hoofd. Daar wil hij niet eens aan denken.

Als het kleed weer schoon is, wast hij zijn handen, hij zet een kop koffie voor zichzelf en gaat weer in de stoel tegenover de bank zitten. Wanneer hij kwaad is op iemand van wie hij houdt, bezorgt dat hem een misselijkmakend gevoel. Het raakt hem te diep. Er komen ongewenste herinneringen naar boven. Sheila die dronken is, met de baby in haar armen. Sheila die te veel heeft gedronken op Rowans verjaardagsfeestje. Sheila achter het stuur, slingerend over de 222. Zover zal het met Rowan niet komen. Daar zal hij voor zorgen.

Wanneer hij wakker wordt, valt er licht door de kieren rond de jaloezieën. En hij registreert nog iets. Er wordt op de deur geklopt! Hoe laat is het? Hij kijkt op zijn horloge. Bijna acht uur.

Hij kijkt door het raam van de keukendeur, dan stapt hij haastig naar buiten en trekt de deur snel weer achter zich dicht. Zijn bewegingen zijn zo bruusk dat Gina verschrikt twee stappen achteruit doet. Tommy staat enigszins afzijdig.

'Vertel op! Jullie waren erbij! Hoe heeft het zover kunnen komen?' buldert hij tegen het tweetal. Even denkt hij aan de

Tommy die hij tot op dat moment altijd zo graag mocht. Een meter negentig, misschien zelfs nog langer. Een donkere, rechte haarlijn boven een hoog voorhoofd, volle lippen en een prettige glimlach. De eerste keer dat hij hem ontmoette, kwam Tommy aan de deur om Rowan te halen. Zijn auto zag er niet veel beter uit dan de hare. In een rol die ze nooit eerder had hoeven spelen, kwam Rowan haar vader halen om hen aan elkaar voor te stellen. Ze had Webster al van tevoren gewaarschuwd, en verrast als hij was, en blij voor Rowan omdat ze een afspraakje had, had hij geen vragen gesteld. Alleen: 'Ben je wel voor twaalven thuis?'

Rowan zei niets, maar Tommy wel. 'Daar zorg ik voor.'

Webster vond hem meteen aardig. Verlegen, maar open en oprecht. Hij had een eerlijk gezicht. Zijn donkere ogen keken niet weg wanneer ze die van Webster ontmoetten. En hij gaf een stevige hand. Niet alsof hij probeerde iets te bewijzen. En dan de blik waarmee hij naar Rowan keek! Ze zei iets grappigs – wat ook alweer? – en Tommy begon te lachen en keek naar haar op een manier die Webster alles vertelde wat hij wilde weten. Op meer kon je als vader niet hopen.

En nu? Webster voelt zich verraden.

'Tommy kon er niks aan doen,' zegt Gina.

'Leg me dan maar eens uit' – Webster wees van de een naar de ander – 'hoe een meisje zo dronken kan worden wanneer ze met haar vrienden uit is? Of liever gezegd, haar zogenaamde vrienden, want jullie hebben geen poot uitgestoken. Vonden jullie het soms grappig? Was het kicken?'

Tommy heft zijn gespreide handen. 'Ik had er moeten zijn, Mr. Webster, maar ik was er niet. We zijn samen naar dat feestje gegaan, maar Rowan wist dat ik halverwege de avond even naar huis moest vanwege mijn oma uit Indiana. Die is gisteravond aangekomen. Toen ik terugkwam, kon Rowan al nauwelijks meer op haar benen staan.'

'Hoe lang ben je weg geweest?' vraagt Webster.

'Misschien een uur.'

'Is ze in een uur zo stomdronken geworden? En waar was jij?' vraagt hij aan Gina.

'Ik was er niet. Ik ben helemaal niet op dat feestje geweest. Maar ik heb gehoord dat ze hevig aan de wodka ging zodra Tommy weg was. Het spijt me echt. Ik wou dat ik er was geweest. Dan was het niet gebeurd.'

'Mooie vrienden zijn dat waar jullie mee optrekken,' zegt Webster.

'Hoe is het nu met haar?' vraagt Gina.

Webster doet de deur open en gebaart met zijn hoofd in de richting van de woonkamer. Gina glipt langs hem heen en loopt naar Rowan.

'Ze ligt nog op dezelfde plek als waar jij haar hebt achtergelaten,' zegt Webster tegen Tommy wanneer die de keuken binnenkomt. 'Jij hebt haar toch thuisgebracht?'

Tommy knikt. 'We hadden afgesproken dat ik niet zou drinken.'

'Waarom heb je me niet gebeld?'

'Ik weet het niet,' antwoordt hij, duidelijk slecht op zijn gemak. 'Ik wist dat u dienst had.'

'Dacht je nou echt dat ik dan niet naar huis zou komen om voor mijn dochter te zorgen?' vraagt Webster. 'En waarom heb je haar alleen gelaten?'

'Ik moest naar huis,' zegt Tommy met een verslagen gezicht. 'Mijn ouders stonden erop dat ik op tijd naar huis kwam.'

'Ze had wel dood kunnen zijn! Besef je dat? Ze heeft twee keer overgegeven. Gelukkig was ze zo verstandig om over de rand van de bank te spugen. Denk erom dat je nooit meer iemand alleen laat onder zulke omstandigheden.'

Tommy buigt zijn hoofd. Hij ziet eruit alsof hij ook moet overgeven.

'Jij kunt er niets aan doen,' zegt Webster, alweer verzoend, en hij legt een hand op Tommy's schouder. 'Het is Rowans eigen schuld. Ik zou je dankbaar moeten zijn omdat je haar thuis hebt gebracht.'

Wanneer ze de woonkamer binnenkomen, zit Gina al op haar knieën naast de bank. Ze praat zacht tegen Rowan, die wakker genoeg lijkt om te luisteren.

Tommy gaat onbeholpen achter de bank staan. Hij heeft alle recht om hier te zijn, maar zo voelt hij het duidelijk niet.

Webster loopt de kamer op en neer.

'Waar is Tommy?' hoort hij zijn dochter vragen.

Webster kijkt toe terwijl Tommy zijn hand op Rowans schouder legt. Ze reikt ernaar en legt de hare erop. Een simpel, maar veelzeggend gebaar. Het joch heeft standgehouden onder Websters tirade. Daarmee heeft hij bewezen dat hij ruggengraat heeft. En dat hij zich kan beheersen. Iemand anders zou zich door Webster misschien in de verdediging hebben laten dringen. Hij haalt opnieuw diep adem. Tijd om te kalmeren.

Het late ochtendlicht is schel. Rowan legt een hand boven haar ogen en begint te huilen. Webster laat het drietal alleen en sluipt de trap op, met een spoor van ongewenste herinneringen in zijn kielzog.

Wanneer hij in slaap valt droomt hij van Sheila.

Een agent staat hen al voor het pakhuis op te wachten. 'Er is er een gesprongen,' zegt hij.

'Echt waar?' vraagt Webster. 'Ik kon mijn oren niet geloven toen de melding binnenkwam. Hebben we dat ooit eerder gehad hier?'

'Niet dat ik me kan herinneren,' antwoordt de agent. 'Misschien in Queechee Gorge.' Hij gebaart naar de achterkant van het gebouw.

Koenig draagt de traumakoffer, de schepbrancard en zijn paraatkoffer, Webster de rest. Ze zetten het op een rennen. Een groepje agenten staat om het roerloze slachtoffer heen. Ze gaan opzij wanneer ze Webster en Koenig zien aankomen.

'Hij is bij bewustzijn. Sterker nog, hij praat,' zegt een van de agenten.

Het tafereel wordt verlicht door een veiligheidslamp: surrealistisch, metaalachtig, zwartomlijst. Het slachtoffer is op zijn rug neergekomen. Zijn linkerknie is op een onnatuurlijke manier naar binnen gebogen. Er steekt een bot door de huid. 'Godallemachtig,' zegt een agent die net komt aanlopen, en hij wendt zich af.

Webster kijkt omhoog. Twee verdiepingen. Het is waarschijnlijk niet onmógelijk om zelfmoord te plegen door van die hoogte naar beneden te springen.

'De beveiligingsbeambte aan de voorkant heeft hem horen neerkomen,' voegt de eerste agent eraan toe. 'Dus hij is om het gebouw heen gerend om te zien wat er aan de hand was.'

Webster hurkt naast het lichaam en legt de halskraag aan. 'Dat zullen we moeten spalken,' zegt hij tegen Koenig, wijzend naar de breuk.

'Ik ruik alcohol,' zegt Koenig, en hij snuift. Ondertussen doet hij de manchet van de bloeddrukmeter om de arm van het slachtoffer.

'Hoe heet u?' vraagt Webster aan het slachtoffer.

Waarom gilt die vent het niet uit? Het is eind mei, maar hij heeft een veelkleurige muts op, iets wat eruitziet alsof zijn oma het voor hem heeft gebreid. Daaronder heeft zich een plas bloed gevormd. Webster legt een drukverband aan. De man draagt een spijkerbroek, met daarop een spijkerjack. Een van zijn laarzen is verdwenen. Hij zou het moeten uitschreeuwen van de pijn.

'Randall,' zegt de man.

'Oké, Randall, waar doet het pijn?'

'In mijn rug. Volgens mij is alle lucht uit mijn longen geslagen.'

'En je hoofd? Doet dat ook pijn?'

'Dat valt wel mee.'

Webster immobiliseert het hoofd van het slachtoffer. Hoofdwonden bloeden altijd verschrikkelijk. Ook in dit geval is het niet zo erg als het lijkt. Hij controleert de hartslag door zijn wijs- en middelvinger op de slagader in de enkel te drukken.

'Hoe oud ben je, Randall?'

'Vierendertig.'

Koenig kijkt Webster aan. Het slachtoffer ziet er eerder uit alsof hij tegen de zestig loopt. Blijkbaar heeft hij een zwaar leven achter de rug.

'Heeft iemand je geduwd, of ben je gesprongen?'

'Ik denk dat ik ben gesprongen.'

'Heb je gevoel in je benen?' vraagt Webster.

De man probeert op te kijken. De inspanning is blijkbaar te vermoeiend, want hij laat zijn hoofd weer zakken.

'Bloeddruk 112 bij 68,' rapporteert Koenig. 'Hartslag zwak en onregelmatig. Ademfrequentie 24.'

'Heb je de thermische deken bij je?'

Koenig haalt de glimmende deken uit de traumakoffer en legt die over het slachtoffer heen.

'Bekkenfractuur?' vraagt Webster aan Koenig.

'Dat vermoed ik.'

Webster hoort wat de agenten achter hem zeggen. 'Wie springt er nou van een gebouw van twee verdiepingen?' vraagt de een, waarop de ander begint te lachen.

'Bel de meldkamer,' zegt Webster tegen Koenig. 'Zeg dat we een springer hebben, met mogelijk een bekkenfractuur, een gecompliceerde breuk van scheen- en kuitbeen, dislocatie van de knieschijf, ernstig bloedverlies uit een wond op het achterhoofd. Het slachtoffer heeft gedronken, is bij bewustzijn en aanspreekbaar.'

'Ik wil een volledige immobilisatie,' zegt Webster. 'Breng de auto hierheen,' instrueert hij een van de vele agenten die zich hebben verzameld om het ongewone tafereel met eigen ogen te zien. Webster gooit de sleutels naar hem toe. 'Zo snel mogelijk,' voegt hij eraan toe.

Tegen de tijd dat Webster en Koenig het slachtoffer op de brancard leggen, heeft de agent de auto gebracht en de achterdeur opengezet. 'Ik voel hem trillen, dwars door de brancard heen,' zegt Webster. 'Hij is in shock.'

Webster gaat achterin zitten bij het slachtoffer en zet een infuus. Ondertussen hoort hij dat Koenig de meldkamer belt. Hij verwarmt de infuusvloeistof en zet de thermostaat op hoog.

Het slachtoffer ligt zo hevig te trillen dat hij zich nauwelijks verstaanbaar kan maken. Webster wil dat hij wakker blijft en probeert hem aan de praat te houden.

'Waarom heb je het gedaan?'

'Vriendin.'

'Wakker blijven, Randall. Kijk me aan. Ben je er nog?'

Randall knikt. Eén keer.

'Wat is er met je vriendin?' vraagt Webster.

'Ze is dood.'

Dat antwoord had Webster niet verwacht. 'Wat verdrietig,' zegt hij. 'Hoe is ze gestorven?' Terwijl hij het vraagt, controleert hij de vitale functies.

'Ze heeft zichzelf van kant gemaakt,' zegt de man.

'Ach! Wat verschrikkelijk,' zegt Webster.

'Ze is gesprongen.'

O nee!

Webster voelt het opkomen en probeert het te onderdrukken. Maar hoe harder hij dat probeert, hoe erger het wordt. Een bulderende, allesoverheersende lachbui welt in hem op.

Net op tijd wendt hij zich af van het slachtoffer. Met zijn gezicht naar de achterkant van de auto spert hij zijn mond wijd open, terwijl hij probeert een minimum aan geluid te maken. De tranen stromen over zijn wangen. Hij veegt ze weg met zijn mouwen. Dan ebt de aandrang weg. Webster haalt diep adem. In de veronderstelling dat het voorbij is, wil hij zich al naar de patiënt keren, maar dan moet hij zich opnieuw razendsnel omdraaien. Hij drukt een arm tegen zijn mond. Het lukt hem niet zichzelf onder controle te krijgen. Hij bijt in zijn mouw. Hij drukt zijn voorhoofd tegen de isolatie van de auto. Achter hem zegt de patiënt iets onverstaanbaars, wat Webster een volgende lachstuip bezorgt. Hij beukt met zijn vuist in zijn hand en blijft dat doen tot hij zijn gezicht in de plooi heeft en zich weer kan omdraaien. Op dat moment parkeert Koenig de auto voor de ingang van de SEH, en zodra

Webster de deuren opengooit, ziet hij dat er een verpleegkundige komt aanrennen. Met de tranen nog in zijn ogen brengt hij zo kort en bondig mogelijk verslag uit. Dan gebaart hij Koenig met zijn hoofd om met de brancard mee naar binnen te gaan.

Wanneer zijn collega weer naar buiten komt, zit Webster op de bijrijdersplaats.

'Wat was er met jou aan de hand?' vraagt Koenig. 'Ik wist niet wat ik zag!'

'Dit geloof je niet,' zegt Webster. 'Ik vroeg hem waarom hij had geprobeerd zichzelf van kant te maken, en toen zei hij dat zijn vriendin was overleden. Ik vroeg waaraan. Ze was gesprongen, zei hij. En...' Er ontsnapt een hoog geluidje uit zijn keel. Koenig schudt zijn hoofd en begint te lachen. Webster drukt de muis van zijn hand uit alle macht tegen zijn knie. Koenig gnuift.

Uiteindelijk komen ze weer tot bedaren.

'Het was echt afschuwelijk,' zegt Webster.

'Ja, dat kun je wel zeggen. Misschien begin je een beetje door te draaien.'

'Dat weet ik wel zeker.' Hij denkt aan Rowan met de tuinslang.

'Laten we afspreken dat we het er nooit meer over hebben.'

'Mee eens.'

Koenig zet de auto in zijn versnelling en begint aan de terugrit naar de ambulancepost.

Chelsea blijkt een doolhof van al dan niet leegstaande bedrijfsgebouwen en drie verdiepingen hoge appartementencomplexen. Webster zet koers naar een watertoren op een heuvel en komt langs een ziekenhuis dat nog uit de Eerste Wereldoorlog lijkt te stammen. Wanneer hij de brandweerkazerne passeert, zoekt hij onwillekeurig naar de aanbouw voor de ambulancepost, maar die is vanaf de straat niet te zien. Hij komt langs een kerk, de Saint Rose, en een reeks gebouwen met een plat dak aan een drukke weg.

Ondanks de instructies van MapQuest kan hij het adres niet vinden. Hij weet zeker dat hij al eerder langs de uit rode en blauw-groene bakstenen opgetrokken school is gekomen. Omdat hij toch moet tanken, stopt hij bij een Mobilpomp en vraagt daar om een kaart van de stad. Er zit geen plattegrond van alleen Chelsea tussen de stapel, maar de pompbediende informeert waar hij moet zijn en Webster noemt hem het adres. De man, die Pena heet getuige de naam op zijn borstzak, tekent een kaartje hoe hij moet rijden. Webster wil hem als dank een briefje van vijf dollar geven, maar dat wil de pompbediende niet aannemen. Dus in plaats daarvan koopt Webster een beker koffie en een donut.

Nauwkeurig de nieuwe aanwijzingen volgend rijdt hij uiteindelijk een woonwijk in, gelegen op een helling. Na enig rondkijken ontdekt hij de straatnaam die hij zoekt, en even later het nummer waar hij moet zijn. Hij parkeert aan de overkant van de straat.

Het gebouw telt drie verdiepingen en heeft een gevelbeplating van kunststof: van boven roze, grijs aan de onderkant. Het staat pal aan de straat, met slechts een hek van gaas tussen de gevel en de stoep. Hij neemt een grote slok koffie, gevolgd door een hap van zijn donut. De zon staat hoog aan de hemel. Vanuit de auto kan hij zien dat de bewoners van het gebouw een schitterend uitzicht hebben op de skyline van Boston en een glinsterende watervlakte. Is dat Boston Harbor? Of de Mystic River? Aan zijn kant van de straat markeren twee betonnen sokkels met daarop een beeldje van de Maagd Maria het tuinpad van een huis met lichtgroene kunststof beplating. Het huis daarnaast heeft een schoorsteen – geen echte, maar alleen voor de sier – met een kerstman erop. Het is al bijna juni. De veranda is belegd met linoleumtegels.

Het bleek niet zo moeilijk te zijn om Sheila te vinden als Webster had gedacht. Op het internet vond hij tweeëntwintig Sheila Websters in Massachusetts, maar slechts zes Sheila Arsenaults, van wie er één in Chelsea woonde. Natuurlijk wist hij niet zeker of een van die zes zijn ex-vrouw was; misschien bestond er in Chelsea wel een enorme clan Arsenaults. Bovendien kon Sheila wel in New York of Californië zijn gaan wonen. Het was een rit van acht uur van Hartstone naar Chelsea, en Webster vroeg zich af of hij het risico moest nemen de lange reis te maken en dan tot de ontdekking te komen dat het niet de goede Sheila was. Hij overwoog haar te bellen, maar hij wilde niet dat hun eerste contact via de telefoon zou plaatsvinden. Ze moesten elkaar zien, ze moesten elkaar in de ogen kunnen kijken.

Hij had ook overwogen om McGill te bellen op het politiebureau, met het verzoek het archief te mogen raadplegen, maar dan zouden ze misschien op een nog uitstaand arrestatiebevel voor Sheila Arsenault stuiten, en dat kon tot allerlei problemen leiden. Wat was trouwens de verjaringstermijn van roekeloos rijgedrag? Webster wil Sheila alleen maar spreken. Sinds Rowan dronken is thuisgekomen, heeft hij het gevoel dat Sheila hem misschien zou kunnen helpen met zijn dochter. Het is geen weldoordacht plan, hij heeft in een impuls besloten in de auto te stappen, gedreven door een sterke behoefte om Sheila te zien. Wat verwacht hij dat ze zal doen? Rowan ontmoeten? Met haar praten? Hij kan het zich geen van beide voorstellen.

Zijn koffie is allang koud, de donut verorberd tegen de tijd dat hij uitstapt en de straat oversteekt. Het gebouw bestaat uit drie appartementen, ziet hij wanneer hij op de veranda staat. Elk appartement heeft zijn eigen bel. Bij de onderste staat de naam Arsenault. Hij belt aan.

Binnen hoort hij haastige voetstappen op de trap. Hij zet zich schrap. Het is tenslotte niet ondenkbaar dat de politieman opendoet.

'Ik vroeg me al af wanneer je zou aanbellen.'

Het is Sheila, en tegelijkertijd is ze het niet. Hij voelt hetzelfde als bij de twintigste reünie van zijn middelbare school: gezichten die verborgen zijn in gezichten, gelaatstrekken die voor zijn ogen in elkaar overvloeien. Alleen gaat het gevoel dit keer zo diep dat het lijkt alsof hij in een spiegel kijkt en zichzelf ziet veranderen.

'Sheila,' zegt hij.

Haar lange, donkerbruine haar begint aan de slapen grijs te worden. Ze moet inmiddels vierenveertig zijn. Haar spijkerbroek en geruite overhemdbloes zitten onder de verfspetters. Ze loopt op blote voeten. Hij ziet dat ze kraaienpootjes heeft rond haar ogen, maar haar mond is nog precies zoals hij zich die herinnert. En ze is nog altijd slank, maar ze ziet er niet uit alsof ze aan sport doet.

'Wat kom je doen?' vraagt ze.

Webster stopt zijn handen in zijn zakken. 'Ik wil met je praten over Rowan.'

Het komt niet bij hem op om haar de hand te schudden of te omhelzen.

'Ben je helemaal uit Vermont komen rijden?'

'Ja.'

Ze zegt niets.

'Mag ik binnenkomen?' vraagt hij.

Ze doet een stap opzij. Binnen laat hij zijn blik over het donkere interieur gaan, over de steile trap, het zijraam met glas-in-lood.

Ze gebaart naar de trap. 'Ik zit op de derde verdieping. Helemaal boven.'

'Je hebt mijn auto zien staan,' zegt hij op de overloop.

'Weer een surveillancewagen. Maar wel een andere. Hoeveel heb je er inmiddels gehad?'

'Sinds die eerste? Drie.'

'Ik dacht dat het de politie was, op een undercover surveillance. Tot ik het kenteken zag.'

Er hangt een sterke terpentijnlucht in het huis. Webster volgt Sheila naar een grote kamer met ramen aan drie kanten. De zon werpt rechthoeken van licht op de witte muren. Op een lange houten tafel staan potten met kwasten, flessen terpentijn en lijnzaadolie, er liggen wat lappen, een palet en tientallen halfleeg geknepen tubes verf in verschillende kleuren. Langs alle muren staan doeken in uiteenlopende maten, stuk voor stuk met de achterkant naar voren.

'Ben je gaan schilderen voor je beroep?' vraagt hij.

Ze heft haar gespreide handen.

Hij weet niets van haar. Ze zijn bijna drie jaar samen geweest, en inmiddels leiden ze alweer vijftien jaar ieder hun eigen leven. Hoewel alles aan haar hem op de een of andere manier vertrouwd is – haar houding, de klank van haar stem, haar lichaam, haar gebaren – is ze toch een vreemde voor hem.

'Ik wil met je praten over Rowan,' zegt hij nogmaals.

'Is alles goed met haar?'

'Ja en nee.'

'Is ze ziek?'

'Nee.'

Sheila gaat met haar armen over elkaar aan de andere kant van de kamer staan.

'Heb je misschien een glas water voor me?' vraagt hij.

Ze schenkt hem een neutrale blik, maar loopt langs hem heen de kamer uit. Hij volgt haar naar de overvolle, maar gezellige keuken. De tafel en de stoelen zijn duidelijk van een vorige generatie, net als het bedrukte behang dat eruitziet als een relikwie uit vroeger tijden. Aan haken bij het fornuis hangen kookspullen. Een van de muren is bedekt met planken, waarvan er één is gevuld met kookboeken.

'Woon je hier alleen?' vraagt hij.

Ze knikt, zet de kraan aan en laat het water even doorlopen. Dan houdt ze er een glas onder en zet het voor hem op tafel.

'Woon jij nog bij je ouders?' vraagt ze.

'Die zijn al jaren dood,' zegt Webster nadat hij het glas heeft leeggedronken.

'Ach, dat spijt me.' Het klinkt alsof ze het meent.

'Maar ik woon er nog steeds,' zegt Webster. 'Ik heb het huis geërfd.'

'Mijn zus heeft me dit huis voor een dollar verkocht. Ik ben hier opgegroeid.'

Webster verbaast zich over de beschaafde manier waarop het gesprek verloopt. Zouden ze niet tegen elkaar moeten schreeuwen? Zouden ze niet moeten huilen? Elkaar dingen naar het hoofd gooien?

Vanwaar hij staat kan hij vliegtuigen zien aanvliegen op Logan. Daar zou hij van genieten. Rond een uur of vijf op het balkon aan de achterkant naar het spitsuur kijken. Met een koud biertje.

'Wat kom je doen?' vraagt Sheila voor de tweede keer.

'Ik dacht dat het misschien zou helpen. Om met je over Rowan te praten, bedoel ik. Ze is een paar dagen geleden dronken thuisgekomen. Het lijkt wel alsof ze de weg kwijt is. Ze is zichzelf niet.'

Sheila zegt niets.

'Rowan is aan het veranderen. En niet in positieve zin.'

Sheila bijt op haar wang.

'Ze is prachtig, Sheila. En ze lijkt sprekend op jou. Een goed kind. Tenminste, tot nu toe.'

Elke vezel in Sheila's lichaam is veranderd sinds hij haar voor het laatst heeft gezien.

'Drink je nog?' vraagt hij.

'Nee. Al tien jaar niet meer.'

Het was een gok die hij had genomen. Hij had haar ook dronken kunnen aantreffen.

'Ik neem aan dat we officieel gescheiden zijn,' zegt ze.

'Ja.'

'Op welke gronden?'

'Verlating. Dat was de enige mogelijkheid. Mijn advocaat heeft naar je gezocht, maar je stond nergens in het systeem.'

'Over welk jaar hebben we het dan?' vraagt ze.

'1998?' Hij weet het niet helemaal zeker.

'Toen zat ik in Mexico.'

'Ik geloof niet dat hij echt heel erg zijn best heeft gedaan,' zegt Webster.

Ze draait haar haar tot een streng en laat het op haar schouder vallen. Het is een gebaar dat hij zich herinnert, en hij is geschokt. Want inmiddels is het Rowans gebaar.

'Ben je getrouwd?' vraagt hij.

'Nee. Jij?'

Hij schudt zijn hoofd. Dan wijst hij naar de gouden ring om haar linkermiddelvinger.

'Die was van iemand van wie ik heel veel heb gehouden,' zegt ze.

Heb gehouden.

Een pijnscheut trekt vanuit zijn hart door zijn hele borst.

'Het spijt me, maar ik kan je niet helpen,' zegt Sheila. 'Ik besef dat je een goede reden moet hebben gehad om helemaal hierheen te komen. Maar je kent me niet meer. Je hebt geen idee meer hoe ik ben.'

Het blijft zo lang stil in de keuken dat Webster merkt dat zijn ademhaling oppervlakkig wordt. 'Ze is zeventien,' zegt hij.

Sheila schudt haar hoofd.

'En ze denkt dat ze alcoholist is.'

'En is ze dat?'

'Volgens mij niet,' zegt Webster. 'Maar zo gedraagt ze zich wel, en dat is levensgevaarlijk.'

Sheila krimpt ineen. Hij ziet dat haar handen trillen.

'Ik hoop dat je begrijpt dat dit een enorme schok voor me is. Het feit dat je helemaal hierheen bent gekomen.' Ze is even stil. 'Ik was haar moeder, maar dat is voorbij. Uitgerekend jij zou dat moeten begrijpen. Ik heb de band tussen moeder en dochter verbroken op het moment dat ik dronken in de auto stapte met Rowan achterin.'

Webster overweegt haar eraan te herinneren dat hij haar heeft weggestuurd, maar hij wil geen ruzie maken over de schuldvraag. Zo'n gesprek zou tot niets leiden.

'Wil je er op z'n minst over nadenken?' vraagt hij.

'Om met haar te praten?'

'Ja, ik neem aan dat ik dat bedoel.'

'Je bent dat hele eind voor niets gekomen.'

'Maar je bent bereid erover na te denken.'

Sheila zegt niets.

'Mag ik zien wat je maakt?' vraagt hij in een soort laatste wanhoopsoffensief.

Sheila lijkt in de war gebracht door het abrupte verzoek. Wanneer ze de keuken verlaat, loopt Webster achter haar aan. Ze draait een van de schilderijen om. Er staat een oude houten tafel op, met daarachter een verweerde, gepleisterde muur. Op de tafel staat een blauw-witte schaal, en op de voorgrond ligt een rode Spaanse peper. Het is prachtig. Hij herkent de blauw-met-witte schaal. Die was van zijn moeder. Sheila had hem van haar gekregen.

Een voor een keert Sheila alle schilderijen om. Hij kijkt toe terwijl ze zich over de doeken buigt, ze stuk voor stuk voorzichtig omdraait en weer tegen de muur zet.

Het zijn allemaal huiselijke stillevens, met veel aandacht voor het detail weergegeven. Op een van de andere doeken staan drie schalen tegen de achtergrond van de afschuwelijke gebloemde gordijnen die ze in hun appartement hadden. Op een ander schilderij is een doorgesneden citroen afgebeeld, zo levensecht dat je het sap bijna kunt proeven. In de achtergrond herkent hij het behang in Sheila's keuken. Weer een ander doek stelt een stoel voor tegen een tafel, met daarop drie appels en een boek.

'Het zijn, wat men noemt, realistische stillevens,' zegt Sheila.

'Waar heb je leren schilderen?'

'In Mexico.'

'Schilder je vanuit je geheugen?'

'Ja.'

'Het is echt erg goed wat je maakt,' zegt Webster.

'Dankjewel.'

Het blijft geruime tijd stil. Waar hoopt hij op? Dat ze alsnog van gedachten zal veranderen?

'Tja,' zegt hij ten slotte. 'Dan moest ik maar eens gaan.'

Met tegenzin loopt hij naar de deur. Eenmaal daar werpt hij een onderzoekende blik op Sheila. Hij vraagt zich af of dit de laatste keer zal zijn dat hij haar ziet. Ze heeft haar handen tot vuisten gebald. Elke spier in haar lichaam is gespannen.

Hij wil niet smeken. Hij gaat niet proberen te onderhandelen. In zekere zin begrijpt hij het wel.

'Ik had niet moeten komen,' zegt hij.

Sheila doet haar mond open, en meteen weer dicht.

Hij haast zich de treden af en sluit de voordeur achter zich.

Alsof de duivel hem op de hielen zit, rijdt hij de stad uit. Hij heeft geen idee waar hij is, tot hij bij een bord komt met daarop WELKOM IN QUINCY. Quincy ligt ten zuiden van Boston, weet hij, en daar moet hij niet naartoe. Dus hij slaat een zijweg in en zet de auto langs de kant. Hij mag blij zijn dat hij niet op de bon is geslingerd.

Wanneer hij het raampje heeft opengedraaid, ademt hij diep de metaalachtige lucht in.

Hij haalt zijn mobiel tevoorschijn en kiest het nummer van zijn dochter. Na twee keer overgaan neemt ze op. 'Hallo?' zegt ze fluisterend.

'Rowan, met papa.'

'Dat weet ik.'

'Ik vroeg me gewoon af hoe het met je gaat.'

'Pap?'

'Ja?'

'Het is twintig over één.'

'Dat weet ik.'

'Ik zit bij geschiedenis. Meneer Cahill vermoordt me als ik niet ophang.'

'O sorry, stom van me.'

'Gaat het goed met je?' vraagt Rowan, nog altijd fluiste-rend.

'Ja, prima. Ik spreek je later.'

Hij leunt met zijn hoofd achterover, sluit zijn ogen en neemt zich voor bij het eerste het beste restaurant te stoppen voor een stevig bord eten. Daarna gaat hij op zoek naar een kaart, en dan rijdt hij als een normaal mens terug naar Hartsto-ne.

Caddyshack zit voor de honderdste keer in de dvd-speler. In hun eerste drie maanden kunnen nieuwelingen er geen genoeg van krijgen. Ze hebben behoefte aan onbekommerd lachen, gieren, brullen om hun zenuwen de baas te blijven.

Om drie uur 's nachts klinkt het signaal. Powell – de nieuweling, broodmager en een kortgeschoren koppie – springt van de bank als een duveltje-uit-een-doosje.

'Attentie Hartstone. Er moet een wagen naar High Street. Nummer 35. Vrouw. Eenenvijftig. Ademhalingsproblemen. Hevige pijn in de borst.'

Webster antwoordt. '602 en 704 paraat. Verder nog info?'

'De patiënt heeft zelf gebeld. Het lijkt erop dat ze alleen is.'

'Jij rijdt,' zegt Webster tegen Powell terwijl ze naar de auto rennen.

Het is voor het eerst dat Webster een dienst met hem draait, dus naast de zorg voor de patiënt heeft hij ook de verantwoordelijkheid voor zijn onervaren collega. Hij werpt een blik op de snelheidsmeter. 'Probeer zo veel mogelijk vaart te maken, maar pas op voor ongelukken. De meeste ongelukken met ambulances gebeuren op kruisingen.'

De nieuweling repeteert in gedachten het protocol. Webster ziet het aan zijn gezicht.

'Probeer bij elke melding je route te onthouden, niet alleen omdat je soms nog een keer naar hetzelfde adres wordt gestuurd, maar ook omdat je op die manier het snelst thuis raakt in het verzorgingsgebied. Daarnaast moet je natuurlijk ook de kaart bestuderen. Doe je dat?'

'Ja, meneer Webster.'

'Laat dat "meneer" maar zitten. Daar doen we hier niet aan.'

'Oké.'

'Waar heb je je opleiding gedaan?'

'In het Saint John's Hospital. Dit was de enige baan die ik kon vinden.'

'Ben je hierheen verhuisd?'

'Ja.'

'Heb je een gezin?'

'Nee.'

Webster schudt zijn hoofd. Powell woont waarschijnlijk in een huurkamertje bij een huisbaas. Met de wc op de gang. Als beginneling verdien je niet veel. 'Heb je al eerder een code 99 gehad?'

'Alleen tijdens mijn opleiding.'

Het huis staat aan het eind van een oprijlaan die dringend een onderhoudsbeurt nodig heeft. Powell moet gas terugnemen voor een enorme hobbel.

Hij pakt de wervelplank en zijn paraatkoffer, Webster een zaklantaarn en de traumakoffer. Wanneer ze zonder kloppen of bellen naar binnen stormen, stuiten ze in de keuken op een vrouw van middelbare leeftijd. Ze zit voorover op een keukenstoel, met aan haar voeten een grote pan. De geur van braaksel dringt in Websters neusgaten.

'Controleer jij de vitale functies,' zegt hij tegen zijn jonge collega. 'Dan stel ik de vragen.'

Gewapend met pen en papier keert hij zich naar de vrouw. 'Wat is uw naam?'

'Susan.'

'Susan, we komen je helpen. Hoe oud ben je?'

'Eenenvijftig.'

'Waar zit de pijn? Kun je dat aangeven?'

Webster ziet dat Powell de hartslag controleert terwijl de vrouw opnieuw in de pan braakt.

'Hoe erg is de pijn, Susan? Op een schaal van één tot tien?'

'Acht.'

'Kun je aanwijzen waar de pijn zit?'

Ze klopt op haar borst. 'Zwaar,' zegt ze.

De bekende olifant op de borst.

Webster prikt een infuus. Hij ziet dat Powell problemen heeft met de manchet van de bloeddrukmeter. 'Lukt het?' vraagt hij.

'Ja hoor. Geen probleem.'

'Wat is de bloeddruk?'

Powell aarzelt. '118 bij 80,' antwoordt hij ten slotte.

'En hoe zit het met de rest?'

'Hartslag 124. Ademfrequentie 36,' klinkt het gespannen.

De patiënt lijkt in de war door Websters aanwezigheid. Meer in de war dan toen hij binnenkwam. 'We hebben meer licht nodig. De knop zit daar.' Webster wijst naar de muur.

Powell doet de lamp aan het plafond aan, terwijl Webster de luchtwegen controleert en de longen van de patiënt beluistert. Hij brengt het non-rebreathermasker aan en kijkt op de hartmonitor. 'Geef me die manchet eens,' zegt hij tegen Powell. 'Pas op dat er geen braaksel aan komt.'

Hij neemt de bloeddruk op. '86 bij 58,' zegt hij hardop.

Wanneer de hartmonitor een V-fib signaleert, geeft hij de manchet terug. Hij vangt Sheila op en legt haar samen met Powell op de houten vloer.

'Ik ga haar een schok toedienen!' zegt Webster.

Webster controleert of de gelpads goed zitten. Dat heeft de nieuweling wél goed gedaan. Hij haalt het zuurstofmasker weg. 'Alles los!' roept hij.

Voordat hij de schok kan toedienen, ziet hij uit zijn ooghoeken dat Powell de infuuszak wil pakken.

'Afblijven!' roept Webster.

Powell bevriest, met zijn hand vlak boven de zak.

'Achteruit!' Webster wacht even. Powell ziet eruit alsof hij wel door de grond kan zakken. 'Alles los!' roept Webster opnieuw. Dan dient hij de schok toe.

'Doorgaan met de compressies,' zegt hij tegen zijn jonge collega, en een minuut later: 'Ik ga haar opnieuw schokken. Alles los!'

Deze keer schiet Powell zo snel achteruit dat Webster bang is dat hij struikelt.

Webster verhoogt het aantal joules en dient Susan opnieuw een schok toe.

'Ze moet op de brancard, de auto in. Doorgaan met reanimeren.'

Ze schuiven Susan de auto in. Webster gaat achterin zitten en neemt het reanimeren over. Volgens de hartmonitor verkeert de patiënt nog altijd in V-fib. Webster doet er alles aan om haar levend in het ziekenhuis te krijgen. Hij verwijdert het zuurstofmasker en dient haar opnieuw een schok toe, deze keer met de meter op 150 joule. Dan geeft hij haar een milligram epi, hij dient een schok toe van 200 joule, gevolgd door 100 milligram lidocaïne.

Daarna zoekt hij contact met het ziekenhuis. 'Hier ambulancepost Hartstone.'

'Zeg het maar, Hartstone.'

'We zijn onderweg met een patiënt. Eenenvijftig. Vrouw. Bij aankomst nog bij bewustzijn. Snel daarna hartstilstand. De monitor registreert een V-fib. De patiënt is vier keer geschokt en gedefibrilleerd. We hebben in totaal 2 milligram epi en 200 milligram lidocaïne toegediend. De patiënt is geïntubeerd.'

'Hoe lang is de patiënt al buiten bewustzijn?'

'Vier minuten.'

'Is er permanent gereanimeerd?'

'Ja.'

'Instructies van arts 23: één ampul natriumbicarbonaat. Verwachte tijd van aankomst?'

'Zeven, acht minuten?'

'We staan voor jullie klaar.'

'Oké, Susan,' zegt Webster tegen zijn patiënt die er heel erg dood uitziet. 'We gaan er samen tegenaan, jij en ik.' Webster verwijdert het zuurstofmasker. 'Alles los!' Webster dient haar opnieuw een schok toe. Dan legt hij het zuurstofmasker weer aan en hij geeft haar de natriumbicarbonaat.

'Ben je getrouwd? Is je man op zijn werk? Heb je kinderen? Rook je?' Webster stopt met reanimeren, verwijdert het zuurstofmasker, stelt een hoger aantal joules in en herhaalt de procedure. 'Kom op, Susan. Je moet natuurlijk wel meewerken.' Hij begint weer met reanimeren.

'Susan, kom op! We hebben niks te verliezen. Daar komt ie weer!' Opnieuw volgt hij dezelfde procedure, met het aantal joules opgevoerd naar 250. 'Ik ben los, en jij bent de klos als dit verdomde apparaat het niet voor elkaar krijgt.'

Het lichaam van de patiënt komt los van de brancard. Webster kijkt strak naar de monitor. En hij ziet dat het hart van Susan overschakelt naar het normale sinusritme.

'Geweldig. Dat is echt geweldig!' zegt hij vol ontzag. Dat ziet hij graag, het normale sinusritme. Dat ziet hij heel erg graag. 'Goed werk, Susan!' Webster doet alsof hij haar een high five geeft.

'Tijd van aankomst?' schreeuwt hij naar Powell.

'Nog twee minuten.'

'Trap 'm op z'n staart.'

Bij de SEH aangekomen ziet hij een eerstehulpverpleegkundige en een verpleegster naar buiten komen om het van hen over te nemen. Wanneer de patiënt is overgetild naar een brancard van het ziekenhuis, rijdt Powell hun eigen brancard terug naar de wagen. Webster loopt naar binnen, naar de balie van de verpleging, en maakt zijn rapport af: wat ze hebben geconstateerd en wat ze hebben gedaan. Hij scheurt de kopie af voor de SEH, brengt die naar het met gordijnen afgeschermde bed waar Susan ligt, en legt het rapport op haar benen.

'Goed werk,' zegt de dienstdoend arts. 'Ik was ervan overtuigd dat ze het niet zou halen.'

Webster haalt zijn schouders op en knikt.

Terug in de parkeerhaven ziet Webster dat de deuren van de ambulance dicht zijn, dus blijkbaar is de wagen al schoongemaakt en gedesinfecteerd. Powell zit achter het stuur. Webster gaat naast hem zitten en keert zich naar hem toe.

'Die bloeddruk, daar klopte niks van,' zegt hij.

Powell krijgt vurige rode vlekken op zijn wangen. Het valt Webster ineens op dat hij enorme oren heeft. 'Ik kreeg het niet voor elkaar.'

Webster hoeft zijn stem niet te verheffen. 'Dan moet je nooit zomaar wat roepen. Nooit. Zeg gewoon dat het je niet lukt. Een verkeerde bloeddruk kan leiden tot een verkeerde behandeling. En een verkeerde behandeling kan uitlopen op een drama. Snap je dat?'

De onervaren Powell knikt.

'En wat bezielde je dat je die infuuszak wou pakken?' vervolgt Webster. 'Dat had ook behoorlijk dramatisch kunnen aflopen.'

'Ik dacht niet na.'

'Je dacht niet na. Wil je dat van nu af aan wel gaan doen? Sterker nog, je moet zo hard nadenken dat je hersens zeer doen. Bij elke handeling, elke procedure. Het mag niet gebeuren dat ik met twee patiënten kom te zitten die buiten westen zijn.'

'Dat begrijp ik, meneer Webster.'

Die rolt met zijn ogen. 'Ik wil dat je bij iedereen die je de komende week tegenkomt, zijn bloeddruk opneemt. Als ik je zonder bloeddrukmeter zie, ben je geschorst. Je moet oefenen. Twintig, dertig keer per dag. Is dat duidelijk?'

'Ja, meneer Webster.'

'Gewoon Webster. Zonder meneer. Als je je collega niet gewoon bij zijn naam durft te noemen, heb je echt een probleem. Oké, rijden maar.'

De ambulance komt in beweging. Het is nog donker, maar aan de horizon verschijnt de eerste streep licht van de dageraad.

Webster leunt naar achteren en sluit zijn ogen. Het is drie maanden geleden dat hij voor het laatst iemand voor de poorten van de dood heeft weten weg te slepen. Hij glimlacht. Er is niks mooiers in het leven van een ambulanceverpleegkundige.

Webster zit in de auto, in uniform, op amper zeven meter van het veld. De kinderen zijn gewend aan de surveillancewagen. Zelfs van zijn uniform kijkt niemand meer op. Hij werpt een blik op zijn horloge. Nog een halfuur, dan moet hij zich melden bij de ambulancepost. Tijdens het wedstrijdseizoen probeert hij zo vaak mogelijk te gaan kijken als Rowan speelt.

Hij heeft vandaag behoefte aan iets normaals, iets doodgewoons, iets wat zo ver afstaat van zijn werk en zijn bezoek aan Sheila dat het een andere wereld lijkt. Op enig moment zal hij Rowan moeten vertellen over zijn rit naar Chelsea. Wat moet hij in godsnaam zeggen? Ik heb je moeder gevonden, maar ze wil niets meer met je te maken hebben?

Hij sluit de auto af en loopt met zijn handen in zijn zakken naar het eind van de tribune. De meisjes spelen op woensdag en zaterdag, meestal op woensdag, waardoor Rowan haar baantje kan houden. Een scorebord ontbreekt, dus hij weet niet in welke inning de wedstrijd is. Hij zou het kunnen vragen, maar hij heeft geen behoefte aan contact. De meeste ouders kent hij, in elk geval van gezicht. Ze zitten al jaren met elkaar op de tribune, wedstrijd na wedstrijd. Rowan in haar kastanjebruine tenue verdedigt het eerste honk, ziet hij, en ze maakt haar bereik zo groot mogelijk. Met haar loepzuivere worp is het eerste honk een van haar favoriete posities omdat er altijd werk aan de winkel is.

De loper heeft al twee stappen bij het honk vandaan gezet.

Rowan kijkt met uitgestoken handschoen naar de pitcher, alert op een kans om haar man uit te branden. Webster hoopt op twee uit. Het is hem dit seizoen gelukt naar ongeveer de helft van de wedstrijden te komen. Wanneer hij zijn dochter in het veld ziet, denkt hij onwillekeurig aan de vele uren dat hij bij Little League langs de lijn heeft gezeten. Rowan was toen een jaar of zes, zeven. Met een pet die haar te groot was, haar T-shirt tot op haar knieën rende ze over het veld alsof ze in haar broek had gepoept. Uiteindelijk veranderde haar houding en daarmee haar zwaartepunt, maar die beginjaren waren een heerlijke tijd geweest.

De slagman geeft de bal een flinke mep. Rowan springt omhoog om hem te vangen. De loper rent door naar het tweede honk en blijft rennen wanneer hij ziet dat Rowan de bal mist en dat die het veld op rolt. Een van de andere spelers – iemand die Webster niet kent – gooit hem terug naar Rowan, die hem op haar beurt naar de catcher gooit, op tijd om een homerun te voorkomen. De loper komt niet verder dan het derde honk.

Rowan had de bal hoe dan ook niet rechtstreeks van het slaghout kunnen vangen, besluit Webster. Daarvoor was hij te hoog.

Wanneer het team bij de derde uit van het veld af komt, steekt Rowan vluchtig haar hand op naar haar vader. Hoewel het niet cool is om tijdens een wedstrijd naar je vader te zwaaien, doet Rowan het meestal toch. Haar paardenstaart, die door de opening aan de achterkant van haar honkbalpet piept, danst om haar hoofd. Een teamgenoot gooit haar een fles water toe. Ze drinkt hem achter elkaar leeg.

Webster informeert bij een man die vlakbij staat naar de score.

'7-5. Hartstone staat op verlies.'

Rowan gooit de lege fles weg en loopt naar het slagperk,

waar ze zorgvuldig haar slaghout uitzoekt. De eerste slagman gaat uit, het is Rowans beurt. Webster ziet aan haar houding en aan haar oefenzwaai dat ze van plan is de bal over de omheining te slaan.

Rowan slaat en mist. Slag een. Webster geniet van het aanmoedigingsgebrul vanuit de dug-out terwijl Rowan zich schrap zet voor de tweede worp.

Hij heeft het hele seizoen nog niet zo'n geweldige slag van zijn dochter gezien. Met één oog op de middenvelder ziet Webster dat Rowan begint te rennen, met een overgave alsof ze meedoet met de World Series. Voor een deel vloeit haar snelheid voort uit het feit dat hij langs de lijn staat – het Oudereffect – maar de krachtsexplosie is toch vooral Rowans eigen prestatie. Wanneer ze het tweede honk passeert voelt Webster de oude, vertrouwde hoop oplaaien. De middenvelder springt, maar raakt de bal niet eens. Terwijl zij achter de bal aan gaat, weet Rowan haar tempo vast te houden. Ze is de worp van de korte stop naar de catcher vóór. Homerun!

Goed werk, Rowan!

Webster kijkt toe terwijl haar teamgenoten haar een high five geven. Dan pakt ze een handdoek om haar gezicht af te vegen.

Webster werpt een blik op zijn horloge. Hij heeft nog tien minuten. Misschien redt hij het tot de volgende inning.

Dan is hij zich bewust van iemand die vanaf de tribune zijn kant op komt. Wanneer hij zich omdraait, ziet hij een vrouw die hem bekend voorkomt, maar die hij niet direct weet te plaatsen.

'Meneer Webster?'

Hij keert zich naar haar toe. 'Dat klopt. Hallo.'

'Hallo, ik ben Elizabeth Washington, de lerares Engels van uw dochter.'

'Ach natuurlijk!' Webster kan zich wel voor zijn kop slaan. 'Hoe maakt u het?'

'Uitstekend, dank u. Mijn dochter is dit jaar nieuw bij het team. Ze is tweedejaarsstudent. Julie Washington, misschien kent u haar?'

'Speelt ze vandaag ook mee?'

'Nee, ze zit voorlopig nog op de bank.'

'Ze komt nog wel aan de beurt,' verzekert Webster haar.

'Wat ik me afvroeg,' begint mevrouw Washington, 'gaat thuis alles goed met Rowan?'

Webster voelt de haartjes in zijn nek prikken. Elizabeth Washington draagt een grijze blazer en gymschoenen. Hij schat haar achter in de veertig. Haar ogen lijken enigszins wantrouwend samengeknepen, maar misschien komt dat doordat ze tegen de zon in moet kijken.

Webster is niet van plan haar over Rowans dronkenschap te vertellen. Anderzijds wil hij ook niet de indruk wekken dat hij als vader blind is voor de tekortkomingen van zijn kind, want dat is hij niet. 'Ik weet me soms geen raad met haar gedrag,' geeft hij toe. 'De ene dag is ze allerliefst, de volgende is er geen land met haar te bezeilen. Meestal zonder dat ik ook maar enig idee heb waarom.'

Elizabeth Washington knikt. 'Dat is normaal bij een puber. Misschien geldt dat ook hiervoor. Het is me namelijk opgevallen dat haar cijfers een dalende lijn vertonen. Dat geldt tot op zekere hoogte voor alle laatstejaars, maar Rowan loopt het risico dat ze zakt voor Engels. Trouwens, ook voor wiskunde. Dat heb ik nagekeken. Ze maakt geen huiswerk, ze let niet op. En ze doet niets aan het boek dat ik voor literatuur heb opgegeven.'

Webster wiegt naar achteren op zijn voeten. Elizabeth legt een hand boven haar ogen.

'Ik eh... Daar schrik ik van,' zegt Webster. 'Rowan is altijd zo'n goede leerling geweest dat ik haar huiswerk al heel lang niet meer controleer. Soms hebben we het erover, maar ik had de indruk dat ze alles onder controle had.'

Hij probeert zich haar laatste rapport voor de geest te halen. Toen stond ze goed voor Engels, dat weet hij bijna zeker. En net voldoende voor wiskunde, daar had hij nog naar geïnformeerd. Maar hij kan zich niet herinneren wat Rowan toen had gezegd. Ze had niet de indruk gewekt dat ze zich zorgen maakte, ook al waren haar cijfers minder goed dan in het verleden.

'Ze kan nog wel wat ophalen,' zegt Elizabeth, 'maar de diploma-uitreiking is al over twee weken. Dus ik maak me zorgen. Als ze Engels en wiskunde niet haalt, weet ik niet of ze haar bij de UVM nog wel willen hebben. We zijn verplicht de laatste resultaten op te sturen.'

'Krijgt ze dan wel een diploma?'

'Dat wel. Ze heeft dit jaar voldoende studiepunten gehaald. Maar het gaat niet alleen om de cijfers. Ik denk eigenlijk dat ik probeer te achterhalen of er thuis soms problemen zijn.'

'Ze is op het moment moeilijk te peilen,' zegt Webster. 'U hebt recentelijk nogal een dik boek opgegeven, klopt dat?'

Elizabeth glimlacht. '*Gravity's Rainbow*. Ja. Veel leerlingen vonden het een uitdaging, vooral vanwege de dikte. Maar volgens mij heeft Rowan er nog geen letter in gelezen.'

Webster slaakt een zucht.

'Het spijt me,' zegt de lerares. 'Ik had eerder aan de bel moeten trekken. En op dit moment kunnen we er natuurlijk niet zoveel meer aan doen. Maar ik was nieuwsgierig. Vandaar mijn vraag.'

Webster heft zijn handen en schudt zijn hoofd. Hij weet dat haar intenties zuiver zijn, dat het haar gaat om Rowans belang, maar toch heeft hij het gevoel dat hij óók op het matje wordt geroepen. En hij voelt zich een sukkel, omdat hij niet weet wat er met Rowan op school gaande is. 'Dit komt als een volslagen verrassing,' zegt hij. 'Bedankt voor de waarschuwing. Het is wel duidelijk dat er iets niet goed zit. U kunt erop rekenen dat ik het er met Rowan over zal hebben.' Hij kijkt op zijn horloge. 'Ik moet gaan, anders kom ik te laat voor mijn dienst.'

Elizabeth legt vluchtig haar hand op zijn arm. 'Het was zeker niet mijn bedoeling te suggereren dat u geen goede vader zou zijn. Integendeel, ik vind dat u het geweldig hebt gedaan. Rowan is een van de weinige leerlingen op wie ik oprecht erg gesteld ben. Maar ze lijkt de laatste tijd zo anders.'

Webster schudt haar de hand, simpelweg omdat hij geen andere manier kan bedenken om het gesprek af te sluiten. Hij heeft nog twee minuten om bij de ambulancepost te komen. Het liefst zou hij Rowan apart nemen om naar haar slechte cijfers te vragen, maar behalve in geval van een noodsituatie worden ouders niet geacht een speler uit de wedstrijd te halen.

Zakken voor Engels en wiskunde? Geldt dat niet als een noodgeval?

Hij keert zich om naar het veld, maar hoewel hij Rowans gezicht kan zien, kijkt ze niet zijn kant uit. Ze heeft haar lippen stijf op elkaar gedrukt.

Webster strijkt over de stoppels op zijn kin en kijkt naar de berg rekeningen die hij al weken eerder had moeten betalen. Doorgaans maakt hij een schifting en verdeelt hij ze in drie stapels: rekeningen die onmiddellijk betaald moeten worden, rekeningen die hij uiterlijk aan het eind van de maand moet betalen, en rekeningen die hij nog een paar weken kan laten liggen. Vandaag kan er van een schifting geen sprake zijn: alle rekeningen moeten direct betaald worden. Hij denkt aan het studiegeld waarvoor hij op korte termijn een rekening kan verwachten. Hij zal meer diensten moeten gaan draaien, of een hypotheek op het huis moeten nemen. Gelukkig zijn de studiekosten aan de UVM voor studenten die uit Vermont zelf komen, alleszins redelijk.

Nadat Elizabeth Washington hem de dag ervoor apart had genomen, was Webster naar zijn werk gegaan, maar deze ochtend had hij er geen gras over laten groeien. Toen Rowan de keuken binnenkwam, zat hij al op haar te wachten en confronteerde hij haar met wat hij had gehoord.

'Ja, en?' vroeg Rowan, in een vergeefse poging te doen alsof het allemaal niet belangrijk was.

'Ja, en?' herhaalde Webster. 'Ja, en? Dat zou kunnen betekenen dat je misschien niet kunt gaan studeren.'

'Ja, en?' zei Rowan nogmaals.

'Zo is het wel genoeg, jongedame,' zei Webster. Hij was razend. 'Geef me je sleutels maar.'

'Meen je dat echt?' Rowan had haar rugzak al omgehangen, want ze was niet van plan te ontbijten.

'Nou en of ik het meen.' Hij hield zijn poot stijf, ook al voelde hij dat de grond onder zijn voeten al begon te wankelen.

'Hoe kom ik dan op school?' vroeg Rowan.

'Dan ga je maar lopen. Er zijn een heleboel kinderen die altijd moeten lopen.'

Ze gooide de sleutels zo driftig op tafel dat ze doorgleden in Websters richting. 'Er is niemand die lopend op school komt, pap,' zei ze meewarig, alsof ze met hem te doen had vanwege zijn onwetendheid.

Hij volgde haar met zijn blik terwijl ze het huis verliet. Maar hij ging niet voor het raam staan om haar het tuinpad af te zien lopen.

Nog altijd achter de stapel rekeningen kijkt hij op zijn horloge. Halftwee.

Morgenavond heeft Rowan het schoolfeest dat de afsluiting vormt van haar laatste jaar. Hij vraagt zich af of ze voor die tijd weer tegen hem praat. Het gesprek van die ochtend is anders gelopen dan hij had gehoopt. Waarom verwacht hij nog steeds een redelijk gesprek te kunnen voeren met een zeventienjarige van wie het puberale gedrag haar hele persoonlijkheid dreigt over te nemen? Omdat hij tot voor kort altíjd normale, zinnige gesprekken met zijn dochter heeft kunnen voeren.

Hij neemt een slok van zijn koude koffie. Misschien moet hij die even in de magnetron zetten. Nee, hij besluit nieuwe te maken. Tenslotte is hij nog minstens een uur bezig met zijn administratie.

Hij veegt een druppel water op met de flap van zijn katoenen overhemd. Wanneer hij straks naar boven gaat, gooit hij het in de was. Hij draagt de afgetrapte pantoffels die hij twee jaar geleden met Kerstmis van Rowan heeft gekregen. Ze zijn gevoerd met bont en eigenlijk te warm voor deze tijd van het jaar. Hij moet op zoek naar zijn bootschoenen.

Is dat de bel? Alleen FedEx en UPS komen aan de voordeur.

Een pakje voor Rowan, veronderstelt hij terwijl hij door de gang loopt. Voor hem komt er zelden een pakje. Rowan bestelt regelmatig iets online, en omdat ze doorgaans vrij zuinig is, heeft Webster er geen moeite mee dat er af en toe een pakketje wordt bezorgd. Sterker nog, hij geniet van haar gezicht als ze het op de keukentafel ziet liggen.

Hij doet de deur open.

Daar staat een pakketje waar hij niet meer op had gerekend.

'Jij durft,' zegt hij.

'Jij ook.'

'Ik dacht dat ik je nooit meer zou zien.'

'Ach, de ene verrassing verdient de andere,' zegt Sheila.

Webster is zich ervan bewust dat zijn lichaam net zo reageert als op een spoedgeval.

'Ik kom over Rowan praten.'

Webster doet een stap naar achteren, wat ze opvat als een uitnodiging om binnen te komen.

Hij doet de voordeur achter haar dicht. Ondertussen laat Sheila haar blik door de kleine hal gaan, naar de eetkamer links daarvan, en de keuken recht voor haar.

'Je hebt niet veel veranderd.'

Hij weet niet of hij dat als een compliment moet opvatten.

Ze is gekleed in een kort zwart jasje en een strakke, grijze spijkerbroek, met daaronder leren sandalen. Om haar hals draagt ze een opvallende ketting van grote kralen. Ze heeft haar paardenstaart omhoog gedaan en boven op haar hoofd vastgezet. Webster volgt haar met zijn blik terwijl ze het huis in zich opneemt.

Hij heeft zich die ochtend niet geschoren. Zijn overhemd is oud en verwassen. En hij vermoedt dat hij onplezierig ruikt, want hij heeft zijn tanden nog niet gepoetst.

Hoe komt het dat ze plotseling van gedachten is veranderd, vraagt hij zich af.

'Kom maar mee naar de keuken,' zegt hij.

Hij gaat haar voor, veegt een armvol papieren bij elkaar en brengt ze naar de tafel in de eetkamer. 'Rekeningen,' zegt hij wanneer hij de keuken weer binnenkomt.

Bestond er voor dit soort situaties ook maar een protocol, denkt hij.

'Wil je koffie? Ik ben net aan het zetten.'

'Graag. Ik ga weer weg voordat ze thuiskomt. Ze hoeft niet te weten dat ik hier ben geweest.'

'Rowan en ik hebben geen geheimen voor elkaar.'

Dat is niet waar. Tegenwoordig niet meer. Hoe lang is het geleden dat Sheila en hij het over het welzijn van hun dochter hebben gehad, vraagt hij zich af? Hebben ze daar ooit wel over gesproken?

Het valt hem op dat haar handen trillen. 'Sinds ik ben weggegaan is er geen dag voorbijgegaan dat ik niet aan Rowan heb gedacht,' zegt Sheila.

Met haar kin naar voren tuit ze haar lippen. Ze heeft nog altijd een aantrekkelijke mond, beseft hij. Haar slanke hals is glad en zo goed als rimpelloos. Hij weigert naar de rest van haar lichaam te kijken.

'Als je elke dag aan Rowan hebt gedacht, waarom heb je dan nooit gebeld? Je drinkt al tien jaar niet meer, zei je.'

'Dat ligt nogal gecompliceerd,' zegt ze.

'Misschien kun je proberen het me uit te leggen.'

'Ik was bang,' zegt ze. Webster zet een mok voor haar neer. 'Dat ik niet meer drink, voelt nog altijd onwennig. Ik was bang dat ik... ik was bang dat ik weer zou gaan drinken als ik de deur naar jou en Rowan en Vermont openzette. Dat was meer een gevoel dan dat ik het zeker wist.'

'Je praat in de verleden tijd.'

'Daarom ben ik ook hier.'

Webster wacht af.

De staande klok in de gang slaat het uur. Sheila glimlacht. 'Dus die doet het nog steeds,' zegt ze. 'Leuk.'

'Ik ben er zo aan gewend dat ik hem meestal niet eens hoor.' Hij neemt een slok koffie. 'Rowan is een geweldig kind. Maar ze is bezig haar grenzen te verleggen, te kijken hoe ver ze kan gaan, met het risico dat ze ontspoort. En zoals ik al zei, blijkbaar denkt ze dat ze erfelijk belast is met een neiging tot alcoholisme. Ik heb je verteld dat ik haar op een avond bijna bewusteloos op de bank vond. Zoveel had ze gedronken.'

Sheila krimpt ineen. 'Ik zal doen wat ik kan om te helpen. Dat ga ik echt proberen. Maar ik heb een hoop gemist.'

Wat ze zegt, is eerlijk, en moedig. Hij probeert zich voor te stellen hoe het moet zijn om in haar schoenen te staan, maar het lukt hem niet.

'Ik heb het gevoel dat ik geen greep meer op haar heb,' vervolgt hij. 'Haar cijfers zijn achteruitgegaan. Ze wil graag naar de University of Vermont, maar als ze zo doorgaat, zakt ze voor Engels en wiskunde, dus dan kan ze dat vergeten.'

'Ach, ze gaat studeren,' zegt Sheila weemoedig.

'Ja, daar heeft ze keihard voor gewerkt. Maar inmiddels scheelt het niet veel meer of ze heeft het verknald.'

Sheila laat haar blik door de kamer gaan. 'Het verbaast me dat je alleen bent gebleven. Ik vond je altijd echt een man om getrouwd te zijn.'

'Daar had ik geen tijd voor,' zegt hij. 'Als ik niet aan het werk was, had ik Rowan om voor te zorgen. Tenslotte moest ik vader en moeder tegelijk zijn.' Hij zwijgt en kijkt zijn ex aan, benieuwd hoe ze zal reageren. Er komt ongevraagd een gedachte bij hem op.

'Als je kijkt naar waar je vandaan kwam, is het verbijsterend dat je die avond in Vermont bent beland,' zegt hij. 'En dat je met mij bent getrouwd.' Hij zwijgt even. 'Het lijkt haast wel alsof je had besloten een ander leven te proberen. Zoals je een nieuwe jurk probeert. Maar toen bleek de taille te strak, en de mouwen waren niet lang genoeg. Dus je hebt hem weer uitgetrokken en je bent eruit gestapt. Rowan en mij en Vermont, je hebt ons afgedankt als een jurk die niet paste.'

'Maar die jurk was me wel dierbaar,' zegt Sheila. 'Hij paste niet, maar hij was me wel dierbaar.'

'Hoe bedoel je, dierbaar? In de zin dat je er intens veel van hield? Dat je niet zonder kon?'

'Ik hield intens veel van Rowan. Dat weet je.'

'Dan moet je me toch eens wat vertellen,' zegt Webster. 'Die avond, toen we naar het stuk grond zijn gereden, toen we voor het eerst hebben gevrijd, toen was je helemaal niet aan de pil, waar of niet?'

'Dat weet ik niet meer.'

'Nou en of je dat weet.'

'Het is niet wat je denkt,' zegt ze. 'Ik heb je niet belazerd om je te dwingen met me te trouwen. Maar ik voelde me veilig bij je, dus ik dacht dat ik niet voorzichtig hoefde te zijn.'

Webster houdt zijn mond, bang dat hij anders iets zegt waar hij spijt van krijgt.

Sheila buigt zich naar voren. 'Ik wil haar echt heel graag zien, Webster.'

'Dat moet ik haar vragen. Ze weet nog niet eens dat ik naar je op zoek ben gegaan, laat staan dat je hier zit. Bij haar thuis.'

Sheila strijkt over haar slapen.

Webster kijkt uit het keukenraam. 'In Chelsea was je zo

koel, je was zo'n vreemde voor me dat ik besloot dat ik niet eens wilde dat ze je ontmoette.'

'Maar ik wil haar zien,' zegt Sheila. 'Ik ben nog altijd haar moeder.'

'Die titel krijg je niet zomaar. Die moet je verdienen, vind ik.'

'Jij hebt me die afgenomen.'

'Nee, dat heb je zelf gedaan.'

Ze pakt haar tas. 'Dit is krankzinnig.'

Webster wil niet dat ze weggaat, beseft hij. 'Wat is er gebeurd toen je hier wegging? Dat heb ik me zo vaak afgevraagd.'

Ze kijkt hem aan, met een harde blik in haar ogen. 'Ik heb de auto ergens achtergelaten en toen ben ik naar mijn zus gegaan, in Manhattan. Ik dronk op dat moment de hele dag. Mijn zus had ook een klein kind. Dat was bijna onverdraaglijk. Hoe dan ook, ik heb me daar volstrekt onmogelijk gemaakt. En toen kwam ik in een bar een vent tegen uit Piermont, net ten noorden van de stad. Ik was meteen gek van hem, dus ik ben bij hem ingetrokken. Maar ik dronk nog steeds.' Ze zwijgt even. 'Uiteindelijk ben ik na een daverende ruzie stomdronken, vloekend en tierend het huis uit gerend. Ze hebben me opgepakt wegens openbare dronkenschap, en ik moest de nacht in de cel doorbrengen. Paul zei dat hij mijn borgtocht zou betalen, op één voorwaarde: dat ik naar een ontwenningskliniek ging. Nog diezelfde dag. En dat heb ik gedaan. Ergens in het noorden van New York. Toen mijn tijd daar erop zat, is hij me komen halen en zijn we samen naar Mexico gereden. Daar hebben we acht jaar gewoond. Het was zijn idee. Hij dacht dat ik minder in de verleiding zou komen om weer te gaan drinken als ik ver weg zat van alles wat me vertrouwd was. En hij had gelijk.'

'En toen? Waar is hij nu?' vraagt Webster.

Ze trekt met een driftig gebaar het elastiekje uit haar paardenstaart. Haar haar valt over haar rug. 'Hij is dood. Alvlees-klierkanker.'

Webster sluit zijn ogen. 'Dat spijt me,' zegt hij. 'Wat moet je het zwaar hebben gehad.'

Hij staat op en begint te ijsberen, het muntgeld in zijn zak-ken rinkelt zacht. Haar grote liefde, bezweken aan kanker. Hij heeft met haar te doen. Anderzijds, zij was zíjn grote liefde. En wat is er van hem geworden?

Hij zit precies waar hij vijftien jaar geleden zat.

'Ik zal erover nadenken,' zegt hij ten slotte. 'Over een ont-moeting tussen Rowan en jou. Ik zal het haar voorleggen. Want ik vind dat ze de keuze moet hebben. Maar ik kan niet beloven dat ik het meteen doe.'

'Dankjewel,' zegt Sheila.

'Waarom ben je van gedachten veranderd?' vraagt hij.

'Toen je weg was, leunde ik tegen de muur, en ik liet me naar de grond zakken. Ik heb een nieuw leven opgebouwd, Webster. Het is een goed leven, maar het is ook kwetsbaar. Toen jij ineens voor mijn neus stond – en ik ben me altijd blijven afvragen of dat ooit zou gebeuren – was dat een schok voor me. Ik heb toen niet goed gereageerd, maar ik heb wel nagedacht over wat je zei. Dat Rowan in moeilijkheden was. Ik denk niet dat ik haar kan helpen, maar ik vond wel dat ik iets moest doen. Dat is alles wat ik erover kan zeggen.'

Hij knikt. Voorlopig moet dat genoeg zijn.

Hij zal Rowan vragen of ze het wil. Waarschijnlijk zal ze in eerste instantie wantrouwend reageren, maar uiteindelijk zal ze misschien nieuwsgierig genoeg zijn om in te stemmen met een ontmoeting

'Dan moest ik nu maar weer eens gaan,' zegt Sheila. 'Kan ik hier even naar de wc? Het is een lange rit, maar dat weet je.'

'Je weet de badkamer nog te vinden?'

'Heb je beneden nooit een wc gemaakt?'

'Dat doe ik wel tegen de tijd dat ik de trap niet meer op kan.'

Minuten later beseft Webster pas hoe stom hij is geweest. Hij stormt de trap op en treft Sheila op Rowans bed, in tranen. Ze houdt een knuffel in haar armen; iets wat eruitziet alsof het ooit een hond is geweest.

'Sheila?'

Ze kijkt op. 'Die heeft ze van mij gekregen. Ik had geen idee dat ze hem nog had. Dat jij hem had bewaard. Ze drukt de knuffel tegen zich aan alsof het een kind is.' Het idee dat hij hier al die tijd is geweest. Ik heb zoveel gemist, Webster. Haar kamer... alles hier is een stukje van Rowan waar ik niets van weet. Al die jaren...' Ze kreunt. 'Haar bureau... En ze speelt klarinet. En dan die muurschildering. Ach, haar kamer vertelt zoveel over Rowan, en het zijn allemaal dingen waar ik nooit weet van heb gehad.'

Als hij beter had nagedacht, zou hij haar deze ervaring hebben bespaard. Hoewel? Hij loopt naar Rowans bureau en doet de bovenste la open. Na enig zoeken houdt hij een foto omhoog. Hij is vlak na Rowans geboorte genomen. Sheila met Rowan in haar armen. 'Ze heeft hem al die tijd in haar bureaula gehad,' zegt hij.

Sheila pakt het gekreukelde kiekje aan, kijkt ernaar en drukt het met gebogen hoofd tegen haar borst.

Webster wendt zich af. Het verlies dat Sheila heeft geleden, is gruwelijk. Terwijl hij zijn ex achter zich hoort snikken, vraagt hij zich af of hij net zo zou hebben gereageerd als de situatie andersom was geweest en hij de alcoholist. Waarschijnlijk wel. Dat weet hij bijna zeker. Hij gaat in de deuropening staan, met zijn gezicht afgewend, om haar althans enige privacy te geven.

Het liefst zou hij naar haar toe gaan. Hij is het gewend om mensen die verdriet hebben, te troosten. Hij doet het minstens eens per week. Maar uitgerekend in dit geval is hij niet tot troosten in staat.

Wanneer hij zich omdraait, heeft ze zich opgericht. Haar gezicht is een puinhoop. Ze kijkt nog één keer de kamer rond, alsof ze probeert alles in haar geheugen te prenten.

'Kun je rijden?' vraagt Webster. Hij schudt zijn hoofd. 'Ik bedoel...'

'Ik weet wat je bedoelt,' zegt Sheila. 'Ja, ik kan rijden.' Ze is even stil. 'Ik ben veranderd. Maar jij niet, Webster. Jij bent nog precies dezelfde.'

'Is dat goed of slecht?' vraagt hij.

'Goed.'

Hij kijkt haar na als ze naar de auto loopt, die ze aan de weg heeft geparkeerd. Het probleem waar ze mee worstelt, kan hij niet voor haar oplossen. Toen hij naar Chelsea ging, deed hij dat om Rowan te helpen, maar in plaats daarvan heeft hij het moeizaam verworven evenwicht van zijn ex-vrouw onherstelbaar verstoord.

Uiteindelijk loopt hij de trap weer op naar Rowans kamer, om zich ervan te overtuigen dat Sheila geen sporen heeft achtergelaten; dat de knuffel weer op zijn vaste plek staat. Zodra hij binnenkomt blijft hij met een ruk staan. De geur van Sheila's parfum, die hem beneden niet is opgevallen, is hier nadrukkelijk aanwezig.

Shit.

Hij wil al naar de Lysol-spray grijpen, maar dan zal Rowan willen weten wat hij met Lysol in haar kamer deed. Dus hij besluit het raam open te zetten, maar wanneer hij het omhoog wil schuiven merkt hij dat het vastzit. Hij controleert of de klink wel omhoog is, en nog altijd is er geen beweging in te krijgen. Hij probeert het andere raam, aan de andere kant van de kamer. Ook dat zit muurvast.

Hoe kan dat?

Hij herinnert zich dat Rowan hem al maanden geleden heeft gevraagd om iets aan die ramen te doen. Hij gaat terug naar het eerste raam. Moet hij er kaarsvet op smeren? Als hij het open weet te krijgen en beneden ook een raam op een kier zet, kan hij zeggen dat hij de hitte uit het huis wilde verdrijven. Hij geeft opnieuw een harde ruk aan het raam, het schiet los, en er valt iets uit het kozijn. Een wit opschrijfboekje, van misschien vijf bij zeven centimeter.

Rowan heeft het niet voor niets verstopt, beseft hij wanneer hij ermee in de hand staat. Dus hij moet het terugleggen. Alleen, hij weet niet aan welke kant van de lijst het zat. Links of rechts?

Nou, daar is hij mooi klaar mee.

Hij slaat het boekje op een willekeurige bladzijde open.

Ik vertik het om de ster te zijn in mijn eigen soap. Bij andere mensen hou ik ook niet van dramatisch gedoe. Maar voor je het weet zit je er middenin!

Op een andere bladzijde leest hij:

Hoe is het mogelijk dat iemand daarmee wegkomt? Je eigen kind in de steek laten en vijftien jaar lang geen woord meer van je laten horen?

En op weer een andere bladzijde:

Soms begrijpt hij er allemaal niks van, maar hij is wel een goeie vader. Dat probeer ik mezelf voor te houden. Want zelfs als hij superirritant is, bedoelt hij het goed. Hij doet zijn best. Het is mijn vader. Hij houdt van me. En hij is honderd keer beter dan de ouders van de meesten van mijn vriendinnen.

Rowan schrijft ook over Tommy en Gina, en over school, maar dat slaat Webster over. Dan valt zijn oog op een volgende passage.

Toen Allison het me vertelde, net voor de kerst, was ik geschokt. Ik kon niet doen alsof het me niets deed. Toen ze met mijn vader trouwde, was mijn moeder al zwanger van mij! Ik besefte dat ik niet eens weet wanneer het hun trouwdag is. Waarom heb ik pap er nooit naar gevraagd? Omdat ik bang was dat hij er verdrietig van werd? Allison wist het omdat haar moeder destijds voor opa werkte. Ik ben een vergissing! En daar kan ik maar moeilijk aan wennen.

Webster krimpt ineen. Heeft hij het hier nooit over gehad met zijn dochter?

Zijn blik blijft haken bij een volgende passage.

Moet je je kind niet zelf grootbrengen voordat je je moeder mag noemen? Ik ken niemand met wie ik zou willen ruilen. Maar ik had soms best graag een moeder gehad, al was het maar om haar over vrouwendingen om raad te kunnen vragen. En ik heb 's avonds zo vaak alleen gezeten, wat ik niet leuk vond. Maar je moet het doen met het leven dat je hebt. Dus het heeft geen zin om te fantaseren. Mijn moeder was er niet. Klaar. Je kunt er ook over fantaseren hoe het zou zijn als je een broer of een zus had. Maar dat heeft weinig...

'Wat doe je?'

Webster slaat het opschrijfboekje met een klap dicht.

Rowan staat in de deuropening, in een kastanjebruine trui.

'Ik probeerde het raam open te doen,' antwoordt Webster. 'En toen viel dit eruit. Ik heb het opgeraapt en...'

'Je hebt erin gelezen!'

'Ja, maar dat kwam omdat...'

'Je had niet het recht!' zegt Rowan.

'Het viel open...' Hij beseft zelf hoe lamlendig het klinkt.

'Hoe durf je, verdomme?' roept zijn dochter. Ze grijpt de deurstijlen, alsof ze zich moet beheersen om hem niet aan te vliegen. 'Dat is van mij! En dat gaat niemand iets aan!'

'Dat weet ik. En daar heb je ook groot gelijk in.' Webster gooit het dagboekje op het bed.

'Ga weg!' schreeuwt Rowan. 'Mijn kamer uit! En waag het

niet hier ooit nog een voet over de drempel te zetten! Waag het niet. Is dat duidelijk?'

Hij heeft haar nog nooit zo kwaad gezien. Rowan loopt de kamer in om haar vader in staat te stellen te vertrekken. Zodra hij weg is, gooit ze de deur zo hard dicht dat er een siddering door de zolder trekt.

Webster weet dat Rowan die middag met Gina naar de kapper is geweest. Hij zal het haar niet gemakkelijk maken hem te negeren. Dus hij gaat aan de keukentafel zitten, in afwachting van het moment dat ze beneden komt. Telkens wanneer hij aan het opschrijfboekje denkt, krimpt hij ineen.

Boven klinkt het getik van hakken op de vloer. Wanneer Rowan uiteindelijk de trap af komt en de keuken betreedt, valt zijn mond open. Haar zwarte jurk met hoge taille vertoont griezelig veel overeenkomst met de jurk die Sheila droeg bij hun trouwen. De parels om haar hals zijn een geschenk van haar oma. Ze loopt naar het halletje aan de achterkant van het huis. Daar bekijkt ze zichzelf, als een fotomodel, van alle kanten in de spiegel. Zijn dochter is een vrouw geworden, zegt Webster tegen zichzelf. Die gedachte heeft hij al eerder gehad, maar toch is hij er elke keer weer ondersteboven van. Hij probeert te doen alsof het niet zo is, maar die kans geeft Rowan hem niet. Wanneer hij haar samen met Tommy ziet, vult zijn hoofd zich met ruis, als een televisie op een kanaal zonder signaal. Het is zijn zaak niet, houdt hij zichzelf keer op keer voor, maar natuurlijk is het dat wel. Hoe zou het níét zijn zaak kunnen zijn?

'Die hakken zijn indrukwekkend.' Het is voor het eerst dat hij iets zegt sinds ze hem haar kamer uit heeft gestuurd.

Rowan reageert niet.

'Ik wil een foto van je maken.'

Als ze dat weigert, is de kloof zelfs nog dieper dan hij vreest.

'Waar?' vraagt ze nors.

'Waar we het altijd doen.'

Rowan loopt naar het kale stuk keukenmuur, dat al zo vaak als achtergrond heeft gediend voor de foto's die Webster heeft gemaakt van zijn dochter: Rowan verkleed als een tros druiven met Halloween; Rowan en de beker die ze met softbal heeft gewonnen, trots in de lens kijkend; Rowan in padvindersuniform, terwijl ze tevergeefs probeert een ernstig gezicht te trekken.

Heeft ze het zwarte jurkje gekozen omdat hij haar heeft verteld dat Sheila bij hun huwelijk iets soortgelijks droeg? Heeft hij Rowan ooit zijn trouwfoto's laten zien? Hij weet niet eens waar ze zijn; in een van de dozen in de kelder, neemt hij aan. Was Rowans keuze een bewuste of niet?

Ze laat haar armen langs haar lichaam vallen en schudt haar handen uit, in een poging haar spieren los te maken. Dat heeft hij haar ook zien doen voor een wedstrijd. Hij houdt de digitale camera in haar richting, kijkt naar het schermpje en zoekt een hoek die hem aanstaat. Er kan geen lachje af bij zijn dochter. Webster drukt op de knop.

Rowan vraagt niet of ze de foto mag zien.

Ze probeert alles in de kleine tas te krijgen die ze meeneemt en maakt uiteindelijk een schifting. De lippenstift moet mee, de borstel kan thuis blijven, net als de haarlak. Het spiegeltje gaat in de tas, samen met haar mobiele telefoon, de handcrème legt ze eruit.

Het is een prachtige zomeravond. Hij denkt aan zijn eigen schoolfeest aan het eind van zijn laatste jaar. Toen was het net zulk weer. Hij had een smoking gehuurd. Doen jongens dat tegenwoordig nog? Webster herinnert zich het meisje met wie hij naar het feest ging: Alicia, in een jurk met pofmouwen en een wijde rok. Hij had zich afgevraagd of ze in zou zijn voor seks, maar dat was ze niet. Ze hadden een gezellige avond gehad, meent hij zich te kunnen herinneren.

Webster kijkt naar de klok boven de gootsteen. Hij hoort Tommy's auto het tuinpad op komen.

Rowan doet haar tas open en inspecteert nogmaals de inhoud.

Dat ze er uitgerekend vanavond zo hartverscheurend lieftallig uit moet zien.

Ze grist een stola van een stoel. Zonder een woord te zeggen loopt ze naar de achterdeur en trekt die achter zich dicht. Webster gaat voor het raam in de eetkamer staan. Tommy is uitgestapt en komt naar de deur. Onder normale omstandigheden zouden Webster en hij elkaar de hand hebben geschud. Misschien zouden ze zelfs een blik van verstandhouding hebben uitgewisseld.

Rowans nuffige loopje op haar stilettohakken zou Webster aan het lachen hebben gemaakt. Tommy houdt het portier voor haar open. Een charmant gebaar. Hij loopt om de achterkant van de auto heen en trekt zijn sportieve colbertje recht. Geen smoking dus. Wanneer de motor aanslaat, wendt Webster zich af.

Geen kus. Geen knuffel. Geen kans om zijn dochter te vertellen dat ze er prachtig uitziet.

Hij wacht een kwartier en stapt dan in zijn auto. Zijn dienst begint pas over een uur.

Hij rijdt de stad uit, een langgerekte heuvelkam op. De maan staat als een grote, bijna ronde schijf aan de hemel. Morgen is ze vol. Webster doet alle raampjes open en laat de warme avondlucht door de auto waaien. Als de radio aanstond en als hij twintig jaar jonger was, zou hij meezingen. Het is bijna twintig jaar geleden dat hij voor het laatst naar de top van de heuvel is gereden. Voor zijn werk is hij wel diverse keren halverwege geweest, maar hij is nooit meer teruggegaan naar de plek die ooit zijn grote droom was.

Hij zet de surveillancewagen aan de kant van de weg en stapt uit. De bergen kleuren paars, groen en roestbruin, afhankelijk van het licht en de wolken, hoog aan de hemel. Hij loopt het lange gras in. Het verbaast hem dat de eigenaar van het land – wie dat inmiddels ook mag zijn; de vorige eigenaar is gestorven – de grond niet aan een projectontwikkelaar heeft verkocht en er ook zelf niet heeft gebouwd.

Waar droomde hij van, al die jaren geleden? Wat verwachtte hij van het leven?

Een huis met een raam.

Zijn verwachtingen zijn inmiddels heel wat complexer.

Het gras wuift. Het huis van de vroegere eigenaar is gedeeltelijk ingestort, waardoor het dak doet denken aan een oesterschelp.

Zou hij schapen hebben gehad? En honden? Misschien zelfs een echte moestuin? In de loop der tijd zou hij een huis op de grond hebben gezet. Zou hij het meeste werk zelf hebben gedaan?

Webster staart in de richting van de middelbare school, maar die kan hij niet zien. Ergens beneden hem ligt het stadje waar hij zijn hele leven heeft gewoond. Zal hij hier blijven tot zijn dood? Zal Rowan vlakbij komen te wonen of zal ze wegtrekken met haar gezin, omdat haar man dichter bij een grote stad moet wonen voor zijn werk? Webster kan zich geen voorstelling maken van de toekomst. Voor het eerst sinds hij een kind was, voelt hij zich alleen.

Ergens vlakbij is de plek waar Sheila en hij Rowan hebben gemaakt.

Het duizelt hem wanneer hij zich voorstelt op hoeveel manieren het anders had kunnen lopen.

Webster wil niet dat het jaar eindigt in een onaangename

sfeer. Hij wil niet dat Rowan en hij hun tijd samen op zo'n akelige manier afsluiten. Hij heeft de verhalen gehoord van tieners die zonder afscheid te nemen, de deur uit gingen, een eigen leven tegemoet, en die nooit meer iets van zich lieten horen.

Hij kijkt op zijn horloge. Nog twaalf minuten voordat hij op de ambulancepost moet zijn. Hij rijdt het in vijf.

Wanneer Rowan uit Hartstone weggaat, blijft hij ook niet hier, besluit hij. Misschien gaat hij dichter bij een grote stad wonen, om dat ook eens mee te maken. En misschien vertrekt hij zelfs wel helemaal uit Vermont. Zou hij in Manhattan kunnen solliciteren, vraagt hij zich af. Zou hij bijvoorbeeld in de Bronx kunnen gaan werken? Natuurlijk niet. Hij zou geen schijn van kans maken. Om spoedeisende hulp te kunnen verlenen moet je ook het straatnamenboek in je hoofd hebben. Hij denkt aan de melding van de 'springer', aan hoe weinig zoiets in Vermont voorkomt. Anderzijds, in de Bronx hebben ze op de ambulancepost waarschijnlijk nog nooit een been gezien dat tussen de wielen van een tractor met een hooischudder is gekomen.

Het landschap heeft iets wat verlangen in hem oproept. Hij kan er niet de vinger op leggen. Maar hij is zich bewust van een machtige drang om vol te houden, stand te houden. Het is een oud gevoel dat tegelijkertijd nieuw voor hem is.

Hij haalt uit en slaat op het hoge gras.

'Wat doe jij hier?' vraagt Koenig.

'Ik heb mijn dienst geruild om vrij te zijn voor de diploma-uitreiking,' antwoordt Webster, terwijl hij koffie tapt. 'Ik kan hetzelfde aan jou vragen.'

'Ze wilden een dubbele bezetting. Er is vuurwerk op Turnip Hill en...' Koenig zwijgt abrupt.

'... het schoolfeest,' maakt Webster zijn zin af. 'Dat weet ik.'

'Is Rowan er ook naartoe?'

'Ja, maar ze is met een aardige knul. Een jongen met verantwoordelijkheidsbesef. Meer dan zij, als ik eerlijk ben.'

'Dus je gaat niet de hele avond lopen ijsberen, zoals vorig jaar?' Koenig beschrijft met zijn vinger rondjes boven zijn hoofd.

'Nee.' Webster neemt een slok hete koffie. Hij had liever ijsthee gehad. 'Ik ben óp, versleten van het tobben. Nee, even serieus, Koenig, hoe heb jij weten te overleven toen Annabelle in de puberteit was? Het sloopt je!'

'En dan is Rowan nog een brááf kind,' helpt Koenig hem herinneren.

Webster wappert met zijn hand. 'Nou, we zijn niet echt de beste maatjes op dit moment,' bekent hij.

'Wat dan?' vraagt Koenig.

'Ze heeft me betrapt toen ik haar dagboek stond te lezen.'

'Dat meen je niet!'

'Ja, echt waar.'

'Dat is zo ongeveer het ergste wat je als vader kunt doen.'

'Daar ben ik inmiddels ook achter. Ze praat niet meer tegen me.'

'Hoe krijg je het in godsnaam voor elkaar?' vraagt Koenig hoofdschuddend.

'O, dat is een lang verhaal. Het viel van een richel, en toen heb ik het opgeraapt en...'

'Ja, ja, dat zal wel.'

'Met wie rijd je vanavond?' vraagt Webster. Koenig is inmiddels eerste man op de oude ambulance. Webster rijdt op de nieuwe wagen.

'Met Dunstan. Hij is overgeplaatst vanuit Bennington. Zijn vrouw kreeg hier een baan als lerares. En blijkbaar is het tegenwoordig moeilijker een baan te vinden als lerares dan als ambulanceverpleegkundige.'

'Echt waar? Dat wist ik niet. Volgens mij is er overal gesnoeid in het budget.'

'Ja, maar op de ambulancekosten kunnen ze natuurlijk niet al te radicaal bezuinigen. Het middelbaar onderwijs heeft de laatste paar jaar erg moeten inleveren. Uiteindelijk is er gestemd en hebben ze besloten het leesprogramma weer in te voeren. En toen hadden ze een leerkracht nodig.'

'Ik ken Dunstan niet. Ik rij met de nieuwe.'

'Die met die oren?'

Webster knikt. Koenig doet een stap naar hem toe en dempt zijn stem. 'Die jongen heeft een obsessie, weet je dat? Hij moet en zal je bloeddruk meten. Dat doet hij bij iedereen. Hij heeft het zelfs bij mij geprobeerd.'

Webster kijkt in de richting van de nieuweling, die met een handboek in een hoek zit. Hij glimlacht. Misschien is het tijd om te zeggen dat hij ermee mag stoppen.

'Hé Powell!' Webster loopt naar hem toe.

'Webster!' De nieuweling staat op, en Webster denkt even dat hij gaat salueren.

'Hoe gaat het met meten?'

'Heel goed.'

'Mooi.' Webster rolt zijn mouw omhoog. 'Controleer mijn bloeddruk dan maar eens.'

Powell doet de manchet om Websters arm. Hij maakt een zelfverzekerde indruk. '143 bij 87,' zegt hij even later.

'Weet je het zeker?' Webster kan zijn oren niet geloven. 'Doe het nog eens.'

Powell herhaalt de procedure, inmiddels nerveus. Het ontgaat Webster niet dat zijn schoenen glimmen als spiegels.

'Hetzelfde.'

'Precies hetzelfde?'

'145 bij 86.'

'Koenig, kom eens hier,' roept Webster.

Koenig staat op en komt aanlopen. 'Wat is er, chef?'

'Neem jij mijn bloeddruk eens op.'

Powell geeft Koenig de manchet. Het ritueel wordt opnieuw herhaald. '141 bij 88,' zegt Koenig. 'Een beetje hoog, vind je niet?'

Webster kreunt. 'Bedankt,' zegt hij tegen Koenig.

Dan keert hij zich naar de nieuweling. 'Je hebt het onder de knie. Dus je kunt ermee stoppen. En ik denk dat ik maar eens naar de dokter moet.'

Geschokt laat Webster zich in een stoel vallen. De ambulancepost beschikt ook over een sportzaaltje voor het personeel. Ik zou weer op de loopband moeten, denkt Webster. En kappen met pasta en zoetigheid. Hij heeft altijd een lage bloeddruk gehad, dus vandaar dat hij er nooit veel aandacht aan besteedt. Is het de leeftijd, is het stress, of komt het door zijn leefpatroon, vraagt hij zich af.

Hij zit in de stoel te slapen wanneer het signaal klinkt. Daardoor mist hij het begin van de melding. Tegen de tijd dat hij overeind schiet staat Powell al bij de deur.

'Wat is het?' vraagt hij aan de collega die naast hem staat. Misschien is dat Dunstan, die nieuwe uit Bennington.

'Twee vrouwen, zeventien en achttien, bij Gray Quarry. Een van de twee ademt niet meer. Waarschijnlijk verdronken. De ander is buiten kennis, maar ademt nog wel.'

Webster springt op uit zijn stoel. Zijn blik zoekt die van Koenig.

'Ik zit pal achter je,' zegt zijn oude partner.

'Ik rij,' roept Webster naar Powell terwijl hij naar de wagen rent.

Ze vertrekken met loeiende sirene. Powell, de nieuweling, is alert, maar spierwit.

Webster voert zijn snelheid op tot boven de honderd en stuift over de twee kruispunten in Hartstone. 'Denk erom dat jij dit niet doet. Jij moet je gewoon houden aan wat ik je heb gezegd,' roept hij naar Powell. Honderd meter achter zich ziet hij de koplampen van de ambulance van Koenig.

Webster weigert zich een voorstelling te maken van wat hij zal aantreffen. In plaats daarvan repeteert hij in gedachten het protocol. Dat werkt net zo goed als bidden.

Ze scheuren over de 83. Voor zich ziet hij het verkeer de berm in schieten. Webster weet precies waar de marmergroeve is. Als kind ging hij daar altijd zwemmen. Hij herinnert zich dat hij als groentje op de ambulance ooit een jongen heeft gered die bijna was verdronken in het donkere water.

Twee meisjes te water, en dat in het donker. Ze zouden geen hand voor ogen hebben kunnen zien.

De auto stuitert over de hobbelige weg naar de groeve. In de verte ziet Webster het licht van een kampvuur.

Hij staat al naast de auto voordat Powell het portier zelfs

maar heeft opengegooid. Een jongen die naast een van de meisjes geknield zat, richt zich op.

Het is Tommy.

Webster heeft het gevoel dat zijn maag een duik neemt naar zijn schoenen.

Hij zet zijn benen aan weerskanten van zijn dochter. Haar ogen en haar mond zitten onder het bloed. Iemand – misschien Tommy – heeft geprobeerd het weg te vegen.

'Ze deden een weddenschap,' zegt Tommy. 'Ik heb haar gesmeekt het niet te doen. Ze ademde niet meer toen ik haar op de kant trok. Maar ik heb haar luchtwegen gecontroleerd en ben gaan reanimeren tot ze begon te hoesten. En over te geven.'

Webster buigt zich dicht naar Rowans mond en telt. Tien ademhalingen per minuut. Ze ruikt naar alcohol en braaksel.

'Ademfrequentie 10,' roept hij naar Powell. 'Onder invloed. Controleer de hartslag en de bloeddruk. En geef me de halskraag.'

Powell gehoorzaamt. Webster brengt de kraag aan. Dan haalt hij zijn zaklantaarn tevoorschijn en schijnt in Rowans ogen. Haar pupillen zijn allebei even groot en ze reageren op licht. 'Rowan!' roept hij, en hij controleert haar oren. Er komt geen hersenvocht uit. Dan voelt hij twee handen op zijn schouders.

'Ik neem de behandeling over,' zegt Koenig.

'Het is Rowan.' Webster weigert opzij te gaan.

'Dat weet ik, Webster. Vooruit, aan de kant!'

Webster komt overeind en doet een stap opzij. Hij kijkt toe terwijl Koenig naast Rowan knielt. En roept om de wervelplank. Dan pas ziet Webster dat Rowan alleen een beha en een slipje aan heeft.

'Leg in godsnaam iets over haar heen.'

Koenig pakt een thermische deken. Tommy staat te huilen,

drijfnat, ook in zijn ondergoed. Wanneer Webster zich omdraait ziet hij dat de broeders van een tweede ambulance het
andere meisje proberen te reanimeren. Zonder resultaat. Haar
huid begint al grijs te worden. Dat is zelfs in het kunstlicht
zichtbaar. Een politieagent die bij hen staat, stelt vragen en
noteert namen. Boven hen schijnt de volle maan door de wui-
vende takken. Het licht wordt weerspiegeld door het donkere
water.

'We hebben hier nog een deken nodig!' roept Webster, wijzend op Tommy. 'Wat is er gebeurd?' vraagt hij dan.

'Rowan en Kerry hadden een soort weddenschap of ze naar
die boomtak daar durfden te klimmen, en een van de jongens
stookte ze nog eens extra op.' Het ontgaat Webster niet dat hij
de naam niet noemt. 'Rowan had gedronken, en ik heb haar
gesmeekt het niet te doen. Ik heb letterlijk geprobeerd haar
tegen te houden. Maar ze rukte zich los. En toen begon ze te
klimmen. Ik trok mijn kleren uit, voor het geval dat ze zou
vallen. En dat gebeurde inderdaad. Blijkbaar is ze onder water
met haar hoofd ergens tegenaan gestoten, want ik zag meteen
dat er iets niet goed zat. Dus ik ben achter haar aan gesprongen.'

'En dat andere meisje? Wie is daar achteraan gesprongen?'

'Die jongen die hun had opgestookt.'

'Dus je hebt Rowan uit het water gehaald. En toen ben jij
met reanimeren begonnen?'

Tommy knikt.

'Waar heb je dat geleerd?'

'Bij de padvinders. Jaren geleden.'

'De werkwijze is intussen veranderd, maar ik denk dat je
haar leven hebt gered,' zegt Webster.

Koenig wrijft over Rowans borstbeen, maar ze reageert
niet.

Rowan, lieverd. Word wakker!

'Powell, waarschuw de meldkamer,' roept Koenig. 'We hebben een heli nodig.'

'Vrouw. Zeventien. Niet-reagerend. We hebben een heli nodig om haar naar Burlington te brengen,' zegt Powell in de mobilofoon. 'Hoofdtrauma als gevolg van een val op een rotsachtige bodem. Rechterschouder vermoedelijk uit de kom en gebroken. Pupillen gelijk en reagerend. Onder invloed van alcohol. Ademfrequentie 10. Bloeddruk 110 bij 64. Reageert niet op pijnprikkels. Geef verwachte tijd en locatie van aankomst van de traumaheli.'

Dan helpt hij Koenig om Rowan te draaien, zodat ze haar op de wervelplank kunnen leggen. Koenig bevestigt de oranje schuimrubberen immobilisatiekussens met klittenband aan weerskanten van het hoofd en onder haar kin. In de glimmende thermische deken ziet Rowan eruit als een mummie uit een vreemde wereld.

'We brengen haar naar de atletiekbaan bij de school,' zegt Powell tegen Koenig. 'Daar kan de bemanning van de heli haar verder klaarmaken voor vervoer.'

Webster wendt zich af en gooit de inhoud van zijn maag eruit. Hij weet wat een traumaheli betekent.

Een politieman pakt hem bij zijn arm. 'Alles oké?'

'Ja. Ik red me wel.' Webster richt zich op en veegt zijn mond af met zijn mouw. 'Ik rij met haar mee,' zegt hij tegen Koenig.

'Maar ik doe de behandeling,' helpt Koenig hem herinneren.

'Wrijf nog eens over het borstbeen.'

'Ze reageert niet.'

'Toch wil ik dat je het doet.'

Koenig begint uit alle macht te wrijven.

'Kreunde ze?' vraagt Webster.

'Ik heb niks gehoord.'

Webster houdt Rowans hand vast terwijl de ambulance in volle vaart naar de school rijdt, het gebouw waar zijn dochter die avond nog feest heeft gevierd. Hij masseert haar vingers en houdt haar hand vast, alsof het een soort levenslijn is. Van haar naar hem, want zonder haar...

Webster voelt Rowans hand verkrampen. Een insult! Hij heeft het tientallen keren meegemaakt, maar de adrenaline schiet tot in zijn vingertoppen. Koenig komt al in actie. Hij geeft haar 2 milligram ativan IV. Websters hartslag gaat gelijk op met het toenemende schokken van Rowans lichaam. Een insult is nooit een goed teken.

Webster kijkt toe terwijl het insult wegebt. Ativan is wel het laatste wat je een patiënt die onder invloed van alcohol verkeert, wilt geven. Maar ze hebben geen keus. Er wordt geen woord gesproken. Webster strijkt het haar uit het gezicht van zijn dochter.

Hij denkt aan de procedure die Rowan te wachten staat voordat ze aan boord kan worden gebracht van de traumaheli. Om te beginnen moet alle apparatuur gebruiksklaar zijn; Webster weigert zich in de details te verdiepen. Dan vijf minuten preoxygenatie gedurende vijf minuten. Vervolgens preanesthesie: per kilo lichaamsgewicht 1,5 milligram lidocaïne per kilo lichaamsgewicht, twee minuten voor intubatie. En ze zullen haar moeten curariseren, om te voorkomen dat Rowan tijdens de vlucht opnieuw een insult krijgt. Webster zou het willen uitschreeuwen bij het vooruitzicht dat zijn dochter medicinaal wordt verlamd.

En ten slotte het intuberen.

De brandweer heeft al haar wagens gestuurd om een landingsbaan te creëren. Webster knijpt in Rowans hand. Het is goed om tegen een bewusteloze patiënt te blijven praten. De mogelijkheid bestaat dat Rowan kan horen wat er om haar heen gebeurt, ook al is ze niet in staat daarop te reageren.

'Dit is wat er gaat gebeuren, liever,' zegt Webster. 'We zijn nu bij de atletiekbaan van je school. Daar landt zo de helikopter. Die brengt je naar een uitstekend ziekenhuis in Burlington. Het ziekenhuis van de universiteit. Het toppunt van ironie, vind je niet? Je gaat naar de universiteit. Ik ben bij je. En ik blíjf bij je. Het is een routineprocedure, ook al heb je een behoorlijke dreun op je hoofd gehad. Weet je nog wat ik je hebt verteld over traumaheli's? Het stelt niks voor. Het is hetzelfde als wat ik doe, alleen met een ander vervoermiddel. Ik hou je hand vast. Je bent een taaie, Rowan. Dus zodra we in het ziekenhuis zijn, wordt het tijd om weer bij kennis te komen. Luister goed naar me, Rowan, want dit is belangrijk. Wanneer je eenmaal in het ziekenhuis bent, moet je proberen je zo goed mogelijk te concentreren. Dat zal misschien niet meevallen, maar het moet wel. En maak je geen zorgen als je straks niet alles meer weet wat ik heb gezegd, want ik ben bij je, ik hou je hand vast en ik zorg dat alles goed gaat. Je bent in goede handen. Sterker nog, je bent in de beste handen die je je maar kunt wensen.'

Webster kijkt naar de rondcirkelende helikopter, naar de landing. De piloot zal hem niet aan boord willen nemen. Webster gaat achter Rowan staan wanneer de bemanning zich met een eigen brancard naar de ziekenauto haast. Koenig zal de bemanning verslag uitbrengen, waarop die Rowan zal overzetten op de eigen apparatuur en meenemen naar de helikopter.

'Gewicht?' vraagt de heliverpleegkundige.

'58 kilo,' antwoordt Webster.

'Deze verpleegkundige is de vader van het meisje,' legt Koenig uit.

'De vader van de patiënt is ambulancebroeder?'

'Hij heeft ervoor gezorgd dat ze rustig bleef,' zegt Koenig. 'Door tegen haar te blijven praten.'

Webster springt uit de ambulance zodra de helikopterbemanning Rowan op de brancard heeft gelegd. Opnieuw met Rowans hand in de zijne loopt hij mee met de brancard.

'Ik heb haar beloofd dat ik met haar mee zou gaan,' zegt hij tegen de heliverpleegkundige die voor hem loopt.

Geen reactie.

'Ik weeg 81 kilo. Zij 58. Samen ongeveer 140 kilo. Dat is onder de limiet.'

De verpleegkundige reageert nog steeds niet. Webster zou het willen uitschreeuwen, maar hij beseft dat hij daarmee al zijn kansen verspeelt om aan boord van de heli te komen.

De lampen van de brandweerauto's staan op de hoogste stand en creëren een ring van verblindend fel licht. Webster voelt de steentjes van de sintelbaan onder zijn schoenen, daarna gras. De wind van de propellor blaast door zijn haar. Het angstaanjagende tafereel geeft hem een gevoel alsof hij droomt. Wanneer ze bij de heli zijn moet hij Rowans hand loslaten.

De stem van de piloot klinkt uit de portofoon van de verpleegkundige. Hij wil het gewicht weten dat hij aan boord krijgt, en hoe lang het medische protocol gaat duren. 'Twintig minuten,' luidt het antwoord. 'Gewicht van de patiënt 58. De vader is ambulancebroeder. Kunnen we hem meenemen?'

'Gewicht?'

'81.'

'Is dat zeker?' vraagt de piloot.

'Dat is zeker,' herhaalt de heliverpleegkundige zonder aarzelen.

'Geef hem het protocol.'

'Niet nodig. Dat is bekend,' zegt Webster. Hij klimt in de heli en gaat voorin bij de piloot zitten. Hij zal Rowans hand niet kunnen vasthouden, maar hij zal in elk geval bij haar zijn. Misschien voelt ze zijn aanwezigheid, ondanks de anesthesie.

Hij kent verhalen van bewusteloze patiënten die beweerden de gesprekken in de heli te hebben gehoord.

De twintig minuten om het protocol af te werken zijn een marteling voor hem. Hij wil dat ze vertrekken. Hij wil Rowan zo snel mogelijk op de SEH hebben.

Wanneer hij de merkwaardige sensatie van het opstijgen voelt, neemt Webster de rol van zwijgende waarnemer aan, alsof hij een groentje is. Half omgedraaid concentreert hij zich op de handen van de medische bemanning, op de slangen en buisjes, op de monitor, en hij ziet dat alles gaat zoals het hoort te gaan. Naar Rowans veel te stille gezicht durft hij nauwelijks te kijken.

Tijdens de vlucht verdwijnt zo goed als elk besef van tijd. Zodra hij de lichten van Burlington ziet opdoemen, voelt hij dat de heli begint te zakken naar het dak van het ziekenhuis. Daar zullen ze worden opgewacht door het volgende team, dat de zorg voor Rowan zal overnemen.

Webster moet denken aan de woorden van zijn moeder: je mag nooit spijt hebben van iets waar je kinderen uit zijn voortgekomen. Webster zou eraan willen toevoegen: maar wel van iets waarmee je je dochter schade hebt berokkend. Had hij haar maar verboden om naar dat schoolfeest te gaan. Als hij niet in haar dagboek had gelezen, zou ze misschien binnen zijn gebleven om op Tommy te wachten, en die paar minuten zouden de loop der dingen misschien zodanig hebben beïnvloed dat ze niet zoveel had gedronken, en dat ze niet zo gretig op de weddenschap was ingegaan. Had hij maar eerder contact met Sheila gezocht. Had hij zijn vrouw maar niet weggestuurd en Rowan een gewoon gezinsleven afgenomen.

Hij voelt de schok van de landing. Onmiddellijk doen de arts en de verpleegkundige van de SEH de deur open, en het volgende moment wordt Rowan naar de ingang van het ziekenhuis gereden, terwijl de arts uit de heli al rennend verslag uitbrengt. Webster springt van boord en haast zich achter hen aan. Het personeel van de SEH zal geen problemen opleveren. Geen ouder wordt de toegang tot zijn kind ontzegd.

De dienstdoend arts op de SEH onderzoekt Rowan. Hij geeft opdracht tot bloedonderzoek, er moet een röntgenfoto worden gemaakt van de schouder en een CT-scan van de hersens. Als hij daarmee nog niet genoeg duidelijkheid heeft, zal hij opdracht geven tot een MRI-scan. Webster hoopt dat Rowan voor die tijd uit zichzelf bijkomt.

'Bent u de vader?' vraagt de arts van de SEH.

'Ja. Hoe staat ze ervoor?'

'Haar toestand is kritiek. Ik heb opdracht gegeven tot het doen van een aantal onderzoeken, maar we weten nog niet wat die gaan opleveren. Zoals u weet moet je bij verwondingen aan het hoofd altijd voorzichtig zijn met het geven van een prognose. We moeten duidelijkheid hebben in hoeverre er sprake is geweest van zwelling van de hersenen. Ik zou zeggen, ga een kop koffie halen en iets te eten. Na de onderzoeken wordt uw dochter naar de IC gebracht. Daar kunt u weer bij haar gaan zitten.' De dokter pakt Webster met zachte drang bij zijn bovenarm. Het gebaar maakt hem bang. Weet de dokter meer dan hij kwijt wil?

Webster gaat op zoek naar de cafetaria en sluit achter aan in de rij. Ziekenhuiseten is overal hetzelfde: ongezond en je wordt er dik van. Hoeveel beweging zou hij op een dag krijgen, denkt hij. Misschien moet hij nu nog niet op de weegschaal gaan staan, maar pas als hij weer een paar weken aan het rennen is. Wanneer hij eindelijk aan de beurt is, zijn een mandarijn en een kop koffie het enige waarvan hij denkt dat hij het naar binnen kan krijgen. Met zijn blad gaat hij op zoek naar een tafeltje dat nog vrij is. Hij heeft geen zin om te praten, en zijn uniform zal ongetwijfeld aanleiding geven tot vragen.

Wat is er met Rowans jurk gebeurd, vraagt hij zich af. Waar is Tommy? En hoe is het met hem? Hij overweegt hem later op de dag te bellen, om verslag uit te brengen en om hem te vragen met de surveillancewagen naar Burlington te komen. Maar dat kan helemaal niet. De autosleutels zitten in zijn zak, beseft Webster. Het doet er niet toe. Dat is allemaal niet belangrijk.

Het enige wat telt, is de aard van de zwelling in het hoofd van zijn dochter.

Webster houdt Rowans hand in de zijne. Het zachte gepiep van het infuus, het gestage signaal van de monitor, het gekraak van de manchet van de bloeddrukmeter, dat alles creëert een gruwelijke en tegelijkertijd troostrijke symfonie. De geluiden bewijzen dat ze nog leeft, en dat ze net als hij wacht op een moment van herkenning. Hij stelt zich de diepe val voor in het donker, de verborgen, uitstekende rots, het zwarte water. Een jongen in zijn ondergoed die haar roept, haar smeekt om het niet te doen. Het geluid van de klap, tegen de achtergrond van zacht gelach, de merkwaardige baan die ze volgde, het gespetter van voeten in het ondiepe water, mensen die roepen om voort te maken... snel... snel...

Voor zijn geestesoog ziet hij het schijnsel van het vuur, de verbijsterde gezichten, sommige onmiddellijk alert, andere wezenloos. De jongen die in de inktzwarte groeve duikt, schreeuwend, snikkend. De weerstand waarop de jongen stuit wanneer hij het meisje naar de rand sleept, haar gewicht als van een loodzwaar kleed dat hij door het water trekt.

In de IC is het licht schel en genadeloos. De paarsblauwe verkleuring van de huid onder haar ogen, het verband om haar hoofd. Webster bidt zoals hij dat in geen jaren heeft gedaan. 'Alsjeblieft,' zegt hij hardop.

Hij brengt Rowans slanke hand naar zijn voorhoofd en fluistert zacht.

Na een tijdje staat hij op, en hij loopt naar de gang, naar

een plek waar hij mag telefoneren. Na enig zoeken in zijn portemonnee vindt hij het stukje papier dat Sheila hem heeft gegeven toen ze vertrok. Hij hoort de telefoon overgaan en is opgelucht wanneer ze opneemt.

'Ik denk dat je moet komen,' zegt hij.

Hoe langer de patiënt in coma is, hoe geringer de kans op herstel. Webster weet dat, en terwijl hij naast het bed zit, vraagt hij zich af in hoeverre zich een proces van genezing voltrekt in haar hoofd en waarom dat zo lang moet duren.

Sheila arriveert met een kleine weekendtas. In haar zwarte katoenen broek en witte overhemdbloes ziet ze er net zo hulpeloos uit als hij zich voelt.

'De komende achtenveertig uur zullen het moeten uitwijzen, zeggen ze,' rapporteert Webster op de gang voor Rowans kamer.

Zullen wat uitwijzen, wil hij weten. Maar hij heeft het niet gevraagd, bang voor het antwoord. 'En ze zeggen ook dat er misschien opnieuw een CT-scan moet worden gemaakt.'

Sheila leunt tegen de muur.

'Vandaag gaan ze proberen haar schouder te opereren. Ik heb de chirurg gevraagd of ze een gaatje in Rowans schedel moeten boren om de druk te doen afnemen, maar ze verwachten nog niet dat het nodig zal zijn, zei hij.'

'Nog niet.'

'Nog niet.'

'Volgens mij ben je uitgeput. Tenminste, zo zie je eruit,' zegt Sheila.

'Dat klopt, maar ik durf haar niet alleen te laten.'

Wanneer hij bij zijn dochter zit, praat hij tegen haar, ook al gelooft hij niet langer dat ze hem kan horen. Maar hij doet het om het zekere voor het onzekere te nemen, als een agnosticus die besluit te bidden. Hij heeft haar alles verteld wat hij zich van haar jeugd kan herinneren, en dat is niet veel. Zijn herinneringen beperken zich tot de foto's die hij van haar heeft genomen, en dan nog voornamelijk naar aanleiding van de viering van speciale gelegenheden. Volgens die foto's bestaat Rowans hele leven uit een aaneenschakeling van dat soort gelegenheden. Over de laatste foto die hij van haar heeft genomen, heeft hij niets gezegd. De foto van Rowan in haar zwarte jurk met haar hoge hakken, haar gezicht strak, zonder een zweem van een glimlach. Hij betwijfelt of hij ooit nog naar die foto zal kunnen kijken. Mocht het zover komen, dan zal hij Koenig vragen de foto's voor hem af te drukken, op die ene na.

Maar het zal niet 'zover komen'. Dat mag gewoon niet.

'Laat mij dan bij haar gaan zitten,' stelt Sheila voor.

Webster is verrast door het aanbod. 'De schok zou te groot kunnen zijn, als ze bijkomt, en ze ziet jou.'

'We kunnen alleen maar hopen dat het zover komt,' zegt Sheila.

Webster neemt haar mee de kamer in en kijkt toe terwijl ze haar eerste blik werpt op hun dochter van zeventien. Een rank lichaam onder het laken, met slangetjes verbonden aan een reeks monitoren, het hoofd dik in het verband. Alle kleur trekt weg uit Sheila's gezicht.

'Ik weet het. Het is verschrikkelijk,' zegt Webster.

'Ze is prachtig,' zegt Sheila.

'Soms praat ik tegen haar. Dan houd ik haar hand vast.'

Sheila gaat zitten. Ze zwijgt geruime tijd. Ten slotte reikt ze aarzelend naar Rowans hand.

'Toe maar, het kan geen kwaad,' zegt Webster. 'Dat is haar goede kant.'

'Ik heb koude handen.'

'Dan zorgt Rowan dat ze warm worden.'

Sheila pakt Rowans slanke hand. Ze doet het heel kalm, maar toch is Webster zich bewust van een plotselinge spanning. Zijn gedachten gaan vijftien jaar terug in de tijd. Toen zat hij ook aan Rowans bed, maar toen had Sheila er niet bij kunnen zijn.

'Ik denk niet dat ik kan slapen. Dat zou wel een wonder zijn,' zegt hij. 'Dus waarschijnlijk ben ik met een uur terug. Naast het ziekenhuis is een motel. Daar wilden ze me al heen sturen toen we hier net waren. Je hebt mijn mobiele nummer. Bel me als er verandering komt in haar toestand.'

'Ja, natuurlijk bel ik je dan.'

'Ben je bang?' vraagt hij.

'Ja.'

Wanneer Webster terugkomt vertelt hij Sheila dat hij een kamer voor haar heeft geboekt in het motel. Hij geeft haar de sleutel.

'Heb je geslapen?' vraagt ze.

'Misschien even gedoezeld.'

'Mooi zo.'

'Is er nog iets gebeurd?'

'Ik heb haar hand vastgehouden,' zegt Sheila.

'O god,' verzucht Webster. 'Dit klopt echt van geen kanten.'

'Ik heb met haar gepraat.'

'Wat zei ze?'

'Dat alles goed met haar was.'

Webster glimlacht.

Tommy en Gina komen met bloemen, maar die mogen ze niet meenemen de IC in. Wanneer ze Rowan ziet, begint Gina te huilen. Tommy wendt zijn hoofd af. Koenig komt langs met Ruth, zijn vrouw. Ze brengen eten mee dat Webster niet naar binnen kan krijgen. Zelfs Powell komt rechtstreeks na zijn dienst even poolshoogte nemen. Hij staat zwijgend in de

deuropening, slecht op zijn gemak. Webster bedankt hem,
dan vertrekt hij weer.

Webster buigt zich over Rowan heen om een kus op haar wang
te drukken. Hij wil haar adem voelen.

'Je moeder is er,' vertelt hij zijn slapende dochter. 'Ze is
helemaal uit Boston gekomen. Of eigenlijk uit Chelsea. Daar
woont ze. Ze wilde bij je zijn. Ik denk dat je haar wel aardig
zult vinden. Ze kan prachtig schilderen. Ik heb haar werk gezien. Jij zou het ook mooi vinden. Ze is altijd aan je blijven
denken, dat is duidelijk. Toen ze Puppy zag, moest ze huilen.
Of nee, vergeet dat maar weer.'

Webster denkt even na.

'Ik ben nog vergeten te vertellen dat ze gevoel voor humor
heeft. Ik dacht dat ze het was kwijtgeraakt, maar het is er nog.
En misschien komt het wel helemaal terug, wie zal het zeggen.
Ze heeft bij je bed gezeten terwijl ik even heb geslapen, in het
motel naast het ziekenhuis. Ze heeft je hand vastgehouden. Ik
weet niet of je dat hebt gevoeld. Ze zei dat ze met je had gepraat, en dat jij had gezegd dat alles goed met je was. Ik hoop
zo dat het echt waar is wat je zei...'

Webster weet niet wat hij nog meer moet zeggen. Glijdt
Rowan met elk uur dat verstrijkt, verder van hem weg? Dat is
zijn grootste angst. Dat alles al verloren is, maar dat hij het
nog niet weet.

Hij raakt in paniek wanneer hij wakker schrikt en op de klok
kijkt. Rowan is inmiddels negenenveertig uur buiten kennis.
Hij beseft dat er nog meer mensen in de kamer zijn.

Plotseling klaarwakker staat hij op. 'Wat gaat er gebeuren?'
vraagt hij.

'We nemen haar mee voor een nieuwe CT-scan,' antwoordt
een van de verpleegkundigen.

'Waarom?' vraagt Webster.

'De dokter komt zo. Die zal het u uitleggen. Het is een routineprocedure. Niets om u zorgen over te maken.'

'Een routineprocedure?' vraagt Webster ongelovig. 'Als een kind al negenenveertig uur in coma ligt?'

'Het gaat niet lang duren,' zegt de verpleegkundige.

Webster loopt naar het raam en staart naar het verlichte parkeerterrein. Het is nog donker, halfvier in de ochtend. Twee volle dagen nadat Rowan en Kerry, het andere meisje, in de groeve zijn gevallen. Hij denkt aan die andere vader, die met zijn eigen afschuwelijke nieuws in het reine moet zien te komen. Webster had de ouders eigenlijk moeten bellen, maar hij weet niet eens hun achternaam. Kerry is een vriendin over wie hij Rowan nog nooit heeft gehoord. Hij zou het aan Tommy kunnen vragen, maar hij wil hem niet bellen, want het enige wat hij kan zeggen is dat er nog altijd geen verandering is in Rowans toestand.

Twee dagen is niets, zegt hij tegen zichzelf. Hij weet van gevallen waarin de patiënt een week of langer buiten bewustzijn was en toch weer herstelde. Geen volledig herstel, maar de patiënt kreeg in elk geval een tweede kans. Dat is niet genoeg, beseft hij. Rowan moet volledig herstellen, in het bezit van al haar vermogens. Daar bidt hij nog steeds voor. Misschien komt er een dag waarop hij bereid is met minder genoegen te nemen. Maar dat kan hij zich nu nog niet voorstellen.

'Meneer Webster.'

Hij draait zich om. Dokter Lockhart, de neuroloog, staat in de deuropening. Hij draagt een sportief colbert, en hij heeft zijn das losgeknoopt. Met zijn dikke bos haar ziet hij eruit als tweeëntwintig.

'We hebben uw dochter meegenomen voor een CT-scan,' zegt hij. 'We zijn inmiddels achtenveertig uur verder, dus ik vond het tijd voor een tweede scan. Hoe langer een patiënt bewusteloos blijft, hoe meer problemen we kunnen verwachten voor het herstel, maar dat hoef ik u niet te vertellen.'

Nee, dat had inderdaad niet gehoeven.

'Ik heb goede hoop dat we op basis van de scan kunnen bepalen wat de verdere behandeling moet zijn. Als we een opening in de schedel moeten boren om de druk op de hersenen te verlichten, dan zullen we dat doen. Maar liever niet.'

Webster zwijgt. Hij is geschokt.

'Ik ben diverse malen getuige geweest van een wonder, meneer Webster. En hoewel ik geen valse hoop wil wekken, heb ik patiënten ook na een coma van een week, zelfs van twee weken, nog volledig zien herstellen...'

'Waarom duurt het zo lang?' Webster moet het vragen.

'Het brein blijft een mysterie. Als we medicijnen hadden waarmee we haar zonder risico uit haar coma konden halen, zouden we die geven.'

Webster bedankt hem en loopt naar de cafetaria. De lege kamer, zonder Rowan, vliegt hem aan.

Later die ochtend komt Sheila hem aflossen. Hij staat op en loopt haar tegemoet. Ze vraagt of er al verandering in Rowans toestand is opgetreden. Hij vertelt haar wat dokter Lockhart heeft gezegd. Sheila sluit haar ogen en schudt haar hoofd.

'Niet doen,' zegt hij.

'Wat?'

'Je ogen dichtdoen en je hoofd schudden. Ik mag bang zijn, jij niet. Jij moet sterk blijven. En volhouden dat alles goedkomt.'

'Oké.'

Webster loopt de gang op terwijl Sheila de kamer binnengaat en op de stoel naast het bed gaat zitten. Deze keer pakt ze Rowans hand meteen. Hij ziet dat ze tegen hun dochter begint te praten.

Webster komt na vijf uur slaap de kamer weer binnen. Sheila gaat iets te eten halen, zegt ze. Wanneer hij alleen is met zijn dochter, gaat hij op de stoel naast het bed zitten, en hij kijkt naar het stille gezicht waar hij al meer dan twee dagen naar kijkt. Hij probeert zich de tijd te herinneren dat hij haar coachte in Little League.

'Kom op, Rowan. Je kunt het. Het is zover. Er is niks om bang voor te zijn. Vooruit, jij bent aan slag. Let op je houding. Neem je tijd. Niet meteen op de eerste worp slaan. Maar de volgende goeie bal geef je een enorme optater. Ik heb je al vaker een bal over het hek zien slaan, dus ik weet dat je het kunt. Het is erop of eronder. Tweede helft van de negende inning. Je team staat één run achter, met één uit. Je hebt een loper op het eerste honk. Het enige wat je nodig hebt, is een goeie mep. Daarmee krijg je je loper binnen. Dan hebben jullie nog twee *outs* over. Jullie kunnen nog winnen. Maar het is aan jou. Zorg dat het andere team niet nog een keer mag spelen. Je mag het niet laten gebeuren dat de wedstrijd eindigt terwijl jij nog niet eens op het eerste honk staat. Ik ben je coach, dus ik wil dat je naar me luistert.'

Webster zwijgt.

'En?' vraagt hij dan aan Rowan.

Hij wacht.

'Is er iets wat je wilt zeggen? Iets wat je wilt vragen? Want jij bent aan slag.'

Webster wacht.

'Rowan? Lieverd?'

Geen reactie.

Webster brengt zijn gezicht tot vlak boven het hare. Hij heeft zijn mond gespoeld met Listerine. Misschien schrikt ze daar wakker van.

'Oké, luister. Ik wacht hier. En de wedstrijd wacht ook. Maar zodra je er klaar voor bent, geef je een seintje, en dan zijn we er allemaal klaar voor. Ik hou je hand vast. Ik blijf bij je. Ik ga niet weg. Jij geeft het teken.'

Op de CT-scan was nog geen verbetering te zien.

Er zijn inmiddels zestig uur verstreken.

Sheila en Webster lossen elkaar om de zes uur af. Wanneer hij tijdens een van zijn rustperiodes langs de kamer komt, ziet hij dat Sheila haar gezicht vlak bij dat van Rowan heeft gebracht en zacht tegen haar praat. Een andere keer zit Sheila aan het voeteneind, met haar hoofd over het bed gebogen.

Wanneer Webster weer naast zijn dochter zit, komt Tommy langs met zijn vader. 'We hebben een auto voor u,' zegt Tommy.

Webster staat op en schudt Tommy's vader de hand. Hij is kleiner dan zijn zoon, kalend en met brede schouders. 'We leven allemaal met u mee,' zegt Tommy's vader. 'En we bidden voor u. Hier zijn de sleutels. Het is een marineblauwe Volkswagen, met een roze madelief in het vaasje op het dashboard.'

Webster kijkt van vader naar zoon. Tommy heeft alleen oog voor Rowan.

'Het is de auto van mijn vrouw,' zegt Tommy's vader. 'Die bloem moet u maar voor lief nemen.'

'Dank u wel,' zegt Webster. 'Tommy, wil jij misschien even bij Rowan gaan zitten? Ik ben kapot. Het zou heerlijk zijn als ik even een frisse neus kon halen. Ik ben met tien minuten terug.'

Samen met Tommy's vader neemt hij de lift naar de lobby. 'Misschien kunt u even met me meelopen naar de auto,' stelt Webster voor. 'Dan weet ik welke het is.'

'Mijn zoon geeft zichzelf de schuld,' zegt Tommy's vader onder het lopen. 'Hij denkt dat het niet zou zijn gebeurd als hij harder had geprobeerd om het ze uit hun hoofd te praten.'

'Dat zie ik heel anders. Uw zoon heeft gedaan wat hij kon, maar Rowan was dronken en wilde niet luisteren. U kunt trots zijn op uw zoon. Hij heeft Rowans leven gered door te beginnen met reanimeren. Ik ben ook trots op hem. En ik ben hem dankbaar.'

'Hij is totaal van slag,' zegt Tommy's vader.

'Dat verbaast me niks.'

'Dit moet verschrikkelijk voor u zijn.'

'Op een schaal van één tot tien is het een dikke vette tien,' zegt Webster terwijl ze het parkeerterrein naderen. 'Toch is het voor mij nog lang niet zo erg als voor de ouders van dat andere meisje.'

Tommy's vader stopte zijn handen in zijn zakken. Het zonlicht schittert in de voorruiten van de auto's.

'Ze wordt morgen begraven. Tommy weet nog niet of hij gaat.'

'Als ik in de stad was, zou ik erheen gaan,' zegt Webster. 'Om mijn respect te betuigen.'

'Dat zal ik tegen hem zeggen,' zegt Tommy's vader. 'Daar is de auto.'

Webster legt een hand boven zijn ogen en kijkt naar het marineblauwe wagentje. 'Ik zie het,' zegt hij. 'Nogmaals bedankt. Ik heb geen idee hoe lang ik hier nog ben.'

'Dat maakt niet uit.' Tommy's vader schudt hem de hand. 'Mijn vrouw wilde graag iets doen voor u en Rowan.'

'Ik zal Tommy naar u toe sturen.'

Wanneer Webster terugkomt op de IC ziet hij door het glas dat Tommy zit te huilen. Dat zal hem oplúchten, denkt Webster. Hij aarzelt, dan ziet hij een verpleegkundige zijn kant uit komen.

'Mag ik u iets vragen? Zou u naar binnen willen gaan, zogenaamd om te controleren of alles goed is met Rowan? Die jongen naast haar bed is haar vriendje, en hij heeft het erg te kwaad. Ik wil hem de kans geven zichzelf weer een beetje in de hand te krijgen voordat ik naar binnen ga.'

De verpleegkundige glimlacht. 'Komt voor elkaar.'

Webster loopt even weg en wacht nog een minuut. Wanneer hij uiteindelijk naar binnen loopt, staat Tommy met dikke ogen en een rode neus aan het voeteneind van het bed.

'Je vader wacht al op het parkeerterrein. Wil je je moeder bedanken?'

'Dat zal ik doen,' zegt Tommy.

'Het komt helemaal goed met haar,' belooft Webster.

Maar hij ziet dat Tommy hem niet gelooft.

Na weer vijfeneenhalf uur waken komt de verpleging hem vragen om de kamer te verlaten terwijl Rowan wordt gewassen. Sheila vindt hem in de cafetaria.

'Is het opgehouden met regenen?' vraagt hij.

'Ja, het is warm, en benauwd.'

Ze werpt een blik op het blad voor hem. 'Het gebruikelijke recept? Koffie met taart?'

'Iets anders krijg ik niet naar binnen.'

'Ik ben zo terug,' zegt ze.

Webster pakt zijn mok en zet hem weer neer. Wanneer dit achter de rug is, zweert hij de koffie misschien wel helemaal af. Sheila komt terug met een blad. Ze pakt er een kom soep af en geeft die aan Webster. 'Minestrone.' Ze zet er een bordje naast met bestek en een servet. 'En een broodje ham.'

'Dankjewel,' zegt Webster.

'Je ziet er verschrikkelijk uit,' zegt ze.

'Jij ziet er leuk uit.'

Er komt een herinnering naar boven. Webster probeert haar te pakken te krijgen. Dunlap's. Toen zij daar werkte. En hij uit de nachtdienst kwam. Dat is inmiddels achttien jaar geleden.

Tot zijn eigen verbazing pakt hij haar pols. 'Ik denk niet dat ik dit nog lang volhou,' zegt hij. 'Het is verschrikkelijk. Je reinste nachtmerrie.'

'Je moet het volhouden. Je hebt geen keus.'

Hij trekt zijn hand terug. Zijn vingers laten een roze afdruk achter op de binnenkant van haar arm. 'Voor jou moet het ook verschrikkelijk zijn,' zegt hij.

'Natuurlijk. Maar ik ben zo blij dat ik hier ben. Ik denk niet dat Rowan er iets aan heeft dat ik bij haar zit, maar ik heb er wel iets aan.'

Webster knikt. Hij begrijpt het.

Het is woensdag, even na middernacht. Webster zit bij zijn dochter, met zijn hoofd op de rand van haar bed. Ineens verbeeldt hij zich dat hij haar vingers voelt bewegen in zijn hand. Hij schiet overeind, zich afvragend of hij het heeft gedroomd. 'Rowan?'

Het duurt tien minuten voordat ze het weer doet. Hij moet zeker weten dat het geen reflex is.

'Rowan, papa is bij je. Ik heb je hand in de mijne. Als je me kunt horen, knijp dan in mijn hand of wiebel met je vingers.'

Onmiddellijk voelt hij haar vingers bewegen.

'O god! Rowan!'

Webster staat op, doet de deur open en roept om iemand van de verpleging.

Wanneer de verpleegkundige eenmaal naast het bed staat, buigt ze zich over Rowan heen om haar pupillen te controleren, maar tot Websters intense dankbaarheid – en tot grote schrik van de verpleegster – doet Rowan uit zichzelf haar ogen open. Het is het mooiste wat Webster ooit heeft gezien.

Ze maakt een verdwaasde indruk, het lukt haar niet om te focussen. Praten kan ze ook nog niet. Maar daar maakt Webster zich geen zorgen over. Uiteindelijk zal ze dat ook weer kunnen, weet hij.

'Au,' zegt Rowan. Haar eerste woord. 'Mijn hoofd.'

Webster knijpt in haar hand. Met een gevoel alsof hij die nooit meer los wil laten.

'Dat verbaast me niks,' zegt hij. 'Je hebt een akelige smak gemaakt.'

'Echt waar?'

'Weet je dat niet meer?'

'Nee.' Ze probeert het zich te herinneren, maar hij ziet aan haar gezicht dat de inspanning te groot is.

'Ik hoor dat we goed nieuws hebben!' roept dokter Lockhart met bulderende stem vanuit de deuropening. Hij loopt naar de andere kant van het bed. 'Inderdaad, ik zie het al. Welkom terug, Rowan Webster.'

Webster ziet Rowans verwarring. Wie is deze man?

'Ik ben dokter Lockhart,' legt de neuroloog uit. 'Je behandelend arts. Je had een ernstige verwonding aan het hoofd.'

Webster kijkt toe terwijl de arts Rowans pupillen controleert. Hij vraagt of ze haar armen en benen wil bewegen, of ze met haar tenen wil wiebelen, of ze haar handen tegen de zijne wil drukken, of ze in zijn vingers wil knijpen. Dan stelt hij een reeks vragen. Welk jaar is het? Hoe heet de president? Welke maand is het? Waar woont ze? Met het jaar heeft Rowan geen moeite, over de president moet ze even nadenken, wat betreft de maand is ze volledig het spoor bijster, maar ze noemt feilloos haar adres.

'Je krijgt een dikke voldoende van me,' zegt de dokter tegen Rowan. 'Over twee uur kom ik terug om het opnieuw te vragen, en dan garandeer ik je een nog beter cijfer.'

'Lig ik in Mercy?' vraagt Rowan wanneer de dokter weer is vertrokken.

'Nee, dit is het ziekenhuis in Burlington,' antwoordt Webster.

Rowan kijkt de kamer rond. 'Waarom zijn we in Burlington?'

'Daar ben je naartoe gebracht met de traumahelikopter. Wat is het laatste dat je je herinnert?'

Ze neemt hem onderzoekend op. Webster hoopt niet dat hij haar laatste herinnering is. 'Ik was op een feest,' zegt ze.

'Kun je je daarna nog iets herinneren?'

'Het was erg warm in de gymzaal. Iemand stelde voor om te gaan zwemmen.' Ze zwijgt even. 'Ik weet nog dat ik bang was, maar ik weet niet meer waarom.'

Het zou verrassend zijn als Rowan zich de aanloop naar de dreun op haar hoofd nog van minuut tot minuut zou herinneren. Door een trauma wordt een deel van het geheugen gewist.

'Dan zal ik je vertellen wat er is gebeurd,' zegt Webster. 'Je hebt geprobeerd om in een boom te klimmen op de rand van Gray Quarry. Toen ben je gevallen en je bent met je hoofd op een richel onder water terechtgekomen. Dat was zaterdagnacht om halfdrie. Tommy is achter je aan gesprongen, maar toen hij je op de kant had gehesen, ademde je niet meer. Hij heeft je gereanimeerd. Uiteindelijk gaf je water op en begon je weer op eigen kracht te ademen, maar je wilde niet wakker worden. Eens even denken. Dat was zaterdagmorgen heel vroeg. Inmiddels is het dinsdagavond. Dus je bent drie dagen buiten kennis geweest.'

Rowan probeert het tot zich te laten doordringen. 'En in die drie dagen? Waar was ik toen?' vraagt ze.

'Dat zou ik ook weleens willen weten!' zegt Webster lachend.

'Dus daarom zie je er zo verschrikkelijk uit.'

'Je hebt geen idee. Dit waren de ergste drie dagen van mijn leven...'

'De verpleegster zei dat ik met een helikopter ben vervoerd.'

'Dat klopt.'

'En daar heb ik helemaal niks van gemerkt? Dat heb ik gemist? Terwijl ik nog nooit in een helikopter heb gevlogen?'

'Je hebt niks gemist,' zegt Webster. 'Het was een verschrikkelijke vlucht. Ooit, als je weer helemaal de oude bent, zal ik je alles vertellen. En dan gaan we samen een vluchtje maken in een helikopter. Voor ons plezier.'

'Wist je dat ik weer wakker zou worden?'

'Nee.'

'Het spijt me, pap.'

Webster glimlacht. 'Rowan, je hoeft nergens spijt van te hebben. Je bent er weer. Dus je mag alles. Je kunt niks verkeerd doen.'

'Nooit meer?'

Hij knijpt zijn ogen tot spleetjes. 'Dat heb ik niet gezegd.'

Een team verpleegkundigen vraagt hem de kamer te verlaten. Hij is ze graag ter wille. Ze leggen uit dat ze Rowan gaan helpen om rechtop te zitten in bed, en daarna willen ze proberen of ze al kan staan. Bovendien moet de katheter worden verwijderd, en afhankelijk van hoe ze zich voelt, zouden ze haar graag wat opfrissen. Ze stellen voor dat hij iets gaat eten.

'Is ze gewoon hier als ik terugkom?' vraagt Webster voor de zekerheid.

'Ja, ze is gewoon hier.'

'Want ik vind het niet prettig om haar alleen te laten.'

'Ik belóóf u dat ze hier is,' zegt de verpleegkundige. 'Maar het kan zijn dat ze slaapt.'

'Akkoord,' zegt Webster met tegenzin. Hij reikt in zijn zak naar zijn telefoon.

Tegen de tijd dat hij de cafetaria binnenloopt, beseft hij tot zijn verrassing dat hij rammelt van de honger. Hij snakt naar zoetigheid. Dus hij neemt een kop koffie met twee stukken appeltaart en een donut. De taart smaakt hem zo goed dat hij kreunt van genot. Wanneer hij alles op heeft, belt hij Sheila, Tommy, Gina en Koenig, in die volgorde. Tommy is met stomheid geslagen, Gina begint te huilen en Koenig slaakt een juichkreet. Sheila was het meest opgelucht van allemaal. O wat ben ik daar blij om! Er klonk een gevoel van bevrijding door in haar stem. Hij kon horen dat er een gruwelijke last van haar schouders was gevallen.

'Ik kom er meteen aan,' zegt ze.

'Waarschijnlijk kun je beter nog even wachten. Ze weet niet dat je er bent. Ze weet niet eens dat ik contact met je heb gezocht. Dus laat me eerst met haar praten. Daarna bel ik je.'

'Denk je dat ze naar de diploma-uitreiking kan?'

'Al moet ik haar dragen!'

Wanneer hij terugkomt in de kamer van zijn dochter, ligt ze te slapen. Hij gaat naast haar zitten, zoals hij dat al zo lang heeft gedaan, maar hij maakt haar niet wakker, ook al zou hij niets liever willen, gewoon om zeker te weten dat alles goed is.

Nu ze uit haar coma is ontwaakt, ziet de kamer er op slag beter uit. De gordijnen lijken niet meer zo somber, de televisie is ineens niet meer saai om te zien. Webster weet dat het tussen zijn oren zit. Hij kijkt naar zijn dochter.

De artsen hebben de bovenkant van haar hoofd moeten scheren om een diepe snijwond te hechten, met als gevolg dat ze een kale plek heeft van tien bij vijf centimeter waar weer voorzichtig dons begint te groeien. Tijdens haar coma was haar haar plat tegen haar schedel gedrukt, zodat alleen de kruin zichtbaar was. Inmiddels heeft iemand de moeite genomen haar haar te kammen zodat haar pony over haar voorhoofd valt. Rowan zal er niet gelukkig mee zijn dat ze met die kale plek naar de diploma-uitreiking moet.

Hoewel, misschien is dat soort dingen ineens niet meer belangrijk.

Er verschijnt een verpleegster in de deuropening. Webster wendt zich naar haar toe.

'Ze was nog een beetje wiebelig toen ze rechtop ging zitten, dus we hebben nog niet geprobeerd haar te laten staan. De katheter is verwijderd, en ze is alweer op de steek geweest. Ze wordt overgebracht naar een eenpersoonskamer, maar daar zal ze nog minstens een dag of twee, drie moeten blijven. Misschien langer. Voordat ze naar huis kan, moet ze eerst zelfstandig kunnen lopen. En het zou kunnen zijn dat ze problemen heeft met haar evenwicht.'

'Zondag heeft ze haar diploma-uitreiking.'

De verpleegkundige bijt op haar lip. 'Dat zal erom spannen.' Ze zwijgt even. 'En hoe is het nu met u?'

'Tweehonderd procent beter dan gisteren.'

'U moet zorgen dat u wat slaap krijgt,' zegt de verpleegster. 'Ik kan u natuurlijk niet dwingen, maar u weet dat ik gelijk heb.'

'Ik laat haar niet graag alleen.'

'We zijn hier op de IC. Dus ze wordt permanent in de gaten gehouden.' De verpleegkundige glimlacht. 'Ze is erdoorheen, meneer Webster. Het gevaar is geweken. Dus probeer te ontspannen. Dat wordt hoog tijd.'

Hij staat twintig minuten lang roerloos onder de douche en voelt dat de knopen uit zijn spieren verdwijnen onder de hete straal. Dan zeept hij zich in, hij wast zijn haar en kruipt onder de dekens. Wanneer zijn ogen dichtvallen wordt het buiten al bijna licht.

Om twaalf uur 's middags wordt hij wakker. Wanneer zijn hoofd weer helder is, moet hij zichzelf eraan herinneren dat zijn dochter is ontwaakt uit haar coma. Genietend van dat verrukkelijke besef laat hij zich weer in de kussens zakken, met zijn armen onder zijn hoofd. De zon schijnt, het licht probeert langs de rand van de gordijnen de kamer binnen te dringen. Zou het te vroeg zijn om Rowan vandaag al over Sheila te vertellen, vraagt hij zich af. Het is een gok – het idee dat Rowan in het ziekenhuis misschien beter zal reageren op een ontmoeting met Sheila dan thuis – maar hij vindt dat hij het erop moet wagen.

Eenmaal aangekleed haast hij zich naar het ziekenhuis. Daar treft hij Rowan in haar nieuwe kamer. Ze zit rechtop in bed te lunchen. Met grote ogen van verbazing blijft hij in de deuropening staan. Zo'n alledaagse aanblik, maar ook zo'n wonder.

'Hallo,' zegt hij.

'Wie bent u?' vraagt Rowan.

Websters hart bonst tegen zijn ribben.

'Bent u mijn dokter?'

'Rowan, ik ben je vader. Ken je me niet meer?'

'Mijn vader werkt bij de ambulancepost in Hartstone.'

Zijn hartslag wordt weer normaal.

'Rowan!'

'Had ik je toch even goed te pakken. Je had je eigen gezicht eens moeten zien.'

'Jij dekselse...' Hij pakt haar voet onder het laken en beweegt hem wild heen en weer.

Ze begint te lachen. 'Ik heb een broodje kalkoen. En vla. Ik heb nooit geweten dat ik zo dol was op vla.'

'Je bent een dondersteen.' Hij kan zijn ogen nog steeds niet geloven. 'Je ziet er geweldig uit.'

'Pap, ik zie eruit als een freak! Ik heb een gigantische kale plek op mijn kop en gips om mijn schouder.'

'Ach, die kale plek is maar tien bij vijf centimeter.'

'Hij voelt reusachtig. Ik wou dat ik iets op mijn hoofd kon zetten.'

'Laten we het aan de verpleging vragen. Dan koop ik wel iets voor je.'

'Een pet van de Red Sox.'

'Waarom geen pet van de UVM?' vraagt hij.

'Want daar zijn we hier vlakbij, hè?' Het klinkt alsof ze dat nu pas beseft.

'Wat heet vlakbij? Dit is het universiteitsziekenhuis.'

'Maar ik wil geen honkbalpet. Ik wil er zo een... Ach, dat weet jij natuurlijk niet... Ik wil een soort golfpet, maar dan groter. Waar mijn oren onder kunnen. Eigenlijk zou ik hem zelf uit moeten zoeken.'

'Ik zal zien wat ik kan doen.'

'Ik wou dat Gina hier was. Die zou wel weten wat ik bedoel. Weet je wat er met mijn mobiel is gebeurd?'

Hij heeft haar mobiele telefoon niet gezien, noch de tas waarmee ze naar het feest is vertrokken. Misschien zijn ze bij Tommy. 'Ik zal eens kijken of ik daarachter kan komen,' belooft hij.

Webster gaat op haar bed zitten. Wie krijgt er een tweede kans zoals deze?

'Wil je de helft van mijn broodje?' vraagt ze.

Hij zegt van niet, maar hij heeft wel trek. 'Gina is bij je op bezoek geweest,' zegt hij. 'En Tommy. Met zijn vader. Tommy heeft je leven gered. Had ik je dat al verteld?'

Rowan kijkt bezorgd. 'Ik wou dat ik me er iets van kon herinneren.'

'Dat komt misschien nog wel. Maar misschien ook niet.' Hij besluit haar aanbod alsnog aan te nemen en pakt de andere helft van haar broodje. Kalkoen op wit brood, zonder saus. Het smaakt hem uitstekend. 'Het is waarschijnlijk zelfs beter dat je het allemaal niet meer weet.'

'Ik had gedronken, hè?' Ze veegt haar mond af aan de servet. Vanwege het gips moet ze alles met één hand doen. Gelukkig haar rechter.

'Ja.'

'Ben je kwaad?'

'Kwaad? Ja.' Zijn blik ontmoet de hare. 'Maar ik ben vooral heel erg bang geweest. Je hebt echt heel veel geluk gehad.'

Webster wil het niet over Kerry hebben, het meisje dat het niet heeft gehaald. Daar is het nog te vroeg voor.

'Maar je kunt erop rekenen dat ik ongelooflijk kwaad word als je ooit weer te veel drinkt,' waarschuwt hij.

'Het spijt me.'

'Waarom deed je het? Weet je dat?'

'Het gebeurde gewoon.' Ze duwt het blad weg.

'Je was kwaad toen je van huis ging.'

'Misschien was ik nog steeds kwaad. Wie zal het zeggen?'

'Er zijn heel veel mensen bij je op bezoek geweest,' vertelt Webster. 'Tommy's vader heeft me een van hun auto's geleend. De surveillancewagen staat bij de ambulancepost, en ik heb de sleutels op zak. Het zijn aardige mensen.'

'Ik wist wel dat je ze aardig zou vinden. O pap, het spijt me zo. Het is gewoon niet voor te stellen hoe moeilijk je het moet hebben gehad. En ik ben zo'n secreet geweest.'

'Dat ben je zeker. Als je je goed genoeg voelt, zou je moeten proberen wat werk in te halen. Want als je zakt voor Engels en wiskunde kun je niet naar de UVM.'

'Ik bén al op de UVM, weet je nog?'

'Kun je je ons laatste gesprek herinneren?'

'Ja. Dat was op de avond van het feest. Ik was woest op je.'

'Weet je nog waarom?'

'Omdat je in mijn dagboek had gelezen.'

'Maar ben je dan nu niet boos meer?'

'Nu? Dat zou wel erg onnozel zijn. Ook al ben ik wel een beetje pissig over mijn haar.'

'Ik heb amper iets gelezen, als dat een troost voor je is.'

Ze haalt haar schouders op en gaat iets meer rechtop zitten. 'Het lijkt ineens niet zo belangrijk meer. En eigenlijk wil ik er niet meer aan denken. Want ik vind het gênant.'

'Niks is meer gênant na alles wat er is gebeurd,' houdt hij haar voor.

'Ik heb nog steeds honger. Hoe lang heb ik niet gegeten?'

'Vier dagen.'

'Cool. Ik ben vast afgevallen.' Ze drukt het beddengoed naar beneden aan weerskanten van haar heupen.

'Het laatste waar je je zorgen over hoeft te maken, is je gewicht.' Opnieuw pakt Webster haar voet onder het laken. 'Rowan, ik moet je iets vertellen.'

Ze kijkt hem verwachtingsvol aan.

'Terwijl je in coma lag, is je moeder bijna al die tijd hier geweest.'

'Mijn wat?'

'Ik heb haar vorige week pas gevonden. Toen ik haar vertelde over het ongeluk, is ze meteen gekomen. Als zij er niet was geweest, was ik gek geworden.'

Rowan zet grote ogen op. Webster geeft haar de tijd om ten volle tot zich te laten doordringen wat hij heeft gezegd.

'Waar heb je haar gevonden?' vraagt ze ten slotte.

'Ze woont in Chelsea.' Hij schuift dichter naar haar toe.

'Waar ligt dat?'

'Bij Boston. Toen je klein was, hebben we het er weleens

over gehad waar ze vandaan kwam. Ik heb het je aangewezen op de kaart.'

Rowan leunt naar achteren en trekt het dek op tot onder haar kin. 'Hoe heb je haar gevonden?'

'Via internet. Het ging gemakkelijker dan ik had gedacht. Dus ik ben naar Chelsea gereden om met haar te praten.'

'En dat vertel je me nu pas?'

'Je was er niet voor in de stemming. Ik wilde het juiste moment afwachten. En voor ik het wist, zat ik in een helikopter, met jou op een wervelplank.'

'Hoe is ze?'

'Ze is kunstenares. Ze schildert. En dat doet ze erg goed. Ze heeft geen gemakkelijk leven gehad. Maar de reden dat ik je dit nu vertel, is dat ze je wil ontmoeten.'

'Ze wil me ontmoeten?' Rowan trekt het dek nog hoger op. Haar gezicht staat geschokt.

Webster hoopt dat er niet uitgerekend op dat moment iemand van de verpleging binnenkomt. 'Dus als jij haar ook wilt ontmoeten, dan kan ik dat regelen,' zegt hij.

'Híér? In deze toestand?'

'Wil je liever wachten tot je weer thuis bent?'

Rowan slaat haar ogen neer en denkt na. 'Ben ik op tijd weer thuis voor de diploma-uitreiking?'

'Absoluut. Maar waarschijnlijk niet veel eerder.'

'Mag ik erover nadenken?'

'Natuurlijk. Denk er rustig over na. Ik zal niets tegen haar zeggen tot je een besluit hebt genomen.'

Rowan kijkt hem onderzoekend aan. 'Zijn jullie... eh...'

'Zijn we wat?'

'Nou ja, je weet wel... Komen jullie weer bij elkaar?'

'Nee.' Hij schudt glimlachend zijn hoofd. 'Nee, dat gaat niet gebeuren. We hebben veel met elkaar gepraat, maar vooral over jou.'

'Hoe is ze?' vraagt Rowan opnieuw.

'Nog hetzelfde, maar ook anders. Ze is rustiger geworden. Ouder. Maar dat zegt jou niks, want je hebt geen herinneringen meer aan haar. Je weet niet hoe ze was.'

'Nee, maar ik kan wel proberen me voor te stellen hoe ze geweest moet zijn.'

'Ik moet je nog iets vertellen voordat jullie elkaar ontmoeten.'

'O, wat dan?'

'Je moeder is niet zomaar weggegaan. Ik heb haar weggestuurd.'

Rowan kijkt hem uitdrukkingsloos aan, alsof ze het niet begrijpt.

'Ik heb haar weggestuurd,' herhaalt hij.

'Dus ze is niet gewoon in de auto gestapt en weggereden?' vraagt Rowan verbijsterd.

'Jawel. Maar dat deed ze omdat ik haar er min of meer toe had gedwongen.'

Rowan kijkt uit het raam. Het enige wat ze vanuit haar bed kan zien, is de lucht.

'Ik heb je verteld dat ze wegging omdat ze ziek was. Omdat ze dronk en professionele hulp nodig had.'

'Ja, dat weet ik.'

'Nou, dat was ook zo. Maar na dat ongeluk, met jou in de auto, durfde ik haar niet meer met jou alleen te laten. En ik kon natuurlijk niet de hele dag bij haar zijn. Dus ik heb haar weggestuurd.'

Webster kijkt Rowan aan.

'Als ik dat niet had gedaan, zou ze naar de gevangenis zijn gegaan,' zegt hij.

'Dus eigenlijk heb je haar leven gered,' zegt Rowan.

Hij schudt zijn hoofd. 'Nee, eerder het jouwe.'

'En dat van jezelf?'

'Dat weet ik niet.'

Rowan knikt. 'Maar zei ze niet dat ze naar een ontwenningskliniek zou gaan?'

'Dat konden we niet betalen. Dus dat was geen optie. Bovendien had je toen op dat gebied nog niet zoveel mogelijkheden als nu.'

Hoewel hij als verpleegkundige weet wat stress teweeg kan brengen – een bonzend hart, een droge mond, zweterige handen – lukt het hem niet de symptomen te voorkomen. Hij heeft ze allemaal.

'Konden jullie dat niet betalen?' vraagt Rowan.

Webster herinnert zich het aanbod van zijn vader om de ontwenningskliniek te betalen. Zijn trots had hem ervan weerhouden dat aanbod aan te nemen. 'Het was op dat moment simpelweg geen optie. Als ze twee uur langer in de stad was gebleven, had de politie haar moeten arresteren.'

Rowan wordt bleek. 'Zou ze echt naar de gevangenis zijn gegaan?'

'Ik denk het wel,' zegt Webster. 'Het was de tweede keer dat ze werd gepakt met drank op achter het stuur, en het was al het tweede ongeluk dat ze veroorzaakte. Bovendien was de andere bestuurder bij dat laatste ongeluk ernstig gewond geraakt. Dus ze zou een behoorlijk lange gevangenisstraf hebben gekregen.'

Rowan trekt haar knieën op onder de dekens. 'Zouden ze haar dan niet hebben gedwongen om naar een ontwenningskliniek te gaan?'

'Ach, de gevangenis is waarschijnlijk ook een soort ontwenningskliniek. Hoewel, niet altijd. De gevangenis is verschrikkelijk. De meeste mensen komen er slechter uit dan ze erin gaan. En je moeder had zich daar nooit staande kunnen houden.'

Rowan zwijgt.

'Maar ze zou inmiddels allang weer vrij zijn geweest,' zegt ze ten slotte. 'En misschien zou ze dan naar een ontwenningskliniek zijn gegaan en hadden we weer een gewoon gezin kunnen zijn.'

Het steekt hem dat ze dat zegt. Een gewoon gezin. Hoe vaak heeft hij dat zelf niet gedacht? Door Sheila weg te sturen heeft hij hun gezin kapotgemaakt. 'Weet je, Rowan, als ik eerlijk ben, denk ik dat je moeder en ik binnen het jaar uit elkaar zouden zijn gegaan,' zegt Webster. 'Ik kon haar niet meer vertrouwen. Het spijt me dat ik het moet zeggen. Ik had gehoopt dat het nooit nodig zou zijn. Het feit dat ze dronk, was een symptoom van hoe ze was. Of misschien was het andersom. Misschien werd ze wie ze was omdat ze dronk. Hoe dan ook, ze was roekeloos, op zoek naar avontuur. En ze deed dingen stiekem.'

'Als ze op zoek was naar avontuur, wat moest ze dan met jou?'

Webster glimlacht. 'Toen ik je moeder leerde kennen, was ze op de vlucht voor haar vriend in Boston. Die sloeg haar. En ze dronken allebei. Dus je moeder was op zoek naar rust en veiligheid. Blijkbaar zag ze in mij iemand bij wie ze kon onderduiken. Dat heeft ze ook letterlijk zo gezegd.'

'Ze was zwanger toen je met haar trouwde.'

'Dat klopt,' zegt Webster.

'Dat weet ik van Allison Newman. Die vertelde het. Vlak voor de kerst. Haar moeder werkte bij opa in de winkel.'

Webster probeert zich de vrouwen voor de geest te halen die bij zijn vader hebben gewerkt. Hij kan zich er maar drie herinneren, en die kende hij alleen bij hun voornaam.

'Zou je ook met haar zijn getrouwd als ze niet zwanger was geweest?'

Webster buigt zich naar voren. 'Dat weet ik niet. Maar ik hield oprecht van haar. Er is een tijd geweest dat ik zoveel van haar hield dat het pijn deed.' Hij zwijgt even. 'Maar als de relatie een normaal verloop had gehad, zou ik er misschien hoe dan ook een streep onder hebben gezet als ik had gemerkt hoeveel ze dronk en hoe vaak ze tegen me loog,' vervolgt hij. 'We woonden niet eens samen toen ze zwanger werd.'

'Dus ik ben... een ongelukje?' vraagt Rowan.

Webster wendt zich naar zijn dochter. 'Rowan, kijk me aan. Voel je je een ongelukje?'

Het duurt even voordat ze antwoord geeft. 'Soms.'

Webster sluit zijn ogen. Waarom heeft hij dit niet al veel eerder met haar besproken? Maar hoe weet een vader wanneer zijn dochter klaar is voor zo'n gesprek?

'Rowan, luister nou eens naar me. Een baby is nooit een ongelukje of een vergissing, of je nou getrouwd bent of niet. Nooit. Sterker nog, een baby is het tegenovergestelde van een vergissing.'

Rowan wendt haar hoofd af.

'Zodra je er was, hielden we zielsveel van je. Ik in elk geval, dat lijkt me duidelijk. Maar je moeder ook.'

'Als ze zoveel van me hield, waarom ging ze dan weg? En waarom dronk ze zoveel? Waarom nam ze zulke idiote risico's? Ik was bijna dood geweest.'

'Dat moet je aan haarzelf vragen.'

Hij is even stil.

'Een alcoholist moet de oprechte wil hebben om van zijn verslaving af te komen. Als dat niet zo is, heeft hulp geen enkele zin. En je moeder was nog niet zo ver.'

Hij is weer even stil.

'Ik kon gewoon niet het risico nemen dat ze opnieuw dronken in de auto zou stappen, met jou op de achterbank. Bovendien vermoed ik dat het destijds niet de eerste keer was dat ze had gedronken en toch achter het stuur kroop. Jullie hebben ongelooflijk veel geluk gehad. De 222 zit vol onverwachte bochten. Je moet er niet aan denken wat er had kunnen gebeuren met een bestuurder die niet alert reageert. Ze had ook frontaal tegen een boom kunnen rijden.'

'En hoe is het nu? Is ze gestopt met drinken?'

'Ja.'

'Wat vonden opa en oma ervan?'

'Ze mochten haar eerst niet zo. Of liever gezegd, ze vonden het niet leuk dat ik met haar trouwde. Maar na de bruiloft ging het heel goed. En toen jij was geboren, waren ze in de zevende hemel.'

'Waren ze blij toen je haar had weggestuurd?' vraagt Rowan.

'Nee, ik heb het ze moeten uitleggen. Natuurlijk wisten ze wel wat er aan de hand was, maar toch. Trouwens, het was onvermijdelijk dat ik het ze vertelde. Jij en ik woonden op dat moment bij ze in huis.'

'Hoe zag ik eruit bij mijn geboorte?'

Webster glimlacht. 'Rimpelig. Met een rood gezichtje. En een punthoofd.'

'Echt waar?'

'Alle baby's hebben een punthoofd. Tenminste, wanneer ze langs de natuurlijke weg worden geboren. En allemachtig, wat had jij een haast. Het scheelde niet veel of je was in de auto geboren.'

'Echt waar?'

'Ik was er al helemaal klaar voor om de bevalling zelf te doen.'

'En... mijn moeder... hoe vond die dat?'

'Die vond helemaal niks. Die had alleen maar pijn.'

'Is de pijn echt zo erg?'

Webster gooit zijn koffiebeker in de prullenmand. 'Dat lijkt me ook iets om aan je moeder te vragen.'

'Ik had broers en zusjes kunnen hebben.'

Webster buigt zich nog iets verder naar haar toe. 'Maar die heb je niet. En het grootste deel van je leven had je ook geen moeder. Dat is wat jij in je leven toebedeeld hebt gekregen, en daar moet je het mee doen. Natuurlijk, je kunt wensen dat het allemaal anders was gelopen, maar daar schiet je niks mee op. Als mensen medelijden krijgen met zichzelf, loopt het meestal niet goed met ze af.'

'Hoe weet je dat allemaal?'

Webster haalt zijn schouders op. 'Zoveel weet ik nou ook weer niet. Maar er zijn een paar dingen waar ik veel van weet. Onder andere hoe je een dochter moet grootbrengen. In elk geval tot ze zeventien is.'

Rowan vernauwt haar ogen tot spleetjes. 'Denk maar niet dat je daar alles van weet.'

Voor die dag hebben ze genoeg gepraat, besluit Webster.

'Je hebt maanden, wat heet, jaren de tijd om alles te verwerken. Nu is het vooral belangrijk dat je je rust neemt.'

'Maar het is nog veel belangrijker dat mijn haar zo snel mogelijk weer aangroeit.'

Webster wacht tot de volgende dag voordat hij het onderwerp Sheila opnieuw aan de orde stelt. Hij heeft zijn ex al gewaarschuwd dat het bezoek waarschijnlijk ergens in de ochtend zal plaatsvinden. Tommy en Gina hebben laten weten later op de dag langs te komen. Dus als het ervan gaat komen, zal het in de ochtenduren moeten gebeuren.

'Hoe voel je je vandaag?' vraagt hij wanneer hij de kamer binnenkomt.

'Goed. We beginnen met fysiotherapie voor mijn schouder, en ze willen zeker weten dat ik een redelijke afstand zelfstandig kan lopen zonder mijn evenwicht te verliezen. Anders is het risico te groot dat ik val en op mijn schouder terechtkom.'

Webster glimlacht en gaat op het bed zitten.

'Het valt je niet eens op dat ze mijn haar hebben gewassen.'

'Nou en of wel. Je ziet er geweldig uit.'

'Ik probeer te bedenken wat ik met die kale plek moet.' Aan een haak op de deur hangt de pet die Webster voor haar heeft gekocht. Hij heeft een jonge vrouw in de winkel op de campus om raad gevraagd, en die stuurde hem naar een boetiek vlakbij waar ze de pet verkochten die Rowan zocht.

'We hebben het gisteren over je moeder gehad. En de vraag was of je bereid bent haar te ontmoeten.'

'Ja.'

'En, heb je erover gedacht?'

'Ja, ik wil haar graag ontmoeten. Maar alleen als jij erbij bent. En we moeten een teken afspreken voor als ik wil dat ze weggaat. Dan kun je een verpleegster gaan halen, of zoiets.'

'Oké. Wat stel je voor?'

Rowan overweegt verschillende opties. 'Ik denk dat ik maar gewoon zeg: "Wil je de verpleegster halen?"'

Webster moet lachen. 'Dat is duidelijke taal.' Hij staat op. 'Ik mag hier niet bellen. Dus ik moet even de gang op. Ik ben zo terug.'

'Oké,' zegt Rowan. 'Mag ik mijn pet?'

Hij gooit hem naar haar toe.

'Ze is er,' zegt Webster tien minuten later, wanneer hij Sheila in de gang buiten de kamer ontdekt. 'Wil je dat ik haar binnenlaat?'

'Ik ben bang,' zegt Rowan.

'Ik ook.'

Webster loopt de gang op en wenkt Sheila.

'Weet je zeker dat dit een goed idee is?' vraagt Sheila.

'Nee, maar ik denk het wel. Ik weet alleen niet hoe lang ze het aankan. Misschien niet meer dan een paar minuten.'

Sheila draagt een kort wit jasje met een lang zwart T-shirt op een spijkerbroek. Haar haar valt los op haar schouders. Ze heeft het achter haar oren geduwd. Webster heeft geen idee hoe de ontmoeting zal verlopen. Hij neemt een risico. Misschien zelfs een verschrikkelijk risico. Als Rowan het niet aankan, zou de ontmoeting voor hen allebei ingrijpende, langdurige gevolgen kunnen hebben.

Webster stapt opzij om Sheila te laten voorgaan. 'Rowan, dit is Sheila Arsenault.'

Sheila doet een stap naar voren. 'Hoe is het nu met je?' vraagt ze aan Rowan.

Die kan geen woord uitbrengen. Het is alsof haar stembanden plotseling verlamd zijn. Ze lijkt iets te willen zeggen, maar het lukt haar niet.

Nu Rowan weer bijna helemaal de oude is, valt het Webster op hoe griezelig veel de twee vrouwen op elkaar lijken.

Sheila doet nog een stap dichter naar het bed. Met haar hoofd iets schuin zoeken haar ogen die van Rowan. 'Mag ik gaan zitten?' vraagt ze. Vanuit Rowan bekeken moet Sheila een intimiderende indruk maken. Het ontgaat Webster niet dat zijn dochter haar hand nadrukkelijk op haar pet houdt.

'Natuurlijk,' zegt Rowan, als ze eindelijk haar stem heeft teruggevonden. Met haar goede arm werkt ze zich iets in de kussens omhoog.

'Je vader heeft me alles verteld over dat afschuwelijke ongeluk.'

Het woord 'moeder' of 'dochter' is nog niet gevallen. Sheila zou een vriendin van Webster kunnen zijn die op bezoek komt. Zien Rowan en Sheila de onderlinge gelijkenis, vraagt hij zich af.

'Je ziet er goed uit,' zegt Sheila.

Webster verwacht dat Rowan elk moment het afgesproken teken kan geven. Blijkbaar was de ontmoeting inderdaad geen goed idee, concludeert hij. In haar ziekenhuisbed doet Rowan hem denken aan een in het nauw gedreven dier.

'Volgens de artsen mag ze over een paar dagen naar huis,' vertelt hij.

'Net op tijd voor je diploma-uitreiking,' zegt Sheila.

Rowan lijkt verrast dat Sheila van de diploma-uitreiking op de hoogte is. 'Pap zei dat je schildert,' zegt ze in een poging tot een gesprek.

'Dat klopt.' Sheila zet haar tas naast het bed op de grond. Anders dan zij blijft Webster staan. Vanaf het voeteneind houdt hij het gezicht van zijn dochter nauwlettend in de gaten, om meteen te kunnen reageren wanneer ze het teken geeft. Wat is zijn eigen wereldje toch klein, beseft hij.

'Volgens mijn vader ben je erg goed.' Rowan werkt zich iets verder omhoog. Ze heeft haar hand nog altijd op de pet, maar inmiddels minder krampachtig. Ogenschijnlijk zonder het te beseffen heeft ze haar kale plek onthuld.

'Dat is erg aardig van je vader, maar zo is hij,' zegt Sheila. 'Ik herken bepaalde trekken in je gezicht nog van vroeger, maar je bent wel veranderd. En je bent prachtig.'

Rowan krijgt op slag een vurige blos op haar wangen. Webster houdt even zijn adem in. Vanhier kan het gesprek alle kanten uit gaan.

'Hoe lang ben je?' vraagt Sheila aan Rowan.

'Een meter vijfenzeventig. En jij?'

'Een zesenzeventig. Tenminste, dat was ik. Maar ze zeggen dat je krimpt als je ouder wordt.'

'Je leek me net behoorlijk lang, toen je nog stond.'

Sheila glimlacht.

'Ik heb dezelfde kleur haar als jij,' zegt Rowan.

Sheila knikt. 'Dat is een van de eerste dingen die ik zag. Je haar is nu veel lichter dan toen je nog een baby was.'

En ineens is het er. Een connectie. Een gezamenlijke geschiedenis, ook al weet Rowan daar weinig van.

'Dit is zo bizar,' zegt Rowan. 'Ik heb, geloof ik, wel honderdduizend vragen die ik wil stellen.'

'Ik wel tweehonderdduizend,' zegt Sheila.

Er wordt niet gesproken over verlating of schuld, over boosheid of spijt. Dat komt nog wel, weet Webster. Maar misschien niet vandaag. Ze zijn allebei slim genoeg om dat soort onderwerpen voorlopig te mijden. Nu is het alsof er, in plaats van een vreemde, een tante op bezoek komt die Rowan heel lang niet heeft gezien.

Sheila trekt haar witte jasje uit, misschien heeft ze het heet, of misschien breekt het zweet haar uit van de zenuwen. Rowan zit rechtop in bed en buigt zich voorover om Sheila de kale plek te laten zien. 'Wat doe ik hiermee?' vraagt ze. 'Over drie dagen moet ik naar de diploma-uitreiking.'

Sheila neemt de vraag serieus. 'Verdwijnt die plek niet onder die metselplank die je op moet. Je baret, of hoe noem je zo'n ding?'

'Maar die moet je aan het eind van de ceremonie de lucht in gooien,' zegt Rowan.

Sheila houdt opnieuw haar hoofd schuin. 'Mag ik?' Ze reikt naar Rowans haar.

Die knikt.

Sheila gaat met haar vingers door Rowans haar en inspecteert de kale plek. 'Je zou je haar heel kort kunnen laten knippen,' stelt ze voor. 'Stekeltjes. Je haar is er dik genoeg voor. Dan is die kale plek gewoon onderdeel van je nieuwe kapsel. Want echt verstoppen kun je hem niet. Je zou je haar er natuurlijk ook overheen kunnen kammen, maar dat lijkt me toch niet echt een optie.'

Rowan gaat met haar vingers door haar haar. 'Ik heb het altijd lang gehad.'

'O ja?' vraagt haar moeder.

'In elk geval sinds mijn twaalfde.'

'Misschien is het tijd voor verandering.'

'Ik word vandaag overgebracht naar een andere afdeling,' zegt Rowan. 'Ik hoef niet langer op de IC te blijven. In een gewone ziekenkamer kunnen ze me net zo goed in de gaten houden.'

'Dat is goed nieuws,' zegt Webster.

'Kun jij knippen?' vraag Rowan aan Sheila.

'Nee, ik niet. Maar ik kan wel iemand voor je vinden die het wil doen.'

'Komt die dan hier?'

'Dat ga ik regelen, op voorwaarde dat de verpleging het goedvindt.'

Webster kan alleen maar verbijsterd toekijken. Hij beseft dat er onder de oppervlakte nog genoeg valkuilen zitten, misschien zelfs een complete krater. Het is merkwaardig hoe vrouwen elkaar vinden in problemen omtrent het uiterlijk. Bij mannen zou het sport zijn.

Nadat ze bij de verpleging heeft gevraagd of dat goed is, regelt Sheila dat er die middag een kapper bij Rowan langskomt. Webster vertrekt wanneer het zover is, ervan overtuigd dat Rowan zijn afwezigheid nauwelijks zal opmerken. Vanuit de gang slaat hij het tafereel gade. De verpleegsters hebben Rowan in een rolstoel gezet en een laken over haar heen gedrapeerd. Sheila zit op het bed en kijkt toe terwijl de kapster met haar vingers door Rowans haar strijkt. Ze vraagt of Rowan het zeker weet en knikt wanneer die dapper ja zegt. Sheila legt uit wat de bedoeling is, en Webster denkt: misschien zou ze toch een goede moeder zijn geweest.

Na fysiotherapie en het bezoek van Gina en Tommy – Webster en Sheila kunnen hen vanuit de gang horen giechelen – vertelt Rowan dat de fysiotherapie weliswaar niet lang had geduurd, maar dat de oefeningen verschrikkelijk waren en dat ze nog een hoop werk te doen heeft aan haar schouder. Omdat de verpleegsters haar hebben aangemoedigd zo veel mogelijk te bewegen, maakt Webster er een gewoonte van met haar door de gangen te wandelen. Op een avond dat het erg zacht is, neemt hij haar zelfs mee naar buiten. Rowan ademt de frisse lucht diep in. Het nieuwe kapsel verbergt de kale plek niet echt, vindt Webster, maar hij valt wel minder op. Op zijn vraag wat Rowan van Sheila vindt, reageert ze, anders dan hij had gehoopt, weinig toeschietelijk. Het is hem niet duidelijk of ze haar gevoelens over haar moeder voor zich wil houden, of dat ze nog niet goed raad weet met deze nieuwe ontwikkeling in haar leven.

'Volgens een van de verpleegsters ben ik gecurariseerd voor de vlucht met de helikopter. Heb jij dat gedaan?'

'Nee,' zegt hij. 'Dat doet de medische bemanning van de helikopter.'

'De verpleegster vertelde ook dat ze heeft meegemaakt dat patiënten herstelden van hun verwondingen, maar dat ze door het curariseren de rest van hun leven verlamd bleven.'

En bedankt, denkt Webster. 'Dat heb ik ook weleens gehoord,' zegt hij. 'Maar ik heb het nooit in de praktijk meegemaakt.'

'Maar dat wist je toen ze mij curariseerden,' zegt ze.

'Ja. Dus ik was er helemaal niet gerust op, maar het is de standaardprocedure wanneer een patiënt met verwondingen aan het hoofd wordt voorbereid op vervoer door de lucht.'

'Wat moet je bang zijn geweest,' zegt Rowan.

'Reken maar. Ik heb doodsangsten uitgestaan.'

Ze slaat haar goede arm om hem heen. 'Het spijt me.'

Wanneer Webster de volgende morgen in het ziekenhuis komt, blijkt dat Sheila hem voor is geweest. Ze zit dicht naast Rowans bed, en het tweetal is druk in gesprek. In Rowans ogen leest Webster verwondering en ontzag, en hij kan haar door het glas heen horen giechelen. Omdat hij hen niet wil storen, wandelt hij wat door de gangen, waarbij hij elke twintig minuten heimelijk een blik door het raam werpt.

De tweede keer dat hij dat doet, zitten ze nog steeds te praten.

Wanneer hij voor de derde keer langskomt, ziet hij dat Rowan zit te lachen. Hij vraagt zich af of Sheila haar vertelt over haar babytijd.

De vierde keer hebben ze hun hoofd dicht naar elkaar gebogen en staan hun gezichten ernstig. Webster besluit naar binnen te gaan.

Zowel Sheila als Rowan lijkt verrast hem te zien. Sheila leunt naar achteren in haar stoel. Rowan zegt niets.

'Stoor ik?' vraagt Webster.

Rowan haalt haar schouders op.

'Wil iemand iets drinken?' vraagt Webster, om maar iets te zeggen.

Rowan en Sheila schudden hun hoofd.

'Oké, dan haal ik alleen een kop koffie voor mezelf.'

Hij geeft hun een kwartier. Wanneer hij daarna weer binnenkomt, zit Rowan te huilen.

Shit.

Sheila keert zich naar hem toe en maakt een neerwaartse beweging met haar handen, alsof ze wil zeggen: Maak je geen zorgen. Het is niet wat het lijkt.

Rowan reikt naar een tissue en snuit haar neus. 'Als je haar niet had weggestuurd, waren we al die jaren een gewoon gezin geweest.'

Sheila steekt een hand op voordat Webster kan reageren. 'Je vader moest me wel wegsturen. Hij had geen keus,' zegt ze tegen Rowan. 'Het had echt heel erg verkeerd kunnen aflopen. Sterker nog, het is een wonder dat je het er levend van af hebt gebracht.'

'Dus je bent niet boos dat hij je heeft weggestuurd?'

'Dat ben ik soms wel geweest,' zegt Sheila. 'Maar ik heb altijd geweten dat hij het heeft gedaan omdat jouw leven op het spel stond. Hij moest je redden. Daar heb ik nooit ook maar één moment aan getwijfeld.'

'Ik heb niemand gered.' Webster zet zijn koffie op de richel onder het raam. 'Het is gebeurd, en dat valt niet meer terug te draaien. We zijn er allemaal door beschadigd.' Gelooft hij dat? Ja, dat gelooft hij oprecht.

'Rowan en ik hebben veel in te halen.' Sheila staat op.

'Ga je weg?' vraagt Rowan geschrokken.

'Als mijn horloge op tijd loopt, komt de fysiotherapeut over vijf minuten,' zegt Sheila. 'Bovendien moet ik weer eens naar huis. Ik wil niet weg, maar het zal toch moeten.'

Rowan gooit het dek af en gaat op de rand van het bed zitten. Haar benen zijn bleek en mager. Webster is altijd weer verbaasd te zien hoe snel spiermassa verloren gaat.

'Wanneer je het podium op loopt, steek je je kin naar voren en je denkt niet meer aan die kale plek,' zegt Sheila. 'Bovendien, je haar begint alweer te groeien.'

'Echt waar?' Rowan voelt aan haar hoofd.

'Ik bel je zodra ik thuis ben. Maar nu moet ik rennen. Als ik niet op tijd uitcheck, moet ik in het motel voor nog een nacht betalen.'

Rowan kijkt verwilderd naar haar vader. Doe iets, lijkt ze te willen zeggen.

'Waarom blijf je niet nog een dag,' stelt Webster zijn ex voor. 'Of moet je per se vanavond weer thuis zijn? Zo niet, ga dan mee naar Hartstone. Je kunt een kamer nemen in de Bear Hollow Inn.'

Het motel waar ze zijn getrouwd.

'En als ze daar vol zijn, vinden we wel iets anders. Wil je er niet bij zijn als deze zielige kale stumper haar diploma in ontvangst neemt?'

'Natuurlijk,' zegt Sheila. 'Dolgraag.' Ze keert zich naar Rowan. 'Vind jíj het ook leuk als ik blijf?'

'Reken maar,' zegt Rowan.

Sheila, die inderdaad een kamer heeft genomen in de Bear Hollow Inn, is er al vroeg en doet de rits van Rowans jurk dicht. Dat was altijd Websters taak. 'Niet kijken,' zei Rowan dan.

Zijn meisjes. De woorden liggen op het puntje van zijn tong. Webster denkt aan die middag, lang geleden, toen hij Sheila en Rowan slapend aantrof op de grond. Maar Sheila is net zomin van hem als de grasmaaier van de buurman dat is. Toch is er iets in het tafereeltje – een moeder en een dochter die elkaar helpen met de laatste voorbereidingen – dat hem gelukkig stemt.

Rowan is nerveus. Deels vanwege het haar, weet Webster, deels omdat ze nog niet helemaal stevig op haar benen staat, en deels vanwege het vooruitzicht dat ze haar hele vriendenkring weer zal zien.

Het is vijftien jaar geleden dat ze voor het laatst alle drie samen in dit huis waren. Maar dat kan Rowan zich niet herinneren.

Webster kijkt toe terwijl Sheila haar cadeau aan Rowan geeft ter ere van het behalen van haar diploma: een korte ketting van pastelblauwe stenen en bolletjes van gehamerd zilver. Op het moment dat ze Rowan het pakje voorhoudt, lijkt ze te aarzelen. Alsof ze haar dochter eigenlijk geen cadeautje zou moeten geven. Het ontspannen plezier waarmee Sheila amper twee dagen eerder nog met Rowan omging, lijkt te zijn verdwenen.

'Wat vind je?' Rowan komt voor hem staan in haar licht-blauwe jurk, waarvan één mouw is opengeknipt om ruimte te maken voor het gips.

'Je ziet er prachtig uit,' zegt hij. 'Erg chic en modieus.'

Rowan trekt haar neus op. 'Wat weet jij nou van chic en modieus?'

Sheila trekt haar witte jasje recht en frunnikt aan de tailleband van haar broek. Onder het jasje vangt Webster een glimp op van een zijden topje.

In het ziekenhuis heeft Webster zijn dochter haar cadeau voor haar diploma al gegeven: een reisje van vijf dagen naar New York, samen met Gina; tegen de tijd dat Rowan weer helemaal de oude is. Vijf dagen om musea en theaters te bezoeken, en natuurlijk ook lekker uit eten te gaan. 'Als je maar niet drinkt,' heeft Webster haar gewaarschuwd. 'Dat kan echt niet. Ik hoop dat je dat begrijpt.'

'Ja, dat snap ik.'

'Mijn vader zei altijd dat ik niks van de wereld had gezien,' zei Webster. 'Dus hij zou het geweldig vinden dat jij dit doet.'

'Maar pap, wil jij niet met me mee in plaats van Gina?'

Hij zou dolgraag willen. 'Nee, ik ben veel te saai,' zegt hij echter. 'Ik zou eindeloos willen wandelen en bij andere ambulanceposten willen langsgaan. En ik zou 's avonds al om tien uur in bed willen liggen. Het is veel leuker voor je om met Gina te gaan.'

'Ze gaat uit haar dak als ze het hoort,' zegt Rowan. 'Heel erg bedankt.'

Er is afgesproken dat Rowan met Tommy vooruitgaat naar de diploma-uitreiking, want ze moeten hun toga's nog aantrekken en zich opstellen voor de stoet. Op de klanken van *Pomp and Circumstance* zullen ze het terrein op marcheren, net zoals Webster dat heeft gedaan bij zijn diploma-uitreiking. Hij voelt mee met de ouders van de ene leerling die er niet bij

zal zijn. Toen hij Rowan over Kerry vertelde, barstte ze in snikken uit en het duurde wel een uur voordat ze weer een beetje
tot zichzelf kwam. Webster maakt zich zorgen dat Rowan de
onvermijdelijke minuut stilte niet zal aankunnen. En hij is
bang dat ze te lang in de hete zon zal moeten staan. De dokter
heeft hen gewaarschuwd dat ze rekening moeten houden met
de mogelijkheid van een insult. De eerstkomende twee weken
mag Rowan nog niet alleen zijn.

Webster en Sheila zijn van plan vroeg naar de uitreiking te
gaan, om een plaatsje vooraan te bemachtigen. Voor het podium zullen rijen metalen klapstoelen staan opgesteld. Zodra
hij gaat zitten, zal een van de vier poten van zijn stoel wegzak-
ken in het zachte gras, weet Webster. Hij heeft zijn camera bij
zich, de batterij is opgeladen zodat hij foto's kan maken. Hij
wil er een van Rowan tegen het kale stuk keukenmuur, maar
misschien geneert ze zich voor haar merkwaardige kapsel, en
misschien voelt ze zich niet op haar gemak omdat Sheila erbij
is. Bovendien, als hij foto's maakt, moet hij Sheila en Rowan
dan ook niet vragen of ze samen willen poseren, met alle ver-
raderlijke consequenties van dien? Dus hij besluit Rowan na
de plechtigheid te fotograferen, in haar toga en haar jurk.

'Wat een handig ding,' zegt Sheila, wanneer ze de zilveren
kubus op de vensterbank boven de gootsteen ontdekt. 'Klopt
de weersvoorspelling echt?'

'Die heb ik pap voor zijn verjaardag gegeven.' Rowan pakt
de kubus van de vensterbank. Ze legt de verschillende functies
uit. Dan schudt ze de kubus en zet hem op tafel. 'Deze kant
voorspelt de toekomst.' Ze houdt haar hoofd schuin om de
tekst te kunnen lezen. '*Geduld is een schone zaak.* Jammer. Die
heb ik al gehad. Trouwens, voor wie is die voorspelling bedoeld?'

'Voor jou,' zegt Webster. 'Jij hebt hem geschud.' Hij vindt
het een verstandig advies voor zijn dochter.

'Maar de kubus is van jou,' kaatst ze terug. 'Ik heb hem aan jou gegeven.'

'Oké,' zegt hij, opgelucht dat er niets ergers in de vloeistof is komen bovendrijven. 'Ik zal het advies ter harte nemen.'

Rowan schudt de kubus opnieuw. '*Er wacht een schat voor wie hem weet te vinden.*' Ze kijkt niet-begrijpend op. 'Wat betekent dat?'

'Volgens mij precies wat er staat,' antwoordt Webster. 'Er ligt iets heel moois in het verschiet voor wie er oog voor heeft.'

'Maar wat is dat moois dan?'

'Dat is aan jou om te ontdekken,' zegt hij.

'Doe jij het eens.' Rowan houdt Sheila de kubus voor. Die doet een stap naar achteren. 'Nee, dank je. Misschien een andere keer.'

Zij houdt ook niet van verrassingen.

Sheila en Webster lopen over het uitgestrekte gazon. Ze zijn niet zo vroeg als Webster had gedacht. De voorste rijen zijn al bezet. Sheila's hakken zakken weg in het gras, en ze moet zelfs een keer blijven staan om een schoen los te trekken.

Webster kiest een plek aan het gangpad. Hij wil altijd snel weg kunnen. Na jaren op de ambulance is dat een gewoonte geworden. Sheila gaat naast hem zitten terwijl hij zijn hand opsteekt naar Gina's moeder, Eileen, die geen moeite doet haar nieuwsgierigheid te verbergen wanneer ze Sheila ziet. Webster laat zijn blikken over de menigte gaan. Opa's en oma's, broers en zussen zitten naast vaders en moeders van zowel zijn leeftijd als ook ouder. Wanneer de leerlingen het podium betreden, zal het gejuich en gejoel duidelijk maken welke familie bij welke leerling hoort. Webster is blij dat hij Sheila bij zich heeft. Want hoeveel lawaai kun je als vader alleen produceren?

Ooit zaten zijn ouders hier ook. Hij weet nog dat hij zo

snel mogelijk de hort op wilde met zijn vrienden, om een reeks feesten af te lopen waarna hij uiteindelijk, tegen het ochtendgloren, letterlijk gevloerd bij wildvreemde mensen op de grond in slaap viel.

Er komt een vrouw naar hem toe. Webster herkent haar niet. Achter haar loopt een jongeman met een zwarte bril. 'Meneer Webster?' vraagt ze.

'Dat klopt.'

'Dit is Aaron. U hebt me negentien jaar geleden geholpen hem op de wereld te zetten. We zijn hier voor Joshua, zijn jongere broer.'

'Nee maar!' Webster staat op en kijkt van de moeder naar de zoon, zowel geamuseerd als verbaasd. 'Hoi Aaron.'

De jongen schudt hem de hand.

'Ik was zo bang die nacht,' zegt de vrouw.

'Dat waren we allebei. Ik was nog maar een groentje.'

'Ik wil u al jaren bedanken, maar we zijn elkaar maar zelden tegengekomen. En dan was u altijd met anderen.'

'Ik vond het een geweldige ervaring.'

'Weet u wat u zei waardoor ik niet meer bang was? "Deze baby gaat de hele wereld wakker schreeuwen zodra hij er is. Ik kan hem nu al horen." Dat zei u. Daar moest ik zo om lachen, en toen wist ik dat alles goed zou komen.'

Ze legt even haar hand op Websters arm. 'Dat zal ik nooit vergeten.'

Webster gaat weer zitten. Er zijn meer mensen in het publiek die hij heeft behandeld. Hij wordt in de stad niet als een held beschouwd. Sterker nog, de mensen zien hem liever niet bij hen thuis of op de weg, bij hun auto. Maar hij maakt deel uit van het vangnet van veiligheidsvoorzieningen rond Hartstone, en daar zijn ze dankbaar voor.

De zon brandt op zijn hoofd, de temperatuur stijgt. Het is misschien wel vijfentwintig graden, denkt hij. Om zich heen ziet Webster dat mannen hun jasje uittrekken, terwijl vrouwen hun sjaal afdoen. Het uitgestrekte gazon ligt er stralend groen bij. Wanneer er muziek uit de luidsprekers klinkt, staat iedereen op. Een rij studenten in kastanjebruine toga staat opgesteld aan het begin van het gangpad tussen de stoelen. Vooropen lopen de leerkrachten, sommige in academische toga of met een sjerp. Mevrouw McDougal, de rectrix, draagt een zwartfluwelen baret. De vrouwen in het publiek hebben de tissues al tevoorschijn gehaald. De muziek maakt de tranen los.

De leerlingen in de rij maken een uitbundige indruk, alsof ze voor alles in zijn. Is hun middelbareschooltijd zo verschrikkelijk geweest dat ze ernaar snakken om hem achter zich te laten? Of vieren ze slechts een mijlpaal? Webster is zich bewust van Sheila die naast hem zit, blij dat ze lang genoeg is om de bonte stoet die over het gangpad nadert, te kunnen zien. Hij zal tot het eind moeten wachten voordat zijn dochter langskomt. Het stoort hem dat veel ouders zich al hebben afgewend en weer zijn gaan zitten tegen de tijd dat Rowan hem bereikt. Webster zal blijven staan tot alle leerlingen zich voor het publiek hebben opgesteld.

Hij heeft nu al een brok in zijn keel – het kan niet anders of de muziek is speciaal voor dat effect gecomponeerd. Hij kijkt naar Sheila. Er speelt een krampachtige glimlach om haar mond. Maar de lijnen in haar gezicht worden zachter wanneer ze Rowan in de gaten krijgt. Webster draait zich om en ziet zijn dochter naar het podium komen. Ze heeft haar toga net ver genoeg opengeritst om te zorgen dat de blauw-met-zilveren ketting zichtbaar is: een gebaar naar haar moeder toe. De baret lijkt zijn werk te doen. Rowan loopt bij wijze van uitzondering kaarsrecht. Met vaste tred. Ze is een combinatie van ernst en speelsheid. Terwijl ze langsloopt knipoogt ze naar Webster.

Het gegil en geschreeuw bedaart wanneer mevrouw Mc-Dougal het podium beklimt. Ze vraagt om een minuut stilte voor Kerry Coolidge, en het ontgaat Webster niet dat veel meisjes van het jaar dat afzwaait, beginnen te huilen. Er zijn ook ouders die hun ontroering niet de baas zijn. Het is een verschrikkelijk moment, en Webster kan de gedachte niet van zich afzetten dat de minuut stilte ook voor Rowan bedoeld had kunnen zijn. Het is een ondraaglijke gedachte. Zouden Kelly's ouders er zijn, vraagt hij zich af. Als het zijn dochter was geweest, zou hij thuis zijn gebleven. Hij zou desnoods naar Afrika – of waar dan ook – zijn vertrokken, zolang hij maar niet hier hoefde te zijn.

Mevrouw McDougal gaat voortvarend door met de plechtigheid en vertelt wat een geweldig jaar de afzwaaiers hebben gehad. Ze somt het totaal aan hun prestaties op, met als enige echt vermeldenswaardige het feit dat het debating team kampioen van Vermont is geworden. Het footballteam heeft het minder goed gedaan, net als de hockeyers. De rectrix vertelt haar publiek dat vijfentachtig procent van de leerlingen die hun diploma hebben gehaald naar de universiteit gaat. Er wordt geapplaudisseerd. Webster denkt aan de vijftien procent die niet gaat studeren. Hoe ziet de toekomst van die leerlingen eruit? Gaan ze naar een beroepsopleiding, of in het leger? Worden ze boer? Mevrouw McDougal verklaart dat ze bijzonder trots is op de maatschappelijke inzet van Rowans jaar. Ze vertelt dat de leerlingen zich nuttig hebben gemaakt in opvangtehuizen voor daklozen en dat ze vrijwilligerswerk hebben gedaan op het lager en bijzonder onderwijs.

En dan doet mevrouw McDougal iets waar Webster niet op heeft gerekend. Ze vraagt alle ouders te gaan staan. Vervolgens zegt ze de leerlingen hetzelfde te doen en hun ouders een applaus te geven, als dank voor alle liefde die ze van hen hebben ontvangen en voor alle offers die hun ouders hebben gebracht om hen in staat te stellen dit diploma te behalen.

Webster heeft alleen oog voor Rowan, die stralend de vuist van haar goede arm in de lucht steekt, omdat ze door haar gebroken schouder niet kan klappen. Hij beantwoordt het gebaar met een grijns.

Wanneer hij zich naar Sheila keert, schrikt hij. Ze ziet eruit alsof ze een klap in haar gezicht heeft gekregen. Hij probeert haar zover te krijgen dat ze ook gaat staan, maar ze blijft stokstijf zitten, wachtend tot het applaus is afgelopen.

'Het spijt me,' zegt Webster wanneer hij weer gaat zitten. 'Ik had geen idee dat ze dat zouden doen. Als ik het had geweten, had ik je erop voorbereid.'

Sheila haalt vluchtig, zogenaamd onverschillig haar schouders op, maar Webster ziet het verdriet in haar gezicht. Zij heeft de laatste vijftien jaar geen offers voor haar dochter hoeven brengen. Ze was er domweg niet.

De hitte stijgt terwijl de ene toespraak op de andere volgt. Er worden sportieve onderscheidingen uitgereikt, die daardoor meer gewicht krijgen dan de academische onderscheidingen die de week tevoren tijdens een aparte plechtigheid zijn uitgereikt. Webster heeft geen moeite met het ritueel. Het is deels bedoeld voor leerlingen die geen vervolgopleiding gaan doen. Sommige hebben maar net, met de hakken over de sloot, hun diploma gehaald. Ook zij worden onthaald op gejuich en gejoel. Ook zij worden in het zonnetje gezet.

Webster en Sheila hebben Rowan geholpen om in het ziekenhuis haar laatste schoolonderzoeken te doen. Het ging haar gemakkelijk af, waardoor Webster tot de conclusie is gekomen dat ze er eerder welbewust met de pet naar had gegooid. Elizabeth Washington had de toelatingscommissie op de universiteit gebeld, om Rowans recente, ongebruikelijke omstandigheden toe te lichten. Het resultaat is dat Rowan in de herfst naar de universiteit van Vermont gaat.

Webster trekt zijn jasje uit, Sheila volgt zijn voorbeeld. De leerkrachten in hun toga's wuiven zichzelf koelte toe met hun programmaboekje. Webster maakt zijn das los. Tijdens de lunch om de heuglijke gebeurtenis te vieren zal het warme weer ongetwijfeld een onderwerp van gesprek zijn. Dat de voorspelling er niet voor het eerst weer eens goed naast zat. Dat het wel augustus lijkt in plaats van juni. Kapsels zullen inzakken, hemdsmouwen zullen worden opgerold.

Wanneer de rectrix bij de R is aangeland, geeft Sheila hem een por en vraagt om de camera.

'Laat maar, ik doe het wel,' zegt Webster, in afwachting van het moment dat hij zal opstaan van zijn stoel en in het gras van het gangpad zal hurken met alle ouders van de T's en V's om een foto te maken van hun zoon of dochter die zijn of haar diploma in ontvangst neemt.

'Jij moet er ongestoord van kunnen genieten,' zegt Sheila. 'Als je foto's maakt, beleef je het niet echt.'

'Weet je hoe dit toestel werkt?' vraagt hij, bang dat ze op het laatste moment niet zal weten op welke knop ze moet drukken.

'Ja, dat weet ik.'

Wanneer de rector halverwege de S is – en er zijn altijd een heleboel S'en – werkt Sheila zich langs hem heen de rij uit. Gebogen en iets door haar knieën gezakt rent ze in haar wit zijden topje en zwarte broek naar voren. Op blote voeten, ziet hij.

Hij kijkt op, net op tijd om Rowan het podium te zien beklimmen. Dan hoort hij dat de naam van zijn dochter wordt afgeroepen. Rowan Webster. Wanneer ze over het podium loopt en de conrector de hand schudt, klinkt er applaus en geschreeuw. Verrast draagt Webster zijn steentje bij en laat een doordringend gefluit horen. Het is het geblesseerde-spelersyndroom, beseft hij. Het publiek klapt om uiting te geven aan zijn waardering dat Rowan er is, dat ze net als de anderen bij de ceremonie kan zijn. Rowan lacht, neemt haar baret af, buigt voorover en wijst naar de kale plek op haar hoofd. Het publiek wordt uitzinnig.

Voordat Rowan het podium weer verlaat, poseert ze voor de formele foto die iedere leerling in de loop van de zomer krijgt thuis gestuurd. Ze zal erop staan met haar gezicht licht afgewend, en Webster en Rowan zullen weten waarom. Ze zocht met haar ogen haar vader in het publiek, die met twee handen naar haar stond te zwaaien.

Dit is het, zegt Webster tegen zichzelf, terwijl hij zijn blik over het gazon met al die ouders en hun kinderen laat gaan. *Dit is alles wat ik nodig heb in het leven.*

Sheila komt weer naast hem zitten. 'Volgens mij heb ik echt een paar geweldige foto's gemaakt.' Ze bukt zich om haar schoenen aan te trekken.

Alsof hij zijn leven lang niet anders gewend is geweest, alsof hij het de vorige dag nog heeft gedaan, laat Webster zijn vingers over haar ruggengraat wandelen, van haar taille naar haar nek.

Ze wendt zich naar hem toe. 'Geduld is een schone zaak,' zegt ze.

Dankwoord

In de eerste plaats wil ik Linda O'Leary van de ambulancepost in Manchester, Vermont, bedanken. Ze heeft me geweldig geholpen met de passages over het werk zoals dat door het ambulancepersoneel wordt gedaan. Mochten er toch nog fouten in de tekst voorkomen, dan is dat uitsluitend en alleen mijn verantwoordelijkheid.

Veel dank aan Genevieve Martland die me heeft rondgereden in Chelsea, Massachusetts. Ook hier geldt: mochten er in dat hoofdstuk toch nog fouten staan, dan komen die voor mijn rekening.

Ten slotte zijn er de mensen die ik zoveel meer verschuldigd ben dan dankbaarheid: Asya Muchnick, mijn lieftallige en getalenteerde redacteur; Jennifer Rudolphs Walsh, mijn agent die niet alleen altijd voor me klaar staat maar die ook nog eens een schat is; Michael Pietsch, aan wie ik alles te danken heb; Terry Adams, mijn trouwe paperbackuitgever met een feilloos gevoel voor het vak; en ten slotte John Osborn, mijn grote liefde.

ORLANDO
uitgevers

ANITA SHREVE

De redding

OVER DE AUTEUR

LEESCLUB

O+

INTERVIEW,
LEESCLUBVRAGEN,
EXTRA'S & MEER

Zie ook:
www.orlandouitgevers.nl

OVER DE AUTEUR

Anita Shreve (1947) is de internationaal bejubelde auteur van wereldwijde bestsellers als *Vallend licht*, die persoonlijk werd uitgekozen door Oprah Winfrey voor haar boekenclub en werd verfilmd als *The Pilot's Wife*; *Het gewicht van water* (nominatie Orange Prize en verfilmd met Sean Penn en Elizabeth Hurley); *Het verlangen* (verfilmd) en *De kleur van de zee*. Haar romans verschijnen in meer dan dertig landen in vertaling. Ze woont in New England, de Verenigde Staten.

ENKELE VRAGEN AAN ANITA SHREVE

Heb jij altijd schrijfster willen worden?

Ik heb altijd het gevoel gehad dat ik wilde schrijven, maar het was geen vanzelfsprekendheid dat ik dat ook zou gaan doen. Het was in mijn familie gebruikelijk om je kinderen aan te moedigen om een 'praktisch' beroep te kiezen, schrijven viel daar niet onder. Vandaar dat ik er nooit echt over nadacht en in eerste instantie lerares Engels werd. Ik heb vijf jaar lesgegeven en vond het ontzettend leuk, maar de drang om fulltime te gaan schrijven werd steeds groter. Vanuit een nu-of-nooit-gevoel ben ik toen halverwege het schooljaar gestopt met lesgeven en heb me volledig gestort op het schrijven van korte verhalen. Ik maak weleens de grap dat ik de eerste tijd mijn badkamer kon behangen met afwijzingen van magazines waarin ik wilde publiceren.

Wat was tot nu toe het mooiste moment uit je schrijverscarrière?

De beste momenten van mijn carrière heb ik aan mijn bureau beleefd, als ik zin voor zin op papier zette van een ingewikkeld verhaal met complexe personages. Ik ga dan volledig in mijn werk op en laat me helemaal meeslepen.

Wat heeft je geïnspireerd tot het schrijven van De redding?

De redding is ontstaan omdat ik een mysterie wilde schrijven. Op hetzelfde moment had ik een hang naar het schrijven van een boek over iemand die een echte baan had, een karakter dat echt iets kon laten zien aan de lezer. Ik heb uiteindelijk voor het beroep van ambulancebroeder gekozen, omdat een dergelijk persoon soms op een heel intieme manier in contact staat met de mensen in de omgeving waar hij zijn beroep uitoefent. Daarbij heeft een ambulancebroeder ook toegang tot de politie en dat was weer handig in het kader van het spannende verhaal dat ik wilde schrijven. Ik liet dit idee echter varen toen ik me realiseerde wat een goede vent Webster eigenlijk was, en dat hij een ander verhaal te vertellen had dan ik oorspronkelijk dacht.

Bij welk karakter in het boek voel je je het meest betrokken en waarom?

Sheila is mijn favoriet. Ik zeg niet dat ze mijn bewondering verdient, maar ze was in elk geval het leukst om te creëren. Ik heb vooral genoten van de Sheila in het eerste deel van het boek, de brutale, bijdehante Sheila. De vrouw op wie Webster verliefd werd.

Sheila heeft een alcoholprobleem. Zou jij net zoveel geduld met haar hebben gehad als Webster?

Als er een kind in het spel is, zijn echtgenoten geduldiger dan ze zouden zijn in dezelfde situatie zonder kind. Dat geldt ook voor Webster. Hij blijft hopen op een wonder, dat het haar lukt om de drank te laten staan met behulp van therapie. Hij blijft geloven dat Sheila uiteindelijk inziet welke schade zij haar naaste omgeving toebrengt. Maar op het moment dat Sheila het leven van hun dochter Rowan in gevaar brengt, moet hij er wel een punt achter zetten en Sheila voorgoed wegsturen. Webster heeft alles over voor zijn dochter, maar het wegsturen van zijn vrouw breekt zijn hart.

Sheila verdwijnt uiteindelijk uit het leven van Rowan voor haar bestwil. Wat vind je van die keuze?

Sheila had weinig keus wat dat betreft. Webster had haar weggestuurd en ze kon niet terug naar Hartstone zonder te worden gearresteerd. Daarbij besefte ze ook dat het niet verstandig was om in Rowans buurt te zijn zolang ze nog niet clean was.

Tekst Kim Moelands
© Orlando uitgevers

LEESCLUB
LEESCLUBVRAGEN VOOR *DE REDDING*

1. De band tussen Webster en Rowan is tot voor kort altijd hecht en goed geweest. Toch heeft Webster als alleenstaande vader soms zijn twijfels of hij het allemaal wel goed heeft gedaan bij de opvoeding van zijn dochter. Wat zou Rowan gemist kunnen hebben doordat ze zonder moeder is opgegroeid? En in hoeverre zou dat eventuele gemis van invloed kunnen zijn op haar huidige gedrag?

2. Wanneer Webster, Rowan en Sheila gaan picknicken in de bossen, blijkt dat ze het uitje allemaal heel verschillend beleven. (blz. 152) Wat wordt er tijdens dit ontbijt in de vrije natuur duidelijk over de manier waarop Sheila en Webster aankijken tegen hun relatie, hun rol als ouder en hun gezin? Hoe zou het komen dat hun opvattingen en gevoelens zo ver uit elkaar liggen?

3. 'Jij was mijn beste kans... op een veilig bestaan. Je straalt veiligheid uit,' zegt Sheila op blz. 134/135 tegen Webster. Waarom voelt hij zich zo gekwetst door die uitspraak? En wat denk je dat Sheila ermee bedoelt?

4. Wanneer Rowan zich begint te misdragen, hanteert Webster verschillende strategieën. Hij confronteert haar met haar gedrag, hij negeert het, en hij zoekt zelfs hulp bij een onwaarschijnlijke bron. Het leidt allemaal tot niets. Hoe had hij het anders kunnen aanpakken? Of denk je dat het allemaal toch niets zou hebben geholpen, wat hij ook had geprobeerd?

5. Webster heeft ervoor gekozen Rowan aanvankelijk niet de volledige toedracht van Sheila's vertrek te vertellen. Waarom denk je dat hij 'een wezenlijk aspect' heeft achtergehouden? (blz. 209) En heeft hij daar goed aan gedaan? Zou Rowan anders in het leven hebben gestaan als Webster haar van meet af aan de waarheid had verteld?

6. Sheila heeft jaren van Rowans leven gemist. In hoeverre denk je dat een echte verzoening tussen Rowan en Sheila tot de mogelijkheden behoort? Is de rol van 'moeder' iets onherroepelijks, of, 'krijg je (die titel) niet zomaar. Die moet je verdienen,' zoals Webster zegt. (blz. 248)

7. Bij de hereniging tussen Rowan en Sheila observeert Webster: 'Er wordt niet gesproken over verlating of schuld, over boosheid of spijt. Dat komt nog wel...' (blz. 304) Als jij Rowan was, wat zou je dan tegen Sheila zeggen? En wat zou je Rowan willen vertellen, als je in Sheila's schoenen stond?

8. Hoe wordt het thema 'redding' in dit boek uitgewerkt? Kun je een ander redden als die elke hulp weigert? Is het onze verantwoordelijkheid om te proberen onze dierbaren te redden? En zo ja, hoever gaat die verantwoordelijkheid?

9. Probeer je het leven van de personages eens voor te stellen, een jaar na het eind van dit boek. Hoe zie je de samenstelling van dit gezin dan voor je?

© www.anitashreve.com